La bataille des entreprises publiques en Côte-d'Ivoire

ISBN : 2-86537-280-4

Bernard Contamin et Yves-A. Fauré

La bataille des entreprises publiques en Côte-d'Ivoire

L'histoire d'un ajustement interne

Editions KARTHALA
22-24, boulevard Arago
75013 Paris

Editions de l'ORSTOM
213, rue de La Fayette
75010 Paris

LISTE DES SIGLES LES PLUS COURAMMENT UTILISÉS (*)

BIRD	Banque mondiale (Banque internationale pour la reconstruction et le développement)
CCCE	Caisse centrale de coopération économique (France)
DCSPP	Direction du contrôle du secteur parapublic
EPA	Etablissement public à caractère administratif
EPF	Etablissement public à caractère financier
EPIC	Etablissement public à caractère industriel et commercial
EPN	Etablissement public national
EPS	Etablissement public spécial
FMI	Fonds monétaire international
JORCI	Journal officiel de la République de Côte-d'Ivoire
MEF	Ministère de l'Economie et des Finances
MERSE	Ministère d'Etat chargé de la Réforme des Sociétés d'Etat
MFP	Ministère de la Fonction publique
SEM	Société d'économie mixte
SODE	Société d'Etat
SPFP	Société à participation financière publique
RCI	République de Côte-d'Ivoire

(*) La liste des sigles d'entreprises et d'organismes ivoiriens cités dans le texte est placée en fin d'ouvrage.

Introduction

Le sens de l'étude

En juin 1980 le président ivoirien et l'un de ses ministres annoncent, lors d'un Conseil national réunissant les représentants des principales forces organisées du pays, la restructuration de l'ensemble des sociétés d'État et des établissements publics : de nombreux organismes sont dissous, d'autres transformés et replacés dans la mouvance directe de l'État, d'autres sont transférés au secteur privé. Ce démantèlement brutal et cette recomposition autoritaire constituent la première opération d'un très important train de dispositions réorganisant l'ensemble des nombreuses structures et des imposants corps de personnels qui prospèrent depuis longtemps autour de l'État central : redéfinition statutaire des sociétés d'État et des établissements publics, liquidation et reclassement des entreprises, mise en place d'un contrôle comptable et financier beaucoup plus strict qu'antérieurement, réduction des masses salariales, compression des effectifs, ventes de participations publiques dans les sociétés d'économie mixte, refonte des conditions et procédures des marchés administratifs, resserrement de la politique d'aval de l'État, etc.

Pourtant, en dépit de l'importance de ces mesures et de leurs effets profonds et durables, la plupart des observateurs auront gardé de l'année 1980 le souvenir des réformes politiques qui ont été parallèlement arrêtées et appliquées : reprise en main de la direction du parti unique par le chef de l'État, « ouverture électorale » concrétisée par l'abandon des listes officielles de candidats et par l'adoption d'un scrutin de type semi-compétitif (qui tolère plus de candidats que de sièges à pourvoir dans le maintien de l'unicité partisane), décentralisation enfin qui s'est traduite par la reconnaissance (élargie en 1985) de l'autonomie de plus d'une centaine de collectivités locales accédant désormais au « plein exercice » de leurs responsabilités communales. La polarisation des attentions sur le versant politique des bouleversements de 1980 n'est pas illégitime : l'éventuelle redynamisation du tissu local longtemps anémié par un pouvoir et un appareil administratif fortement centralisés, le renouvellement du personnel politique (secrétaires des sections du parti, députés, maires et conseillers municipaux) prenaient des allures de profondes transformations et justifiaient naturellement l'éclosion de nouveaux intérêts pour l'action et pour la connaissance. Il est vraisemblable aussi que s'est exercé à plein le piège qui fait du champ politique un univers intensément symbolique dans lequel « dire c'est faire » (Austin). Et il est vrai qu'en matière de réforme parapublique on a plus « agi » que « parlé ».

Pourtant cette réforme, annoncée en 1977, lancée véritablement en 1980 et qui s'échelonnera sur plusieurs années, est probablement la plus ample et profonde politique publique — entendue comme un programme d'action gouvernemental dans un secteur de la société (Meny et Thœnig 1989, cf. bibliographie terminale) — produite par les autorités depuis les années soixante : elle a touché à un secteur clef de l'économie et de la société ivoiriennes et a développé des effets essentiels en matière de personnel, de finances, de pratiques gestionnaires des ressources publiques, même si le net redressement du secteur parapublic, pourtant évident, n'a pas été suffisant pour enrayer la dégradation générale et l'approfondissement de la crise économique et financière à l'échelle macroscopique. En termes d'emplois et de revenus, l'impact des transformations ne pouvait qu'être important : les seules sociétés d'État et établissements publics fournissaient en 1979/1980, à la veille de la réforme, des postes et des salaires réguliers à une population d'environ 65 000 à 70 000 individus. Les plus fines mesures réalisées pour 1980 montrent que sur une population totale de 7 965 000 habitants et une population active de 3 643 000 personnes, les salariés non agricoles et professions libérales étaient 507 000 dont 318 000 relevaient du secteur dit moderne (Oudin 1986). Le rapprochement entre ce dernier chiffre et celui des emplois dans les Sode et les EPN révèle l'enjeu social prééminent que constituaient les modifications introduites dans les structures parapubliques. On aura une idée rapide de l'enjeu économique en signalant simplement qu'en 1979 les entreprises publiques (hormis plus de 150 sociétés d'économie mixte — SEM) représentaient 40 % de l'ensemble du capital social des entreprises constitutives du secteur moderne (les 2 500 environ recensées par la *Centrale de bilans*).

Composante importante de la crise globale ivoirienne, l'univers parapublic a suscité, par ses dérèglements propres et leurs effets au plan des finances publiques et des paiements extérieurs du pays, une réaction qui a été la réponse la plus substantielle et la plus cohérente — en dépit de ses insuffisances — à cette crise plus large et plus profonde.

La signification de cette restructuration était apparemment claire. L'interprétation couramment admise voulait que l'ensemble des réorganisations du secteur parapublic se soient inscrites dans le cadre des mesures préconisées/imposées par le Fonds monétaire international et la Banque mondiale pour permettre l'arrêt des déficits publics et le rééquilibrage de la balance des paiements. Volet essentiel des programmes d'ajustement structurel, la réforme des entreprises publiques semblait aller dans le sens d'un désengagement de l'État et d'une privatisation de l'économie. Toutes ces analyses reposent sur des postulats dont le premier est que les programmes mis en œuvre vont effectivement dans le sens annoncé par les plans d'ajustement. Elles font l'hypothèse que les intentions se traduisent *ipso facto* en réalisations et créditent le FMI et la BIRD de la capacité de mettre ou faire mettre en place une véritable libéralisation de l'économie. Les investigations de terrain nous ont conduit à constater des écarts considérables entre ces annonces et conceptions et les situations pratiques, avérées. Les conclusions que nous pouvons tirer de nos analyses de proximité sont très différentes des interprétations communes et dominantes sur le sujet.

En premier lieu l'étude des modalités concrètes (conception, contenu, mise en œuvre, résultats) de la réforme suggère une forte autonomie des autorités gouvernementales nationales, contrairement au courant de pensée qui fait des bailleurs de fonds de la période des ajustements structurels les initiateurs et tuteurs intéressés des réformes publiques et parapubliques sur le continent. On notera au passage que si l'implémentation des réformes a eu lieu, en effet, dans une phase d'aggravation de la position extérieure de la Côte-d'Ivoire, les premières mesures préparatoires (nomination d'un ministère *ad hoc*, lancement des études et réflexions, dissolution de quelques organismes, etc.) datent de 1977, année faste pour les finances ivoiriennes avec la montée en flèche des cours mondiaux de café et de cacao, deux des principales sources de recettes d'exportation du pays. Et l'ensemble du dispositif réformateur a été si peu conforme aux vœux, intérêts et conceptions des bailleurs de fonds qu'un lourd contentieux, peu connu il est vrai, a opposé la Banque mondiale aux autorités ivoiriennes.

La BIRD et le FMI ont été évincés du processus de réforme avec d'autant plus d'efficacité que les troubles économiques et financiers du secteur parapublic n'étaient qu'un aspect d'une crise sectorielle à plusieurs dimensions dont beaucoup d'éléments (définition du problème, repérage des enjeux etc.) leur échappaient presque par nature. Les bouleversements opérés à partir de 1980 dans les agences de l'État ont été la réponse à une crise qui était aussi politique : un patronage relâché, des circuits clientélistes s'autonomisant, un patrimonialisme en pleine expansion ont été les ressorts d'un système de pouvoir dont l'évolution a menacé le leadership jusque-là très fermement exercé par le premier ivoirien. Les dérèglements financiers et organisationnels du secteur parapublic — auxquels naïvement, c'est-à-dire avec des options strictement « techniques », croyaient pouvoir s'attaquer la BIRD et le FMI — renvoyaient en réalité aux blocages de la machine politique et aux transformations périlleuses des rapports entre le patron et les bénéficiaires des rentes, prébendes et autres dépouilles. Et de la même façon que le passage au scrutin semi-compétitif a été l'occasion de procéder à une purge dans le personnel politique, de même les transformations opérées dans les entreprises publiques, par la mise en place de verrous financiers, ont permis la mise au pas, la domestication de la couche grandissante de « cadres » dirigeant les très nombreuses agences de l'État.

On ne doit pas s'étonner que la restructuration ici n'ait pas débouché sur un désengagement significatif de l'État. L'assainissement financier, la contraction des dépenses et déficits publics ne se sont pas traduits, à la fin de la décennie quatre-vingt, par un changement structurel du poids relatif et du rôle de l'État. Ce résultat peut se comprendre à partir de deux ordres de considération. Tout d'abord, penser un reflux facile et rapide de la puissance publique et de ses modes et moyens d'intervention économique, ce serait faire fi de la densité sociale de cet État, de son historicité, des intérêts des forces et groupes qui, par leur interaction et leur opposition le font advenir et le réactivent, ce serait négliger les conditions sociales et politiques dans lesquels cet État a été conduit à jouer un rôle important dans l'orientation des activités, dans la constitution et l'ordre des groupes, bref, ce serait méconnaître la profonde mixité de l'économie et de la société ivoiriennes qui connaît elle aussi le phénomène de « straddling » (chevauchement) mis en évidence dans les derniers rebondissements du « débat kényan ». Par ailleurs la « permanence » de l'État, sa capacité de reproduction (résultat des luttes et actions sociales) par-delà les contraintes des ajustements et des restructurations s'éclaire par rapport au modèle de croissance qui déborde nettement le cas singulier ivoirien et qui, en fait, résume la plupart des situations sub-sahariennes : caractérisé par la prééminence accordée à l'agriculture d'exportation, par la faveur initialement donnée à une industrie d'import-substitution etc., l'ensemble du dispositif a été orienté vers et adapté à un processus d'accumulation extensive dans tous les secteurs de la vie sociale et économique. Dans ce cadre l'État, plaque tournante de la redistribution du surplus, a joué un rôle de pivot, un rôle de régulateur central permettant l'affirmation, la préservation et la reconduction d'intérêts satisfaits à court terme (gain d'espace dans l'agriculture de plantation, protectionnisme industriel, etc.) et repoussant à plus tard les réaménagements imposés par une rationalisation élargie, elle-même liée à l'intégration croissante à une économie mondiale. Ces fonctions étatiques, nonobstant les pressions, conceptions et intérêts des bailleurs de fonds et des partisans d'un État réduit au rang de gendarme, n'ont pu disparaître par un coup de baguette néolibérale. D'autant que la logique de l'assainissement financier, autre face de la restructuration parapublique, a imposé de nouvelles interventions de l'État pour apurer des comptes, transférer des dettes, rééquilibrer des bilans, consolider la structure financière de tel ou tel organisme.

En définitive il est plus que difficile d'assimiler les réorientations impulsées dans le secteur parapublic en Côte-d'Ivoire à un mouvement de désétatisation : de la même façon que le libéralisme économique du pays n'a la plupart du temps et sous de nombreux rapports été qu'un mythe, une illusion, de même les métamorphoses, pourtant fondamentales en de nombreux aspects, observées et décrites dans cet ouvrage ne sont pas l'accomplissement triomphal d'un libéralisme revisité. Il n'est qu'apparemment paradoxal que partisans du marché et de l'entreprise et critiques radicaux du capitalisme aient cru voir les réalisations aller dans le même sens au cours de cette décennie.

Au total, ayant résisté (ou plutôt les acteurs l'ayant fait résister) aux processus de décomposition interne et aux tentatives de démantèlement externe, ayant survécu aux restructurations, aux assainissements et autres ajustements, on conviendra que loin d'être cette figure fantomatique, trop inefficace pour les uns, trop manipulée pour les autres, l'État ivoirien existe bel et bien : certes pas à la manière objectiviste et substantialiste (car il ne suffit pas d'une organisation centrale, d'une bureaucratie publique, d'une hiérarchie d'agents, du déploiement de ses emblèmes et de l'ardeur de ses légistes, etc. pour le doter d'une dureté sociale) ; mais d'une certaine façon, peu glorieuse et peu conforme à un idéal juridiste transcendantal : l'État comme champ de relations et interactions problématiques, comme produit des connivences et des oppositions, l'État comme complexe de tensions, de transactions, d'influences et de conflits, lieu de production d'éventuelles politiques publiques, l'État comme point ultime (c'est-à-dire d'où peut s'exercer l'extrême cœrcition) d'accomplissement, de confrontation et d'ajustement de systèmes d'action.

La démarche adoptée

Puisque le contenu et le sens d'une analyse s'éclairent de ses conditions de production, disons quelques mots du cadre, des moyens et de la démarche par lesquels cette étude a été conduite. L'origine directe se situe dans un appel d'offre du comité scientifique « politiques gouvernementales et entreprises publiques » (ATP-CNRS) présidé par le professeur Albert Mabileau et orienté dans une perspective de comparaisons internationales. Le Centre national de la recherche scientifique (CNRS-Paris) a prodigué les immédiats et décisifs moyens de mener à bien une première analyse de « la restructuration des sociétés d'État en Côte-d'Ivoire » qui, après deux ans de préparation, de lectures, d'investigations de terrain a fait l'objet d'un rapport (Contamin et Fauré, décembre 1987, CNRS, 248 p. + annexes). Une très abondante documentation qui n'avait pu être que très partiellement exploitée dans ce premier document, de nouvelles missions en Côte-d'Ivoire, le détachement d'un des deux auteurs au sein du département SUD de l'Institut français de recherche scientifique pour le développement en coopération (ORSTOM) et son affectation au Centre de sciences sociales de Petit-Bassam à Abidjan où il a pu bénéficier des meilleures conditions logistiques, les évaluations encourageantes du rapport CNRS qui révélaient tout l'intérêt de non spécialistes de l'Afrique à l'endroit de la réforme opérée en Côte-d'Ivoire nous ont incité à reprendre, refondre, approfondir et élargir le travail initial. Ce livre est le résultat de cette remise en train et il se présente comme très différent du rapport initial.

Celui-ci a été préparé d'abord dans des institutions universitaires et organismes professionnels en France : Centre d'étude d'Afrique noire de l'Institut d'études politiques de Bordeaux dont les directeurs, C. Coulon et J.-F. Médard, doivent être remerciés, CEGET — laboratoire du CNRS de géographie tropicale —, ministère de la Coopération et du Développement, Caisse centrale de coopération économique, SEDES, bureaux parisiens du FMI et de la BIRD. Sur place en Côte-d'Ivoire l'étude a été rendue possible grâce aux très nombreux et fructueux contacts établis avec divers services et institutions concernés par la réforme : ministères d'État II, de l'Economie et des Finances, de la Fonction publique (secrétariat général à la réforme administrative), de l'Agriculture, du Plan et de l'Industrie, Cour suprême (Chambre des comptes), Caisse autonome d'amortissement, Bourse des valeurs, sociétés d'État, établissements publics, sociétés d'économie mixte, etc. Nous avons pu consulter une très abondante documentation, la plupart du temps inédite, et obtenu de nombreux entretiens avec les acteurs de la réforme. Ces informations ont été complétées par la lecture des comptes financiers, budgets, rapports d'audit, de liquidation, etc. auxquels nous avons pu avoir accès. Toutes les données recueillies ont été vérifiées, rapprochées, confrontées entre toutes les sources. L'extrême courtoisie et, souvent même, la coopération dont on a bien voulu nous honorer en Côte-d'Ivoire nous ont permis de réaliser une très ample moisson de données, ce qui nous a mis en situation de pouvoir restituer, croyons-nous, l'essentiel des déterminants et des conditions d'application de la réforme parapublique.

Ce « bonheur scientifique » nous suggère un sentiment et une conclusion méthodologique. Le sentiment est celui de la gratitude dont nous sommes redevables à l'égard de tous nos interlocuteurs ivoiriens, toujours patients et intéressés par notre recherche et quelque peu intrigués par ce qui sortirait d'une étude universitaire de synthèse sur un thème sur lequel chacun était intervenu et que tous avaient vécu dans ses effets pratiques. Que tous trouvent ici l'expression de nos remerciements et ne tiennent pas rigueur à deux scientifiques extérieurs des omissions, erreurs et maladresses et du sens des interprétations qui sont proposées dans cet ouvrage. Nous revendiquons, sur ce terrain, notre pleine responsabilité et ne pouvons que solliciter l'indulgence des uns et des autres.

La conclusion de méthode qu'on croit pouvoir tirer de cette expérience de recherche sous le rapport de l'importante masse d'informations que nous avons pu rassembler pourrait se formuler à peu près ainsi : l'analyse des systèmes sociaux, politiques et économiques africains gagnera toujours dans l'accumulation de données propres à alimenter des études de facture monographique. La réflexion comparative et théorique, la construction de modèles d'analyse sont évidemment des outils et des étapes indispensables au travail des sciences sociales. Mais une certaine démission est visible chez les chercheurs sur le front des investigations empiriques. Celles-ci sont aussi délicates qu'indispensables à conduire dès lors qu'elles sont mises au service d'une rationalisation préalable. Elles seules permettent d'affiner la connaissance des objets, elles seules permettent de mesurer ou contrôler les biais introduits nécessairement par des différences d'échelle d'observation et de faire la part de l'idiosyncrasie et de la régularité dans les démarches comparatives. L'accumulation de données factuelles nombreuses et inédites qui nourrissent les développements qui suivent a justifié un traitement parfois très proche de la simple description et nous avons eu le souci de ne pas diluer cette masse informative dans une approche plus théorique et donc plus distante des « faits ». Cette manne devrait constituer un encouragement à se lancer dans des quêtes longues, ingrates mais formatrices qui permettent, entre autres, de voir vivre et s'agiter des agents économiques et sociaux réels au-delà de la sècheresse des chiffres et de l'abstraction des grandeurs comptables, et de reconstituer les processus décisionnels (même si « la décision n'existe pas » selon Sfez) et les conditions de production des politiques publiques. Pourquoi l'Afrique noire serait-elle la seule aire où la « boîte » dans laquelle les analystes pensent que se nouent des interactions et que s'élaborent des produits décisifs des activités politiques demeurerait éternellement noire ? Avec ses excès, avec ses insuffisances et ses biais, l'ethnographie a cependant apporté un stock considérable de connaissances factuelles et singulières. Cette démarche — à condition qu'on ne prétende pas en faire l'alpha et l'oméga de la posture scientifique — n'est pas à mépriser dans le développement de la science politique et de la science économique portant sur l'Afrique, sans quoi on retournerait inconsciemment aux dénis dénoncés ci-dessous. C'est un des sens investis dans la prééminence donnée ici aux descriptions factuelles : chacun pourra juger de ce qu'elles apportent et en quoi elles tendent ou non à nuancer et préciser des analyses plus globales ou plus abstraites.

Cette conclusion de méthode renvoie elle-même à d'importantes considérations épistémologiques qu'on ne peut ici qu'ébaucher. En effet les systèmes sociaux africains contemporains, en dépit des efforts continus, profanes et savants, qui en permettent une information fine et riche, semblent toujours demeurer justiciables d'une posture cognitive, d'une façon de les penser, entachée d'une imparfaite rigueur. A leur endroit le sens commun oscille entre une relation intimiste qui revendique le privilège exclusif de la connaissance et l'affirmation d'une altérité exotique qui flaire au mieux la condescendance méprisante, au pire le racisme. Mais la docte perception, de son côté, est loin d'être exempte de faiblesses épistémologiques. De tenaces préjugés non contrôlés survivent aux entreprises analytiques et l'on n'est pas peu étonné de constater que sous les paradigmes dont on a voulu faire des machines à penser rompant enfin avec des démarches « impérialistes », de facture colonialiste ou néocolonialiste, œuvre encore un inconscient castrateur.

Dans la panoplie de ces incomplétudes non proclamées mais persistantes relevons quelques dénis. Ces ensembles sociaux ne seraient pas dotés d'autonomie, et les dynamiques (de la domination politique, de la stratification sociale, de l'accumulation économique, etc.) qui les structurent et par lesquels ils se transforment renverraient, pour l'essentiel, à leur extranéité. Dans ces conditions les nouvelles figures impériales des nomothètes financiers (Banque mondiale -BIRD-, Fonds monétaire international -FMI-) seraient le prolongement, à peine modifié, de l'ancien processus colonial de mise en rapport brutal et de mise en dépendance absolue. Corrélativement ces formations sociales seraient incapables de produire leurs propres politiques publiques, de les définir en souveraineté et de les mettre en œuvre avec quelque efficacité, et leurs États font souvent l'objet dans les analyses d'une instrumentalisation qui les réduit peu ou prou au produit d'intérêts internes sans composition ou de forces extérieures se déployant sans médiation. Dans cette même perspective mutilante les contraintes actuelles qui s'exercent sur ces sociétés « globales », essentiellement depuis le dehors, seraient surtout d'ordre économique. Enfin, et on arrêtera là cet inventaire, on a tendance à exempter les énoncés africains du crible critique auquel les savoirs-faire scientifiques ont depuis longtemps soumis les discours dans d'autres régions : annonces et proclamations, paroles et labels, promesses et prises de position, faute de mise en perspective dubitative (faute de s'interroger sur « ce que parler veut dire » en Afrique), y accèdent à une propriété performative rarement reconnue dans d'autres aires culturelles, dans d'autres espaces sociaux. Ici il serait convenu (parce que convenable ?) de s'arrêter au nominalisme des propositions, ou, à défaut, de les oublier.

Il est temps sans doute de participer au renversement de ces perspectives en modifiant les postures qui conduisent à l'erreur : ces dénis ne sont que le symétrique inverse d'un enchantement ethnologiste tout aussi mal fondé. Et si nous faisions crédit de la complétude (mais non de la stabilisation) de ces système sociaux, si nous les appréhendions dans leur positivité

— certes comme ailleurs problématique — et leur banalité — comme ailleurs peu glorieuse ? C'est un peu à ce pari, exécuté certainement avec beaucoup d'imperfections, qu'est vouée l'étude qui fait la matière de ce livre : on y verra à l'œuvre des acteurs, des valeurs, des enjeux, des systèmes d'action et d'intérêt, à la fois économiques, sociaux et politiques, et qui nous invitent à penser le « recentrage de la phériphérie » selon l'excellente formule de Chauveau et Dozon.

Le lecteur aura le loisir de constater que cette étude a délibérément rompu avec une attitude nominaliste dont le juridisme — si souvent sollicité sur ce type de sujet d'étude — constitue la figure la mieux accomplie. On sait que le caractère performatif du discours juridique (qui « est une parole créatrice qui fait exister ce qu'elle énonce » Bourdieu) le menace en permanence de participer à l'illusion sociale. Des considérations de même nature pourraient en outre être tenues sur le discours économique techniciste largement dominant. L'histoire concrète — c'est-à-dire non exclusivement « textuelle » — du secteur parapublic ivoirien fournit de croustillants exemples des dommages causés par la posture juridiste : analyser (en fait réaliser l'exégèse qui se résume chez beaucoup à la paraphrase) les lois de 1970 sur le régime des sociétés à participation financière publique puis les décrets de 1975 sur la réglementation des tutelles, des statuts de personnels et de leurs rémunérations à partir des mêmes considérations, des mêmes présupposés et de la même attitude revient à masquer le fait que les décrets de 1975, préparés par la bureaucratie publique, publiés au journal officiel n'ont pourtant jamais connu un début d'application « sur le terrain ». Mais le positivisme documentaire qui est au principe de la démarche juridique occulte cette différence socialement et politiquement essentielle. Dans combien d'études a-t-on pris pour argent comptant, c'est-à-dire pour observance avérée, des énoncés de droit qui n'existaient qu'en tant que tels ! Ainsi trouve-t-on dans tel savant manuel de droit administratif ivoirien une page pleine consacrée à la commission consultative de gestion — l'instance prévue par la nouvelle réglementation pour l'exercice de la tutelle interministérielle pesant en principe sur les établissements publics — et 7 lignes à peine relatives aux agences comptables des mêmes organismes, alors que celles-ci constituent justement par leur existence et leur mode de fonctionnement quotidien une des clefs de voûte de la réforme et que les commissions consultatives, en revanche, n'ont pratiquement jamais été réunies parce que rarement constituées... Ces défaillances seraient anecdotiques si, parallèlement, la démarche juridique ne contenait pas sa propre prétention à l'explication du monde social. On verra dans cette étude que le droit dans lequel les réformateurs ont énoncé et formalisé les changements de tous ordres introduits dans le paysage parapublic n'est que le produit d'un jeu d'acteurs qui s'est déroulé avant le travail de législation. Enfin on n'oubliera pas que les discours juridiques constituent la mise en forme de la parole légitime par laquelle les gouvernants ont livré leur conception de la crise et de la réforme. Pour toutes ces raisons nous avons pris le parti de ne développer des descriptions formelles, administratives, institutionnelles ou statutaires, bref d'aborder l'appareil des règlementations et des normes que dans l'exacte mesure où les actes et les situations pratiques ne les démentent pas. On gagnera ainsi en réalisme sociologique ce qu'on perd dans l'ordre de la perfection et de l'exhaustivité juridiques.

La terminologie

La définition des entreprises publiques et la conception qui en a été retenue dans cette étude méritent quelques explications. Il est sans doute plus facile de dire ce qu'une entreprise n'est sûrement pas : ni un service administratif, ni une entreprise entièrement privée. Entre ces deux cas extrêmes l'espace est suffisamment flou pour conduire à adopter des conceptions plus ou moins extensives de l'entreprise publique. Deux critères principaux, en partie contradictoires, sont à notre disposition.

En premier lieu l'autonomie par rapport à la puissance publique. A cet égard l'entreprise publique est une organisation dotée d'une « personnalité » :

— juridique et celle-ci peut prendre des formes institutionnelles variées, principalement l'aspect de « sociétés d'État » et d'«établissements publics ». Cette personnalité se traduit, au minimum, par l'existence d'une comptabilité et d'un budget propres. Par ailleurs on peut relever une très grande variété de la forme (*a priori, concomitant, a posteriori*) et du contenu du contrôle (réglementation des marchés, des prix de vente, des rémunérations, des procédures d'emprunt, etc.) ;

— économique : c'est-à-dire l'existence d'un minimum de ressources propres. Faut-il adopter le critère marchand de la production, tel que le définit la comptabilité nationale, à savoir que le produit des ventes doit représenter plus de 50 % des ressources de l'organisation ? Cela reviendrait alors à exclure, en principe, les établissements publics à caractère administratif.

En second lieu le contrôle exercé par la puissance publique. Jusqu'où peut-on aller dans l'identification des entreprises publiques ? C'est le problème des sociétés d'économie mixte où l'État est actionnaire minoritaire et celui des filiales des entreprises publiques. Il a été clairement montré, par ailleurs, que l'intensité du contrôle n'est pas strictement proportionnel au pourcentage de capital social détenu par l'État. Par la maîtrise de nombreuses variables internes (recrutement du personnel, choix des productions, etc.) et externes (crédit, fiscalité et législation douanière, etc.) les pouvoirs publics disposent de puissants moyens de régulation.

La mise en œuvre de ces deux critères conduit à des mouvements contradictoires, à des situations bâtardes d'autonomie contrôlée qui vont évoluer en fonction des conjonctures économiques, politiques et sociales. Il faut cependant empiriquement adopter des critères mesurables afin de définir le champ de l'étude.

La situation ivoirienne peut être résumée par le schéma suivant :

Figure 1
CATÉGORIES INSTITUTIONNELLES DE L'ESPACE PUBLIC IVOIRIEN

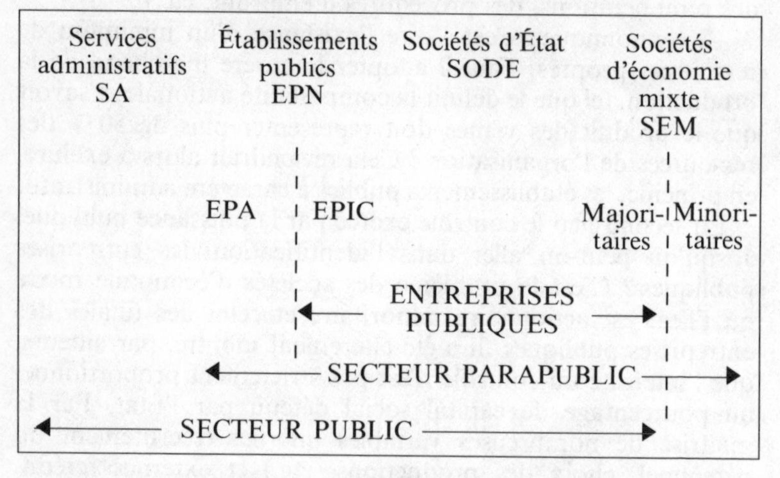

Le « coeur » des entreprises publiques était constitué par la trentaine de sociétés d'État (SODE) : sociétés où l'État est le seul actionnaire et qui ont fait l'objet d'importantes transformations depuis 1980. La marge côté sociétés d'économie mixte (SEM) est floue : leur population a varié à la suite des cessions de participations de l'État ou de liquidations ; leur nombre actuel est de l'ordre de 150 à 200 unités si l'on incorpore les filiales. La marge côté établissements publics nationaux (EPN) est plus nette, compte tenu de la clarification intervenue à partir de 1980 et de la publication de leurs budgets en annexe à la Loi de finances : ils sont un peu moins de 70. Initialement consacrée aux seules sociétés d'État, la réforme a concerné en fait également les EPN et, par certains aspects de restructuration, a aussi touché les SEM.

En dépit de ces précautions notionnelles le lecteur pourra constater que dans le texte qui suit les expressions « entreprises publiques » et « secteur parapublic » ont été souvent utilisées de manière assez indifférenciées. Il faut les prendre comme assez fréquemment équivalentes dans cet exposé, les frontières institutionnelles n'étant pas aussi rigides dans la réalité qu'au plan des idéaux-types (cf. chapitre 2). Deux autres précisions terminologiques doivent être apportées dès à présent. Tout d'abord nous avons utilisé les deux appellations « société d'économie mixte » (SEM) et « société à participation financière publique » (SPFP) pour désigner les entreprises à structure sociétaire dans lesquelles une partie au moins du capital est d'origine publique. En fait, juridiquement, il y a très peu de véritables SEM en Côte-d'Ivoire car la loi du 19 novembre 1970 définit très restrictivement leur catégorie : pour mériter ce nom elles doivent avoir été reconnues comme telles par le décret de création. A défaut on se devrait de parler de SPFP, terme générique ivoirien. A l'origine cette subtilité juridique reposait sur une intention doctrinale : les SEM devaient correspondre à la volonté du gouvernement de faire participer ou intervenir l'État, par le biais d'une entreprise mixte, sur tel ou tel secteur d'activité. On pensait utile de distinguer ces prises de participations volontaires, organisées et programmées des simples mais multiples opérations d'aides, subventions, renflouages et autres placements de disponibilités excédentaires de l'État au bénéfice d'entreprises privées nationales. En outre, en tant que SEM, une entreprise émargeait à quelques avantages fiscaux et/ou douaniers. Cette distinction, qui existe toujours dans les textes, est une fiction juridique : les différences ne se traduisent pas ou plus dans les faits. On a donc retenu comme raisonnable d'utiliser le terme plus courant de « société d'économie mixte » dans l'univers francophone pour désigner l'ensemble de ces entreprises.

Enfin, le même respect des subtilités terminologiques voudrait qu'on réserve l'abréviation « SODE » aux sociétés de développement — qui pouvaient être formellement des sociétés d'État (souvent) ou des sociétés d'économie mixte (plus rarement). Par commodité nous avons réservé l'usage de cette abréviation aux seules sociétés d'État par opposition aux SEM.

Les auteurs de cet ouvrage (1) ont à cœur de préciser que si, en de nombreux endroits, l'analyse fait place à un abondant appareil de listes et de tableaux, la raison en est qu'ils ont

(1) La conception de l'étude, les enquêtes, la mise en forme des résultats et la préparation des textes sont le fruit d'un long travail commun. Les pages 55-76, 87-112 et 281-294 ont été rédigées par Bernard Contamin ; les pages 5-20, 77-86, 314-318 et 329-369 l'ont été par les deux auteurs ; le reste du texte par Yves-A. Fauré.

voulu réserver à ce document, entre autres caractéristiques, celui d'un ouvrage de travail, nourri, entre les développements interprétatifs, de données relativement brutes qui permettront, ils l'espèrent, à d'autres chercheurs de réaliser de nouvelles analyses, améliorant ainsi la compréhension de l'objet d'étude et, par-delà, la connaissance de la structuration et de l'évolution de la société de Côte-d'Ivoire.

1

Une ample et brutale réforme

En l'espace de trois ans (1977-1980), et devant la montée de certains périls politiques, économiques et financiers, les autorités ivoiriennes sont conduites à rompre avec une formule d'organisation qui s'était progressivement imposée dans les faits et qui, à côté de professions de foi et d'options pratiques favorables au libéralisme, à l'entreprise privée, au marché et à l'ouverture sur l'extérieur, avait vu émerger et prospérer un très large secteur parapublic sur lequel reposait une grande partie des espoirs déclarés de développement. L'ensemble des mesures, annoncées en 1977 mais surtout décidées et mises en œuvre à partir de 1980, et dont les effets se dérouleront sur plusieurs années, va bouleverser le dispositif paraétatique dont la croissance débridée avait fini par constituer une caractéristique fondamentale du « système ivoirien » : la présence tutélaire et prodigue de la puissance publique en maints domaines de la vie sociale et maints secteurs d'activité avait fondé une économie des plus mixte, et donné leur marque particulière au modèle d'accumulation, aux rapports de pouvoir et à la culture politiques, au système de structuration sociale. Ce sont ces mesures emportant de profondes transformations dans l'espace public ivoirien — et même au-delà — qu'on se propose d'exposer dans ce chapitre en se contentant, dans ce premier balayage, de rester près des « évènements ».

Annoncée à l'occasion des importants changements opérés par le président ivoirien au sein de l'équipe gouvernementale durant l'été 1977, lancée, après une apparente latence de trois ans, par les mesures annoncées lors du Conseil national du mois de juin 1980 et surtout concrétisée par l'adoption, quelques mois plus tard, d'un nouveau cadre institutionnel et juridique, la réforme des Sode — expression par laquelle le langage courant a désigné une réforme qui déborde de beaucoup cette catégorie d'organismes — a ébranlé la configuration parapublique ivoirienne dont beaucoup croyaient jusque-là que sa « bonne chance » la mettrait longtemps à l'abri des sanctions que justifiaient ses dérèglements.

1. L'annonce faite aux Sode

Alerté par des bailleurs de fonds inquiets de l'accroissement important et rapide de la dette publique ivoirienne imputable, pour une bonne part, à des organismes parapublics se plaçant délibérément hors du contrôle étatique, sensible également à de multiples plaintes, remarques et interrogations de partenaires économiques étrangers rendus perplexes par le développement des pratiques de commissions, cadeaux et autres bakchichs qui leur étaient demandés par les dirigeants d'entreprises publiques, enfin irrité par les obstacles que ceux-ci avaient sans cesse dressés, depuis plusieurs années, face à de multiples tentatives de réorganisation du secteur, le président Houphouët-Boigny, procédant à d'importants changements ministériels le 20 juillet 1977, confie à M. Mathieu Ekra, jusque-là « son » ministre d'État chargé de l'Intérieur, le soin d'impulser une réforme des Sode. Le gouvernement accueille désormais un « ministère d'État (II dans l'ordre protocolaire) chargé de la réforme des sociétés d'État » (MERSE, abréviation officielle qui sera souvent utilisée dans ce texte).

L'incrédulité générale

Pourtant, ce n'est pas cette innovation qui retient alors l'attention mais bien plutôt le brutal limogeage de plusieurs personnalités, en place depuis une dizaine d'années, et dont le nom avait fini par être communément associé à la période de forte croissance économique du pays. Etaient en effet remerciés à l'occasion de ce remaniement gouvernemental M.

H. Konan Bédié à l'Economie et aux Finances, M.M. Diawarra au Plan, M.A. Sawadogo à l'Agriculture et M.U. Assouan aux Affaires étrangères, etc. — ce seront en tout 9 ministres qui seront éconduits. C'est leur congédiement qui alimente alors les commentaires sur la scène publique ivoirienne et les articles journalistiques nationaux ou étrangers.

Il est vrai, de plus, que les attentions sont quelque peu émoussées devant ce qui n'apparaît, en cet été 1977, qu'une énième déclaration d'intention de mettre de l'ordre dans le secteur des sociétés d'État : allocutions, séminaires, rapports, réunions, conseils nationaux, articles de presse etc. n'ont pas manqué jusque-là pour dire que tout n'allait pas pour le mieux dans le monde des Sode. Mais les résolutions n'ont pas été prolongées par des mesures concrètes. Le thème de la réforme des Sode est en effet aussi ancien que la création de ces organismes.

Attardons-nous un moment sur une des tentatives majeures manifestée autour du séminaire du mois de mai 1973 organisé à Yamoussoukro, le sanctuaire présidentiel, sous le patronage des ministres du Plan et des Finances et dont les préparatifs, les travaux et les résolutions avaient été abondamment évoqués par la presse nationale et étrangère (cf. en particulier *Fraternité* du 22 mai 1973, *Marchés tropicaux et méditerranéens* du 2 février 1973, des ler et 8 juin 1973). Axée autour du principe d'une réorganisation des entreprises publiques, cette rencontre avait été précédée et préparée par la rédaction, demandée à un expert extérieur, d'un rapport-diagnostic sur « l'État ivoirien et le problème des sociétés d'État » remis en décembre 1972 aux autorités gouvernementales (Compagnie française d'organisation 1972). Une première conférence, réunissant responsables ministériels et dirigeants d'entreprises publiques, avait été mise sur pied le 23 janvier 1973 où le rapport de l'expert avait été longuement évoqué — et critiqué par les dirigeants d'organismes parapublics. Le lendemain ce document, à la fois sévère pour les responsables d'entreprises mais manifestement aussi éloigné des réalités pratiques du milieu (son analyse détaillée figure dans le chapitre 6) était rendu public.

L'objet de la réunion de Yamoussoukro était de dégager un programme d'action en vue d'une réforme des organismes parapublics. Dans son discours d'introduction le ministre des

Finances rappelait : « Nous voici encore une fois autour des problèmes que posent les sociétés d'État, problèmes relatifs à leur réorganisation en vue d'une meilleure efficacité (...) Je voudrais vous dire que la Côte-d'Ivoire moderne et les Ivoiriens réclament de tous ceux qui sont à la tête des affaires publiques et compétence et intégrité ». Entrant dans le détail, le ministre du Plan, de son côté, indiquait les directions dans lesquelles il escomptait voir proposer un train d'améliorations pratiques : il s'agissait d'une part de mettre fin aux « confusions d'attribution et aux contradictions dans l'action » nées du foisonnement des organismes parapublics ; d'autre part il était question de restaurer le « contrôle d'État rendu difficile et tendant à perdre de son efficacité » ; enfin il était prévu de clarifier le régime juridique de ces structures dont le flou était depuis longtemps dénoncé par la doctrine et dont les incohérences heurtaient les juges. Le ministre du Plan élargissait le champ de la réforme à venir à l'ensemble des entreprises publiques car « si la notion d'entreprises publiques n'a pas de portée juridique bien précise, elle englobe des organismes qui posent des problèmes foncièrement semblables, notamment les sociétés d'État et les autres établissements publics industriels et commerciaux ». Il précisait enfin que si certaines mesures devaient contribuer à rendre plus effective la tutelle de l'État et à mieux coordonner l'action des départements ministériels, la réorganisation envisagée devait s'inscrire dans un cadre nettement libéral : « il faut que l'État, une fois définis les objectifs, les programmes et les moyens d'action, s'abstienne d'entraver le fonctionnement des entreprises en s'immisçant dans leur gestion et en exerçant des contrôles *a priori*. La gestion de leur moyen d'action doit être assurée librement par les entreprises, sous leur responsabilité ».

Les dirigeants d'entreprises publiques pouvaient donc être pleinement rassurés par ces propos — et l'on verra que la réforme réellement introduite à partir de 1980 sera aux antipodes de cette conception en vogue en 1973. Organisé en grande pompe, abondamment « couvert » par les médias, le séminaire de Yamoussoukro fut connu de tout un chacun dans le pays. Il ne déboucha sur aucune mesure concrète de réaménagement du secteur parapublic. Deux années passèrent. Au mois de mars 1975 des décrets furent publiés qui fixaient une nouvelle réglementation de la gestion, de la tutelle et du statut des personnels des sociétés à participation financière publique. Ils visaient à mettre fin à des systèmes de rémunération fort avantageux par rapport au reste de la fonction publique, à supprimer « certaines anomalies au plan des recrutements, de la promotion et de la rémunération des agents », à instaurer une véritable tutelle de l'État sur ces organismes, etc. (cf. *Marchés tropicaux et méditerranéens* du 21 mars 1975). Les trois décrets restèrent lettre morte et les difficultés et les problèmes auxquels ils devaient s'attaquer, les critiques et les propositions d'action demeurèrent en l'état.

Aussi lorsqu'est annoncée, le 20 juillet 1977, la mission de réforme des sociétés d'État confiée au ministre d'État II, l'incrédulité prévaut très largement : l'histoire récente est riche de réformes avortées et de pétitions strictement verbales. Les élites du pays sont alors davantage intriguées par le réaménagement gouvernemental et les reclassements clientélistes qui en découleront nécessairement. La préoccupation de voir croître les ressources de l'État et de toujours disposer des multiples avantages liés aux fonctions de direction et d'encadrement dans l'univers administratif et parapublic peuvent passer, à tout prendre, pour la meilleure marque d'attention à la chose publique.

En outre, loin de les condamner, certaines décisions spectaculaires et récentes semblent aller dans le sens d'un renforcement des sociétés d'État : en mars 1977 pour la SOGEFIHA, en mai pour la SODESUCRE le gouvernement vient de procéder à des augmentations de capital. A la même époque l'État venait de racheter des actions détenues par des investisseurs privés dans deux sociétés d'économie mixte (SEM) PALMINDUSTRIE et PALMIVOIRE, les transformant de ce fait en Sode. Bref, le secteur ne semble pas menacé dans sa structure institutionnelle. Le nouveau plan de développement économique, social et culturel pour les années 1976-1980, (JORCI du 17 novembre 1977) ne tient d'ailleurs pas compte de la dernière manifestation de la volonté officielle de réformer les Sode et porte au contraire la marque de tout le poids des investissements qui sont attendus, pendant la période qui s'ouvre, des entreprises publiques (425 milliards de F CFA, à côté des 423 milliards de l'État lui-même). Et, last but not least, le gouvernement vient de demander à l'Assemblée nationale, dans le courant du mois de juin, de l'autoriser à accroître le montant des emprunts pouvant être avalisés par l'État ivoirien en le portant à 250 milliards de F alors qu'un niveau de 125 milliards avait été initialement prévu. On est donc loin de voir, dans la nouvelle mission ministérielle confiée à M. Ekra, la moindre menace précise à la survie, aussi problématique que résistante, des sociétés d'État.

La personnalité et la trajectoire du ministre à qui est confiée la tâche de réformer les sociétés d'État contribuent à l'apaisement général. M. Ekra est en effet ce qu'il est convenu d'appeler un homme de confiance du président ivoirien, devenu très proche de celui-ci par une identité d'épreuves politiques passées, fondatrice décisive de ces sortes de « communalisations », comme les entendait Max Weber, si essentielles dans la structure ivoirienne des pouvoirs. Le nouveau ministre chargé de la réforme des Sode est un « compagnon de route » du président, un des leaders de la lutte anticolonialiste qui a connu son apogée dans la période 1946-1951, c'est-à-dire jusqu'au moment où le parti du futur président ivoirien, le Parti démocratique de Côte-d'Ivoire, section du Rassemblement démocratique Africain (PDCI-RDA), décida d'une réorientation de son action politique sous la forme d'un désapparentement avec le Parti communiste français et d'une collaboration avec l'administration coloniale (1). L'emprisonnement que subit M. Ekra (1949-1951) consacrera définitivement son appartenance à la « génération politique » du président Houphouët-Boigny, ce terme de « génération » représentant une variable identitaire et classante d'une fort grande importance en Côte-d'Ivoire, comme l'avait déjà montré Aristide Zolberg. Ayant été en charge des départements de la Fonction publique (gouvernement du 3-1-1961), de l'Information (gouvernements du 3-3-1965, du 4-2-1966, du 23-9-1968), il se voit promu ministre d'État sans portefeuille dans le gouvernement du 5-1-1970, chargé ensuite du Tourisme (8-6-1971) et surtout de l'Intérieur depuis le gouvernement constitué le 24-7-1974, poste très sensible dans le dispositif politico-administratif ivoirien et que le président s'était réservé au début de l'Indépendance (1960-1965). Il lui est alors demandé de

(1) Sur tous ces points d'histoire politique, cf. en particulier les trois premiers chapitres de Fauré et Médard (eds.) 1982, qui renvoient à de nombreux travaux.

« remettre de l'ordre » dans un ministère passablement troublé par l'irruption, çà et là, de mouvements oppositionnels (notamment la protestation de l'ethnie Bété à Gagnoa, à l'ouest du pays), si énergiquement refoulés dans le système du « one party government » (Zolberg). Ce haut dirigeant ivoirien, discret sur sa « façon de vivre » quand allait de soi en Côte-d'Ivoire un mode très ostentatoire d'exercice des « responsabilités » publiques ou de gestion des fortunes privées, se signale aussi, dans la courte histoire du jeune État, comme un homme ouvert au dialogue et naturellement orienté vers le compromis. Telle apparaît, en cet été 1977, la figure de celui que le président vient de charger de faire la lumière sur les troubles dont souffrent les Sode et d'y apporter des solutions. S'il est logique d'attendre de lui, en considération de son passé, qu'il s'acquitte de sa tâche en proposant un diagnostic — fut-il partiel — et en imaginant quelques modifications — fussent-elles ponctuelles —, chacun paraît être rassuré : si une réforme doit avoir lieu, elle se fera « en douceur ».

Une mission floue

L'incrédulité générale se prolonge dans les effets des inconfortables conditions d'exercice de la mission confiée le 20 juillet au ministre d'État II : les orientations de la réforme, le cadre de la réflexion à conduire et des solutions à rechercher sont rien moins que clairs. On chercherait en vain les termes de référence du programme d'étude et d'action assigné au membre du gouvernement. L'incertitude ne sera pas levée par le décret du 9 février 1978 (soit 7 mois après le remaniement ministériel) fixant les attributions et l'organisation du ministère chargé de la réforme et qui laisse intact le flou de sa mission. Il est vrai que c'est un département aux ressources humaines et matérielles des plus réduites — quelques collaborateurs et agents techniques constituent en tout et pour tout le ministère d'État II. Le ministre aura besoin de toute l'année 1978 pour étoffer son personnel administratif. Il s'adjoindra également deux experts français, spécialistes des organisations mais qui présenteront l'inconvénient de ne pas être au fait du système de la comptabilité publique et de méconnaître en outre le régime juridique ivoirien des catégories d'entreprises publiques.

En dépit de ces handicaps évidents le ministère lance, dans le courant de l'année 1978, une série de réflexions et d'études, provoque des réunions, commande des rapports. L'ensemble de cette activité préparatoire et conceptuelle tournait autour de 4 rubriques : la définition d'une doctrine de l'État entrepreneur dans une économie en développement, délibérément ouverte sur l'extérieur et acquise aux principes du capitalisme ; un bilan juridique de l'organisation et du fonctionnement des entreprises publiques et de leurs catégories institutionnelles ; une réflexion sur les causes et les mécanismes des dérèglements financiers des sociétés d'État ; enfin l'inventaire des participations financières de l'État.

En raison de ses moyens limités le ministre d'État se contentera le plus souvent de démarrer la réflexion et trouvera au sein du cabinet du nouveau ministre des Finances (notamment auprès de ses collaborateurs spécialistes du droit et des finances publiques) la capacité d'expertise qui lui faisait défaut. C'est donc une étroite collaboration qui s'instaure de fait entre les services du ministère d'État et ceux des Finances. A chaque étape franchie dans la réflexion et les études le ministre d'État prenait soin, sur la base d'une communication de synthèse, d'informer le Conseil des ministres et de solliciter son approbation (par exemple : « Communication du 14 septembre 1978 sur la définition juridique des types d'établissements et des sociétés des secteurs public et parapublic » ; « Communication du 28 mars 1979 sur le reclassement juridique des Sode et établissements publics, le statut et la rémunération de leur personnel », etc.). Il s'agissait de faire le point sur l'avancement de la réflexion, de proposer des orientations conceptuelles pour analyser et résoudre les problèmes sans déboucher sur des instruments juridiques précis. En outre toute cette activité de réflexion fut loin d'être linéaire et progressive : de nombreuses corrections et réorientations furent introduites tout au long du parcours et même de nombreux retours en arrière, sous l'effet des observations émises par les spécialistes du ministère de l'Economie et des Finances notamment.

Surtout cette phase réflexive se déroula exclusivement sur la base d'échanges entre cabinets ministériels, sans la moindre publicité. Sans être souterrain, il faut convenir que l'exercice ne débordait pas le cadre très étroit des services concernés : les directions des organismes parapublics ne seront pas associées à cette étape (ni d'ailleurs aux suivantes. Il est vrai, on le verra, qu'elles représentent justement le cœur du problème) et le public, *a fortiori*, en est tenu à l'écart.

C'est un discours prononcé le 6 décembre 1979 qui renoue publiquement avec le thème réformateur officiellement lancé le 20 juillet 1977. Dans son traditionnel « message à la nation » célébrant l'anniversaire de l'Indépendance du pays et adressé cette fois depuis la ville de Katiola, après avoir fait le point, comme il en a coutume, des doléances et revendications exprimées çà et là (cherté de la vie, chômage, xénophobie, logements économiques, problèmes de scolarité, etc.), le chef de l'État annonce un train de résolutions relatives d'une part à la vie politique (moralisation des activités publiques, ouverture électorale, décentralisation) et relatives d'autre part au secteur des Sode. Il est clairement annoncé que « la réorganisation des sociétés d'État, avec la suppression de la plupart d'entre elles, sera achevée au premier trimestre de 1980 » (Houphouët-Boigny 1979 p. 26). Une ferme détermination est donc affichée, mais aucune mesure concrète n'est précisée.

2. Les décisions de juin 1980

Au premier trimestre de 1980, la réforme des Sode est loin d'être achevée, contrairement aux promesses (ou plutôt aux menaces) présidentielles : du point de vue des procédures institutionnelles et des formes juridiques on n'en est même qu'au tout début. Le gouvernement se réunit quatre fois aux mois de mars et d'avril pour adopter les grands axes de la restructuration qui se prépare. Le 12 juin 1980 le leader ivoirien, après avoir réuni le Bureau politique du parti et les secrétaires généraux des sections, convoque un Conseil national au palais présidentiel. Le Conseil national est une instance mobilisable entre deux congrès quinquennaux du parti. Sa composition est variable : généralement à tous les cadres du PDCI sont invités à s'adjoindre les responsables et leaders des forces organisées du pays (corps administratifs, judiciaires, militaires, religieux, principales associations et syndicats, etc.). Ce rassemblement, provoqué à l'initiative du président, est la plupart du temps l'occasion d'aborder quelques brûlants problèmes de l'heure. Le rituel est bien au point : le leader écoute patiemment l'ensemble des opinions qui s'expriment (et la solennité de la réunion n'empêche pas une certaine dose de franchise dans quelques propos) et annonce, *in fine*, ses résolutions et ses décisions qui, par la « grâce » de ces cérémonies communautaires (2) d'une redoutable efficacité symbolique sont censées devenir celles de tous, et, tous étant mis en situation de le croire et de le faire croire, le deviennent en fait (3).

Le Conseil national

Ce 12 juin, le président a donc convoqué « ses » cadres, mais cette fois-ci moins pour entendre leurs vœux et doléances que pour leur annoncer les décisions qu'il a prises ou fait prendre à ses ministres. Il y est question, de nouveau, de la « démocratisation » du régime, de la préparation du VIe congrès du PDCI-RDA (qui sera réuni en octobre) et de l'organisation des élections législatives et présidentielles de l'automne. Il y est surtout question des mesures dites alors « d'assainissement économique » relatives aux sociétés d'État (cf. entre autres sources *Fraternité-Hebdo*, numéro spécial de juin 1980 sur le Conseil national du 12). Le chef de l'État, après avoir dénoncé les dérèglements financiers et abus de toutes sortes couramment observés dans les entreprises publiques et s'en tenant exclusivement à la trentaine de sociétés d'État, annonce que seules seront maintenues 7 Sode, les autres étant soit nettement rattachées à l'administration (dans la catégorie des établissements publics nationaux — EPN), soit supprimées. Achevant son intervention, le leader ivoirien appelle à la mobilisation

(2) C'est-à-dire en vertu d'un mécanisme d'imputation légitime dont Max Weber avait bien vu qu'il était au fondement d'une représentation socialement « réussie ».

(3) Ces réunions et leur rituel, pivots de ce que le régime aime à présenter comme le « dialogue à l'ivoirienne », ont été étudiés — sous le rapport de l'activation des soutiens et non des mécanismes de la domination symbolique il est vrai — par Cohen 1974 et par Médard in Fauré et Médard 1982, pp. 77-81.

des cadres sur les nouveaux objectifs de redressement et au respect, par tous, des décisions arrêtées.

Le ministre d'État II, de son côté, et dans une déclaration longue, dense et synthétique, pose le problème de la réforme dont on l'a chargé, refait l'histoire des organismes ayant servi d'outils à l'interventionnisme étatique, critique l'expansion rampante de celui-ci, dresse un tableau précis des dérives et avatars dans lesquels ont sombré les Sode (débordements financiers, népotisme etc.), détaille les obscurités juridiques d'une réglementation confuse, contradictoire et présentée, en tant que telle, comme une formidable occasion saisie par les directions d'entreprises publiques pour prendre des libertés avec les normes de gestion, s'affranchir des tutelles etc. Il précise, au plan juridique, deux des principales modalités retenues pour assurer la reprise en main des hommes et le redressement financier du secteur parapublic : d'une part la redéfinition du régime des Sode et du régime des EPN (divisés en établissements publics administratifs — EPA — et en établissements publics industriels et commerciaux — EPIC), d'autre part l'alignement de l'ensemble des rémunérations sur les grilles en vigueur dans la fonction publique. Il revient enfin, par le détail, sur le sort réservé à chaque société d'État.

La traduction dans les formes législatives et réglementaires du nouveau dispositif parapublic n'interviendra que trois mois plus tard, à l'occasion de la nouvelle session parlementaire (lois du 13 septembre 1980 sur les Sode et les EPN), les décrets d'application seront publiés à l'automne (décret du 28 novembre sur les reclassements entre les catégories d'EPN, décret du 12 décembre sur les avantages matériels), le régime administratif et financier fixé par le décret du 18 février 1981, les alignements de salaires interviendront plus tard encore, comme la définition des nouvelles règles des marchés publics et d'autres dispositions qui finiront par bouleverser l'organisation et le fonctionnement des structures paraétatiques. Mais l'essentiel est déjà là, dans ces deux interventions ; elles contiennent la substance de ce qui sera produit normativement pendant plusieurs années. C'est dire l'importance des décisions annoncées lors de ce Conseil national pour le cours futur de la restructuration de l'ensemble du secteur parapublic.

Des mesures spectaculaires

Alors que jusqu'en 1979 le gouvernement n'avait procédé qu'à quelques dissolutions de sociétés d'État, il est donc brutalement déclaré que seules sept d'entre elles seront maintenues sur les 36 ou 39 (4) évoquées lors du Conseil dont les « décisions » sont résumées dans le tableau suivant.

Ces mesures brutales et spectaculaires paraissent réaliser les menaces de plus en plus précises que profère depuis décembre 1979 le chef de l'État à l'encontre des dirigeants de Sode. Et le regroupement des décisions dans une même annonce publique produit un effet certain par rapport à la très lente succession des suppressions antérieures, arrêtées au coup par coup sans, par conséquent, refléter ou laisser percer une politique déterminée sur un ensemble d'organismes. Cette accélération et cette ampleur soudaines contribuent à donner une importance sociale majeure aux mesures annoncées. Outre les effets qu'elles ne manqueront pas de développer sur le double plan de l'emploi et des revenus, ces décisions frappent les imaginations et les esprits. Elles sont reçues avec trouble et stupeur, et les titres de choc adoptés par la presse, quotidienne ou périodique, nationale ou étrangère ont été de fidèles échos de cette émotion générale. Il était désormais prouvé que la présidence et le gouvernement allaient immédiatement s'attaquer à ce secteur longtemps choyé et préservé et que les Sode ne pourraient plus résister à une volonté si fermement affichée d'en redéfinir le rôle et d'en modifier le fonctionnement. L'éclat des déclarations de liquidation des Sode a été, pourrait-on dire, à la mesure de la place qu'on avait bien voulu leur accorder depuis l'Indépendance dans les discours officiels, et à la mesure aussi des convoitises légitimes — tant leur « rendement social » avait été élevé — qu'elles avaient suscité dans l'imaginaire collectif et dans la vie sociale abidjanaise : qui ne rêvait en effet d'entrer dans ces fameuses Sode, si généreuses en rémunérations et si prodigues en avantages matériels ? Le trouble causé

---

(4) Le président ivoirien, à l'occasion du Conseil national, fait allusion à 36 Sode existantes ; le décompte opéré sur la base des déclarations du ministre d'État permet d'arriver au chiffre de 39. Cette imprécision est liée au flou statutaire qui entoure alors certains organismes ; elle est aussi due à la prise en compte de sociétés déjà dissoutes.

Tableau 1.1

LES DÉCISIONS RELATIVES AUX SODE ANNONCÉES LORS DU CONSEIL NATIONAL DU 12 JUIN 1980

Sociétés d'État conservées

AIR IVOIRE PETROCI SODEMI CSSPPA
SITRAM SODESUCRE PALMINDUSTRIE

Sociétés d'État dissoutes

BNETD
SICOFREL
SODERIZ
PAC
ARSO (en raison de sa mission qui est terminée)
AVB (en raison de sa mission qui est terminée)
SONAF I
BIN
BIPT (reprend sa vocation ancienne de CCP et CNE)
CEIB
CNBF (transformation en SEM)
ITIPAT (remplacée par une structure au sein du Ministère de la Recherche scientifique)
IVOIR-OUTILS (privatisée)
SOCATCI
SONAGECI (à privatiser)

Sociétés d'État changeant de statut

a) EPIC
FOREXI SATMACI SIETHO SODEPALM
LONACI SETU SODEFEL SODEPRA

b) EPA :
MOTORAGRI SODEFOR SOGEFIHA

Remarque :
La BNDA et le CCI, sociétés à participation publique ou parapublique sont assimilées aux sociétés d'État. Elles ont toutes deux vocation de sociétés d'économie mixte.
La BNEC retourne à ses activités originelles de banque.
Le BDI, l'OPEI et le FGCEI, dont les activités se chevauchent, fusionnent pour former une entité afin de les rendre plus dynamiques.

Source : RCI, MERSE 1980. Note : ce tableau reproduit tel quel, dans sa présentation et ses formulations, celui émanant de la source.

par ce train de liquidations était à la hauteur de cette vieille attraction.

L'émotion et la surprise publiques sont grandes, et elles sont démultipliées par ce qu'on peut proprement appeler un effet d'annonce. Il ressort en effet des interventions du chef de l'État et de son ministre réformateur, et c'est ce résultat qui alimentera la mémoire de ce moment, que 7 Sode sont conservées, 15 sont dissoutes, 8 deviennent des EPIC, 3 sont transformées en EPA, 4 organismes étant traités à part mais promis à des modifications substantielles. Or, l'ampleur des transformations déclarées provient pour partie de la surestimation du nombre des Sode alors réellement en place et pour partie de sanctions (suppressions, reclassements) certes annoncées ce jour de juin 1980 mais pour lesquelles les mesures concrètes n'interviendront que plus tard : dans les 36 (ou 39 selon le MERSE) organismes signalés comme constitutifs du secteur des Sode figurent en effet des sociétés déjà dissoutes (BNETD, SICOFREL, SODERIZ, SOCATCI, etc.), dans les Sode qu'on déclare dissoudre prennent place des établissements qui ne seront, de fait, supprimés que plus tardivement (SONAGECI en 1981, CNBF en 1983, etc.), et sont annoncées comme liquidées des sociétés qui, plus précisément, font l'objet de reclassements en d'autres catégories d'établissements ou dont les activités seront reprises par des services administratifs (ITIPAT, SONAFI, CEIB, CNBF, etc.).

Cette imprécision officielle, certainement provoquée à la fois par l'indécision à propos du sort de tel ou tel organisme et par les confusions juridiques relatives à leur statut réel, en élargissant exagérément le groupe des sociétés condamnées, contribue sans doute à donner sa spectaculaire brutalité au train de mesures. Même si tout le sens de la réforme est évidemment loin de s'y réduire, il ne faut certainement pas négliger cette dimension émotionnelle : les attentions sont frappées, chacun est averti que désormais le gouvernement éradiquera les organismes jugés « malades ». La puissance symbolique de cet acte fondateur de la restructuration sera telle que, sans qu'elle produise un effet cataleptique de longue durée, les résistances et les protestations, qui ne manqueront pas de s'exprimer, ne surgiront que plus tard (cf. le chapitre 7). En outre la valeur, dans l'ordre des représentations, des décisions exposées en Conseil national du 12 juin tient à ce qu'elles manifestent un passage à l'acte, qu'elles témoignent d'un saut essentiel qui va des vœux pieux à l'engagement dans une réforme concrète.

Il en va pour les établissement publics comme pour les Sode : le classement dans les catégories d'EPA et d'EPIC opéré par le décret du 28 novembre 1980 sera assez considérablement modifié par la suite. Mais à propos des EPN également la valeur des annonces de 1980 réside dans la manifestation de l'aptitude officielle nouvelle à agir, après des années d'apparent « laisser-faire ».

D'un strict point de vue juridico-institutionnel l'ampleur de la restructuration générale du secteur parapublic apparaît très nettement à travers la production normative : entre les mois de février 1977 et de janvier 1986, près de deux cents textes (lois, décrets, arrêtés) sont élaborés et publiés portant des mesures particulières relatives à tel ou tel organisme. Paraissent en outre, pour la même période, une trentaine de textes de portée générale mais affectant la gestion des affaires dans la sphère publique ivoirienne. Ces chiffres attestent l'importance du travail réformateur réalisé par les divers services associés à la mise en forme des décisions ; ils suggèrent aussi que les autorités n'en sont pas restées à l'affirmation de principes généraux nouveaux : d'une certaine manière ils montrent que les orientations et les déterminations se sont prolongées dans le détail des dispositifs d'organisation et de fonctionnement quotidien des organismes concernés. Sans doute possible, les principes nouveaux ont été suivis d'effets pratiques et les unités qui composent l'univers parapublic se sont finalement conformées aux nouvelles règles du jeu, non sans avoir développé, sur certains points, de farouches résistances et obtenu quelques accommodements et dérogations. Dans ces conditions le foisonnement normatif est loin de valoir simple agitation de surface, trompe-l'œil qui aurait pu cacher la pérennisation des situations anciennes : son ampleur, vérifications empiriques préalablement réalisées, peut être prise pour un réel indicateur de l'importance des transformations introduites dans l'univers paraétatique ivoirien.

3. Le nouveau paysage institutionnel parapublic

Il est proposé ci-dessous un aperçu du nouveau paysage parapublic tel qu'il résulte des réformes introduites à partir de 1980. Il apparaît suffisant de s'en tenir dans ce chapitre à la description du remodelage institutionnel et à la présentation des grands types d'organismes en schématisant nécessairement les innovations et les réalités, en raison des limites même de l'ouvrage et du fait que ce n'est pas une analyse juridique qui est ici avancée. Car la réforme des types institutionnels, des modalités d'organisation et de fonctionnement qui leur sont attachées, ne constitue qu'un volet d'une restructuration beaucoup plus vaste et profonde et dont de nombreux aspects sont justiciables d'analyses politiques et financières qui nourriront les chapitres suivants.

Jusqu'en 1980, la prolifération des organismes parapublics n'avait d'égale que leur imprécision statutaire. Il y avait des confusions profondes entre catégories d'organismes aux contours juridiques mal définis (Sode, établissements publics, offices, entreprises publiques, sociétés de développement, autorités etc.). Il en résultait des contradictions entre les textes et à l'intérieur des textes, et des divergences d'appréciation entre les administrations de tutelle, les directions d'entreprises, la jurisprudence, la Chambre des comptes etc. En outre, pour ajouter à l'opacité du secteur, nombre d'organismes avaient été créés sans qu'on ait précisé, dans leur acte de naissance législatif ou règlementaire la catégorie à laquelle ils étaient rattachés ni pris soin de développer complètement le régime juridique qui leur était applicable. Les spécialistes de droit et les autorités ivoiriennes ont cru voir dans ces imprécisions normatives la source décisive des dérèglements auxquels s'étaient livrés les directions d'entreprises publiques (5). Si l'on peut en effet repérer une étroite corrélation entre le flou juridique et les débordements dénoncés, on doit s'écarter de cette interprétation juridiste qui investit le droit d'une présupposée vertu structurante et, sur le plan scientifique, d'une

---

(5) Pour un aperçu juridiste, voir en particulier Dutheil de la Rochère 1976, pp. 59-94, et, pour un exemple de la conception officielle, RCI, MERSE 1980.

pseudo capacité explicative. L'analyse sociale permet d'entrevoir en quoi son indétermination était le produit d'une situation donnée caractérisée par des intérêts bien spécifiques (cf. *infra* le chapitre 6). Ceci étant, il demeure que, d'un point de vue formel, la réforme introduite à partir de 1980 a très singulièrement clarifié la situation, et, à ce titre, a autorisé un meilleur contrôle, voire une reprise en main du secteur parapublic.

Sur ce plan juridico-institutionnel, la restructuration apparaît comme un édifice à peu près complet élevé sur les deux piliers que sont les lois du 13 septembre 1980 et dont les étages (décrets, règlements, instructions) ont été construits ultérieurement avec une cohérence certaine. Cette construction formelle est à présent achevée.

La ligne directrice qu'on peut dégager de l'ensemble des mesures est à peu près la suivante. Alors que jusque-là la législation qualifiait sans autres conséquences d'établissement public un certain nombre de structures en fait très différentes, les deux lois du 13 septembre 1980 (qui laissent de côté les sociétés d'économie mixte — SEM) instituent deux catégories de structures parapubliques nettement différenciées, les sociétés d'État (Sode) et les établissements publics nationaux (EPN). Les premières étant réputées entreprises commerciales (de production, de vente etc.) sont dotées d'une structure sociétaire (du type des sociétés anonymes), mais leur capital a une origine exclusivement publique : il est détenu par l'État. Par contraste les EPN, considérés comme des appareils très proches de l'État, se voient clairement ramenés dans la mouvance administrative (par les nouveaux régimes du budget, du personnel, les règles de marché public, les procédures de la tutelle etc.) ; simplement disposent-ils, pour assurer plus efficacement les missions publiques qui leur sont conférées, d'une autonomie financière (leur budget, alimenté en totalité ou en partie par l'État ne se confond cependant pas avec le budget de celui-ci) et de la personnalité morale (en ce sens ils sont différents des simples services administratifs). Telle est l'architecture institutionnelle édifiée au cours de la réforme parapublique.

Les sociétés d'État

Les Sode échappent désormais à la loi de 1970 sur les sociétés à participation financière publique (applicable en conséquence par les seules SEM). Elles sont créées par un décret qui doit approuver en même temps leurs statuts. Elles sont dotées de la personnalité morale à compter de leur immatriculation au registre du commerce. Elles sont pilotées par un conseil d'administration dont les membres sont nommés par décret. Ceux-ci ne peuvent désormais être présents dans plus de deux Sode. Alors que la loi initiale du 13 septembre 1980 prévoyait que le directeur général serait nommé par le conseil d'administration, une loi rectificative du 2 août 1983 a replacé le directeur sous l'autorité directe du gouvernement en décidant que sa nomination relèverait désormais d'un décret. C'était manifester encore davantage le souci de contrôle de l'État sur ces Sode. Le contrôle des comptes est assuré par un ou plusieurs commissaires nommés par les ministres de tutelle et par la Chambre des comptes de la Cour suprême. Les emprunts obligataires auxquels voudraient souscrire les Sode doivent être autorisés par le Conseil des ministres qui a aussi un droit de regard en matière d'augmentation de capital et peut se prononcer sur le maintien même de la Sode si l'actif net représente moins de la moitié du capital. Un rapport d'activité et un rapport comptable sont établis par le conseil d'administration, l'affectation des résultats de l'exercice étant faite par les ministres de tutelle. On sait que, suite aux décisions annoncées en juin 1980, seuls sept organismes ont été maintenus en Sode. On relèvera que les décrets mettant en harmonie les statuts de chaque Sode avec la loi ont bien été rédigés (décrets n° 81-437 à 81-443 du 12 juin 1981) mais n'ont, à notre connaissance, jamais fait l'objet d'une publication au Journal officiel. Il faut sans doute voir dans cette discrétion le souci qu'avaient alors les autorités de ne pas rendre publique l'ampleur des écarts institués par rapport au régime de la fonction publique notamment en matière de rémunérations et autres avantages matériels au moment où de drastiques mesures de réduction des masses salariales étaient sur le point d'être imposées aux personnels des EPN (cf. *infra* chapitre 7).

L'ensemble des Sode et organismes assimilés représente une

population globale de 43 entreprises selon notre décompte fondé, répétons-le, sur le stock diachronique des créations et qui, de ce fait, dépasse le recensement du ministère d'État en 1980 (39 organismes avaient été évoqués en Conseil national). De l'évolution de ces 43 Sode on peut tirer la situation suivante à la fin de l'année 1989 : il existe 8 Sode (7 Sode maintenues plus la création postérieure de la SICF), 6 sont des EPN, 1 est une SEM, 4 sont des entreprises privées, 24 ont fait l'objet de mesures de dissolution. Mais ces liquidations ne s'assimilent pas automatiquement à des disparitions sèches : 6 organismes ont totalement disparu, 18 ont été repris par diverses structures publiques et parapubliques. Au total ce sont donc 10 Sode sur 43 qui sont réellement sortis du champ de l'État.

Les établissements publics

Les EPN sont définis comme des services publics dotés de la personnalité morale et de l'autonomie financière, quelle que soit par ailleurs leur dénomination particulière. Ils ont un patrimoine propre, mais leurs deniers sont des deniers publics. L'établissement est dirigé par un directeur nommé par décret en Conseil des ministres. Ce directeur est l'ordonnateur principal de l'établissement ; à ce titre il dispose d'un pouvoir assez général de gestion courante. Les règles de la comptabilité publique sont naturellement applicables dans les EPN pourvus, par ailleurs, d'un agent comptable, qui a statut de comptable public, et dont l'activité est très nettement séparée, désormais, de celle du directeur, ainsi que d'un contrôleur budgétaire chargé de vérifier l'exécution du budget. Agent comptable et contrôleur budgétaire dépendent directement du ministère des Finances. Ces dernières innovations, sinon dans les textes au moins dans les faits, ont été d'une importance majeure, et d'un effet réellement traumatisant pour nombre de directeurs d'établissements publics (cf. *infra* chapitre 7). En fin d'exercice l'agent comptable arrête les comptes de l'établissement et, après visa de l'ordonnateur, les soumet aux ministères de tutelle, puis il remet son compte financier à la Chambre des comptes de la Cour Suprême — en principe dans les six mois qui suivent la fin de l'exercice. Les EPN sont soumis à la procédure des marchés publics et tous leurs travaux immobiliers ont le statut de travaux publics.

A la fin de l'année 1989 l'ensemble est constitué de 62 établissements se répartissant comme suit : 34 établissements administratifs (EPA), 23 établissements industriels et commerciaux (EPIC), 2 établissements financiers (EPF), 1 établissement spécial (EPS) et 2 établissements internationaux dont l'un en cours de liquidation. Rappelons que le décret de reclassement des EPN du 28 novembre 1980 portait sur 54 établissements dont 37 EPA et 17 EPIC. Il y a eu donc des mouvements importants en tous sens entre 1980 et 1989 : 11 dissolutions, 10 créations, 9 régularisations d'organismes existant en 1980 mais non recensés par le décret. Ajoutons que le gouvernement, depuis 1980, a opéré 8 reclassements entre catégories d'EPN et prononcé 8 créations ou régularisations suivies quelques temps après de dissolutions.

Un des résultats juridiques majeurs de la réforme est d'introduire une nette distinction entre deux séries d'EPN : ceux à vocation administrative (EPA) et ceux à vocation industrielle et commerciale (EPIC). Les ressources des EPA sont principalement constituées de subventions et dotations des budgets de l'État ; leurs personnels perçoivent les mêmes traitements et indemnités que ceux accordés dans la fonction publique. Par contraste les EPIC, qui n'ont cependant pas la qualité de commerçants et dont il est rappelé qu'ils sont eux aussi soumis au contrôle de la Chambre des comptes, ont des ressources qui proviennent principalement du produit des cessions de leurs travaux et prestations. Leurs personnels perçoivent les mêmes traitements et indemnités que les fonctionnaires et agents de l'État mais peuvent, en outre, bénéficier d'indemnités particulières.

Tels sont, dans leur abstraction formelle, quelques-uns des résultats produits au plan institutionnel par la restructuration qui débute en 1980. On verra, dans les chapitres suivants, que les véritables transformations débordent très nettement ces purs énoncés juridiques et que les bouleversements institutionnels ne sont que l'écume de courants qui vont modifier en profondeur l'économie des structures parapubliques et les jeux de pouvoir auxquels adhéraient leurs agents. On ne saurait cependant comprendre ces transformations sans tenter de reconstituer les conditions de la grandeur et les mécanismes de la décadence des entreprises publiques ivoiriennes.

Tableau 1.2

SOCIÉTÉS D'ÉTAT ET ORGANISMES ASSIMILÉS : SITUATION EN 1980 ET ÉVOLUTION POSTÉRIEURE

Sigle société (an. créat.)	Statut origine	Secteur activité	Effectifs	Résolution conseil national 12-6-80	Évolution effective depuis 1980
AIRIVOIRE (1960)	SODE	transports	242	SODE	SODE maintenue
ARSO (1969)	SODE	aménagement	1 225	dissolution	dissoute (1980) ; partie des activités et actifs transfér. minist. et EPN
AVB (1969)	SODE	aménagement	1 655	dissolution	dissoute (1980) ; partie des activités et actifs transfér. minist. et EPN
BDI (1971)	indéterminé	service	29	fusion avec FGCEI et OPEI	classé EPIC et dissous (1982) intégré dans CAPEN, EPN
BIN	SODE	service	11	dissolution	dissoute (1980) devenue service ministère Industrie

BIPT (1977)	SODE	banque gère CNE et CCP	176	transform. en Caisse nationale d'épargne	dissoute (1981), devenue service OPT lui-même transfor. en ONP, EPN
BNDA (1968)	SPFP assim. SODE	banque	n.d.	transf. SEM	SEM
BNEC (1975)	SEM	banque	n.d.	retrait État	privatisée puis dissoute (1988)
BNETD (1964)	SODE	service	641	dissolution	dissoute (1977) ; reprise en partie par DCGTX et BETPA, EPN
CCI (1955)	assim. SODE	banque	n.d.	transfo. SEM	SEM puis dissoute (1989)
CEIB	SODE	élevage	25	dissolution	dissoute (1980) ; devenue service ministère prod. animale ; à privatiser (1987)
CICE (1970)	SODE	service	74	non évoquée	EPA(1980) ; dissoute et transfor. en CCIA (1984), EPN

Sigle société (an. créat.)	Statut origine	Secteur activité	Effectifs	Résolution conseil national 12-6-80	Évolution effective depuis 1980
CNBF (1973)	SODE	service	147	dissolution	dissoute (1983) ; rempl. par BFCI, S.A. avec monopole public (1987)
CSSPPA (1964)	SODE	finance	n.d.	SODE	SODE maintenue
FGCEI (1968)	indéterminé	finance	19	fusion avec BDI et OPEI	EPIC et dissous (1981) devenu service CAA, EPF
FOREXI (1974)	SODE	forage	200	EPIC	dissoute et privatisée, cédée aux cadres (1982)
INTELCI (1969)	SODE	télécom.	n.d.	non évoquée	dissoute (1984) patrimoine repris par ONT, EPN
ITIPAT (1967)	SODE	service	57	service administratif	dissoute (1980) ; service ministère rech. scien. ; devenue CIRT, EPN (1982)
IVOIR-OUTILS	SODE	industrie	150	privatisée	dissoute et privatisée (1979) rachetée par ABI, S.A., devenue S 21

LONACI (1970)	SODE (1978)	finance	47	non évoquée	EPIC (1980)
MOTORAGRI (1966)	SODE	agriculture	1 017	EPA	EPA (1980)
OPEI (1968)	indéterminé	service	n.d.	fusion avec FGCEI et BDI	EPIC et dissous (1982) intégré à CAPEN, EPN
OSHE (1968) (= FSH / BNEC, 1978)	SODE	finance	n.d.	gestion FSH retirée à BNEC	ret. gest. FSH à BNEC (1980), fonction FSH reprise par CMDH, fonds de la CAA
PAC (1974)	SODE	commerce	1 046	dissolution	échec reprise par des privés, dissoute (1980)
PALMINDUSTRIE (1963)	SODE (1977)	agro-industrie	14 218	SODE	SODE maintenue
PETROCI (1975)	SODE	pétrole	n.d.	SODE	SODE maintenue
SATMACI (1958)	SODE	agriculture	2 186	EPIC	EPIC (1980)
SETU (1971)	SODE	aménagement	160	EPA	EPIC (1980) dissous (1987)
SICOFREL (1975)	SODE	agriculture	479	dissolution	dissoute (1978) ; rempl. par COFRUITEL, coop, dissoute (1985)

Sigle société (an. créat.)	Statut origine	Secteur activité	Effectifs	Résolution conseil national 12-6-80	Évolution effective depuis 1980
SIETHO (1961)	SODE	hôtellerie	34	EPIC	EPIC (1980), dissous (1984), majorité actifs transfér. aux communes, minor. cédés à privés
SITRAM (1968)	SODE	transports	1 168	SODE	SODE maintenue
SOCATCI (1972)	SODE	agro-industrie	15	dissolution	dissolution (1977) ; reprise partielle activité par SOGB, SEM
SODEFEL (1968)	SODE	agriculture	959	EPIC	EPIC (1980)
SODEFOR (1966)	SODE	sylviculture	2 006	EPA	EPA (1980) ; une direction in minis. Eaux et F. (1981) ; EPIC (1985)
SODEMI (1962)	SODE	mines	n.d.	SODE	SODE maintenue
SODEPALM (1963)	SODE	agro-industrie	468	EPIC	EPIC (1980) ; reprend patrimoine PALMIVOIRE (SEM dissoute) ; transfo. en CIDV, EPN (1988)

SODEPRA (1970)	SODE	élevage	1845	EPIC	EPIC (1980)
SODERIZ (1970)	SODE	agriculture	2 034	dissolution	dissoute (1977) ; reprise activités par OCPA et CGPPPGC, EPN, des actifs privatisés (rizeries)
SODESUCRE (1971)	SODE	agro-industrie	6 185	SODE	SODE maintenue, réduite à 4 complexes assist. techn. par CCCE (France)
SOGEFIHA (1963)	SODE	logement	312	EPA	EPIC (1980) ; dissous (1986)
SONAFI (1963)	SODE	finance	37	dissolution	dissoute (1980) ; activité reprise par direction minis. Éco et Fi. (DCSPP)
SICF (1989)	SODE	transports	1878	création post.	créée le 24.5.89 après scission RAN

Source : Rapport de présentation du MERSE au Conseil national du 12.6.80, JORCI, Lois de finances (annexes budgets des EPN), presse nationale, Banque des données financières, Direction du contrôle du secteur parapublic, enquêtes et entretiens.
Note : il s'agit de la reconstitution de l'univers des SODE et assimilés tel qu'il était officiellement appréhendé lors du Conseil national du 12 juin 1980. La rubrique « résolutions du conseil national » qui reproduit les annonces faites à cette réunion, se fait l'écho de ce qui n'était, aussi, que confirmation de décisions notablement antérieures (ex. : Soderiz). Les effectifs salariés sont ceux extraits des documents les plus récents ou ceux signalés au moment de la liquidation ou de la transformation de la SODE ; ils s'entendent des fonctionnaires (détachés) et agents de l'État, à l'exclusion de la main-d'œuvre saisonnière particulièrement importante s'agissant des sociétés de développement intervenant dans le domaine agricole et agro-industriel. n.d. = non disponible.

Tableau 1.3

ÉTABLISSEMENTS PUBLICS : SITUATION EN 1980 ET ÉVOLUTION POSTÉRIEURE

Sigle EPN (an. créat.)	Secteur activité	Statut origine	Classement d'après décret 28.11.1980	Évolution effective depuis 1980	Effectifs
ANAM (1973)	service étude	indét.	non évoqué	EPIC (21.4.82)	901
BCET (1978)	service étude	indét.	EPA	dissous (17.5.84)	253
BDI (1971)	service étude	assim. SODE (12.6.80)	non évoqué	EPIC et dissous (22.6.82)	29
BETPA	service étude	indét.	non évoqué	EPIC (27.10.82) ; dissous (4.9.85)	n.d.
BVA (1973)	service finan.	indét.	EPIC	EPF (19.6.89)	46
CAA (1959)	service finan.	indét.	EPIC	EPF (22.7.88)	205
CAPEN (1983)	service étude	EPA	créat. postér.	EPA (absor. OPEI et partie BDI)	189
CCIA (1984)	service commer.	EPIC	créat. postér.	EPIC (par transfo. CICE)	146

CGPPPGC (1971)	service finan.	indét.	EPIC	EPIC (5.11.81)	119
CGRAE (1977)	service finan.	EPA	EPÀ	EPA (3.8.88)	77
CHU Cocody	service médic.	indét.	non évoqué	EPIC (6.6.84)	723
CHU Treich.	service médic.	indét.	non évoqué	EPIC (6.6.84)	1 039
CHU Yop. (1989)	service médic.	EPIC	créat. postér.	EPIC (5.4.89)	n.d.
CICE (1970)	service commer.	indét.	EPA	dissous (27.7.84), transfo. CCIA	74
CIDV (1988)	service agric.	EPIC	créat. postér.	EPIC (transfo. SODEPALM, SODE/EPIC)	n.d.
CIRT (1982)	service recher.	EPA	créat. postér.	EPA (repris. activ. ex-SODE ITIPAT)	70
CNE (1981)	service finan.	EPIC	créat. postér.	avant 81 : géré par BIPT ; dissous (13.6.84), service ONP	n.d.
CNOU (1964)	service adm.	indét.	EPA	EPA	1 556
CNPS (1968)	service finan.	indét.	EPIC	EPS (2.4.82)	1 711
DCGTX (1978)	service étud. et adm.	EPA	EPA	EPA (25.9.81)	840

Sigle EPN (an. créat.)	Secteur activité	Statut origine	Classement d'après décret 28.11.1980	Évolution effective depuis 1980	Effectifs
EIB	enseignement	indét.	EPA	EPA (18.8.82)	8
ENS (1964)	enseignement	indét.	EPA	EPA	315
ENSA (1965)	enseignement	indét.	EPA	EPA (24.1.86)	224
ENSEA	enseignement	indét.	EPA	EPA (3.3.82)	36
ENSPT	enseignement	indét.	EPA	EPA (25.9.81)	191
ENSTP (1979)	enseignement	indét.	EPA	EPA	353
FER-P	service finan.	EPA	EPA	EPIC (13-8-85)	12
FGCEI (1968)	Service finan.	assim. SODE	non évoqué	Nouveau FGCEI, EPIC et dissous (18-2-88) dev. service CAA	19
FNA (1976)	service finan.	EPA	non évoqué	dissous (décret 17-12-87 puis loi 22-7-88), dev. service CAA)	n.d.
FNI (1985)	service finan.	EPA	EPA	EPA (9-3-88)	35

Sigle EPN (an. créat.)	Secteur activité	Statut origine	Classement d'après décret 28.11.1980	Évolution effective depuis 1980	Effectifs
FPM (1985)	service finan.	EPA	créat. postér.	EPA (12-9-85)	n.d.
IAB (1977)	enseignement	indét.	EPA	EPA	124
ICA (1977)	service médic.	indét.	EPA	EPA (13-4-82)	185
IDESSA	service agric.	indét.	non évoqué	EPIC (16-11-82)	617
IDREM (1977)	service étude	indét.	EPA	EPIC .28-11-80)	57
IGCI (1975)	service étude	indét.	EPA	EPA	125
INFIP (1987)	enseignement	EPA	créat. postér.	EPA	329
INJS (1981)	enseignement	indét.	EPA	EPA (13-11-81)	179
INPP (1971)	enseignement	indét.	EPA	EPA (18-8-82), dissous, transfo. INFTP (15-7-87)	320
INSET (1975)	enseignement	indét.	EPA	EPA (18-8-82)	680
INSP (1979)	service médic.	indét.	non évoqué	EPA (29-3-83)	322

Sigle EPN (an. créat.)	Secteur activité	Statut origine	Classement d'après décret 28.11.1980	Évolution effective depuis 1980	Effectifs
IPCI (1972)	service rech.	indét.	EPA	EPA (26.11.82)	170
IPNETP (1975)	enseignement	indét.	EPA	EPA (10-8-82)	126
IRF	service médic.	indét.	non évoqué	EPA (10-6-83)	33
LBTP (1978)	service étude	EPIC	EPA	EPIC (2-2-83)	495
LONACI (1970)	service finan.	indét.	EPIC	EPIC	47
MOTORAGRI (1966)	service agri.	indét.	EPA	EPA	1 017
OCM (1967)	service adm.	indét.	EPA	EPA	505
OCPA	service agri.	indét.	non évoqué	dissous (6-2-86)	853
OCPV (1984)	service agri.	EPA	Créat. posté.	EPA (27-7-84)	76
OIC (1969)	service adm.	indét.	EPIC	EPIC (12-9-85)	137
OISSU (1981)	service adm.	EPA	EPA (par anti-cipation)	EPA (30-5-84)	34

Sigle EPN (an. créat.)	Secteur activité	Statut origine	Classement d'après décret 28.11.1980	Évolution effective depuis 1980	Effectifs
OMOCI	service adm.	indét.	EPA	EPA (21.7.82)	144
ONAC (1967)	service finan.	indét.	EPA	EPA	12
ONFP (1966)	enseignement	indét.	EPA	EPA (18-8-82)	298
ONP (1984)	service adm.	EPIC	créat. postér.	EPIC (ex-OPT) (13-6-84)	3 064
ONPR (1971)	service agri.	indét.	EPA	dissous (15-7-81), dev. service minist. agri.	436
ONS (1980)	enseignement	EPA	EPA (par anticipation)	EPA (30-5-84)	87
ONT (1984)	service adm.	EPIC	créa. postér.	EPIC (ex-OPT) (13-6-84)	4 533
ONT/CNPT	service adm.	indét.	EPA	EPIC (CNPT 27-7-84), diss. (4-9-85)	101
OPEI (1968)	service étude	assim. SODE	non évoqué	EPIC et diss. (6-4-82) dev. CAPEN	161

Sigle EPN (an. créat.)	Secteur activité	Statut origine	Classement d'après décret 28.11.1980	Évolution effective depuis 1980	Effectifs
OPT (1960)	service adm.	indét.	EPIC	EPIC (25.9.81), diss. (13-6-84) dev. ONP et ONT	n.d.
OSP (1985)	service agri.	EPIC	créat. postér.	EPIC (12-7-85) Proj. privat.	416
OSER (1978)	service étude	indét.	EPA	EPA (25-7-84)	24
OTU (1977)	service étude	EPIC	EPA	EPIC et diss. (18-1-84)	n.d.
PAA (1960)	service adm.	indét.	EPIC	EPIC	1 354
PASP (1971)	service adm.	indét.	EPIC	EPIC	385
PSP	service adm.	indét.	EPIC	EPIC (6-6-84)	293
SAMU	service méd.	indét.	non évoqué	EPA (30-5-84)	55
SATMACI (1958)	service agri.	SODE	EPIC	EPIC	2 186
SETU (1971)	service tech-comm.	SODE	EPIC	EPIC puis diss. (1-4-87)	160

Sigle EPN (an. créat.)	Secteur activité	Statut origine	Classement d'après décret 28.11.1980	Évolution effective depuis 1980	Effectifs
SIETHO (1961)	service comm.	SODE	EPIC	EPIC puis diss. (12-12-84), transfér. aux communes et à privés	34
SODEFEL (1968)	service agri.	SODE	EPIC	EPIC (4-12-85)	959
SODEFOR (1966)	service sylv.	SODE	EPA	EPA puis EPIC (20-2-85)	2 006
SODEPALM (1963)	service agri.	SODE	EPIC	EPIC puis transfo. CIDV, EPIC (22-3-88)	468
SODEPRA (1970)	élevage	SODE	EPIC	EPIC	1 845
SOGEFIHA (1963)	service techn-comm.	SODE	EPIC	EPIC puis diss. (22-5-86)	312
UNCI (1977)	enseignement	indét.	EPA	EPA	2 421
ASM	service doc. et form.	indét.	EPA	EP multinational	n.d.
RAN	transports	EP multinational	non évoqué	scission en 2 stés nat. (Conseil des Min. 2-3-89). Créat. 24-5-89 de la SICF, SODE.	1 878

Sources et note (cf. tableau nº 1.2 : substituer EPN à SODE).

2

La montée en puissance de l'État-entrepreneur

Après deux décennies de forte croissance économique, la Côte-d'Ivoire entre, à la fin des années 70, dans une crise profonde et durable. Le dynamisme de l'appareil de production s'affaiblit considérablement et surgissent d'importants déséquilibres financiers tant intérieurs qu'extérieurs. Après une éphémère reprise de l'activité en 1985 et 1986, la crise s'aggrave de nouveau, conduisant à la déclaration d'insolvabilité de juin 1987, suivie de la diminution de moitié des prix officiels d'achat du cacao et du café à la production, en 1989. Face à la persistance de l'effondrement des cours mondiaux, la garantie du prix au producteur, symbole de la spécificité et de la réussite ivoiriennes, n'a pas résisté. Fin du miracle ivoirien ! Faillite d'un modèle de développement ! Les condamnations sont aussi radicales que les louanges avaient été excessives. Après la montée aux cieux, ce serait la descente aux enfers.

Et pourtant la Côte-d'Ivoire semble avoir été le bon élève du FMI. Dès avril 1978, avec le concours du Fonds Fiduciaire, un programme de redressement est mis en place. Les effets escomptés n'étant pas au rendez-vous et devant l'aggravation de la crise, les autorités ivoiriennes vont réagir plus fermement. C'est en 1981 que les premiers programmes d'ajustement structurel seront définis. A partir de cette date vont se succéder des plans de redressement cherchant à la fois à ajuster à court terme les besoins et les capacités de financement, et à provoquer les modifications de structure nécessaires à un redémarrage de la croissance économique. La fermeté de la réaction, le contenu des premières mesures, l'aval donné par le FMI, semblent confirmer la thèse d'une Côte-d'Ivoire adhérant pleinement à la logique libérale de l'assainissement financier et de l'intervention minimale de l'État. La réforme des entreprises publiques de 1980 s'inscrit dans cette « purge libérale ». L'ampleur des restructurations traduit une volonté politique de frapper vite et fort. L'annonce de la privatisation, de la dissolution ou de la transformation de près des 4/5 des sociétés d'État donne un incontestable label libéral à cet ensemble de mesures.

Cette analyse paraît d'autant plus vraisemblable que le modèle de développement ivoirien est censé être fondé sur le libéralisme. Dans cette perspective, l'État ne peut avoir qu'un rôle second dans le processus de production. En conséquence le « dégraissage » des entreprises publiques ne devait pas poser de problèmes majeurs. L'économie devait être capable de revenir rapidement à une situation « normale » qui confie au secteur privé la mission d'assurer « l'allocation optimale » des ressources.

Cette interprétation traduit une profonde méprise sur le sens réel des mesures de restructuration. Un examen attentif des mouvements effectifs entraînés par la réforme de 1980 conduit à constater un accroissement des contrôles publics et une consolidation de l'État. Au lieu de se désengager, l'État se renforce ! Cet aveuglement de nombreux observateurs trouve son origine profonde dans une conception erronée du modèle ivoirien. Il est vrai qu'ils ont pu être abusés par de nombreuses déclarations officielles de cet ordre : « L'État a choisi pour son développement la voie de l'économie libérale et y restera attaché » (F. Houphouët-Boigny, 6 mai 1960). Or, loin d'être fondamentalement libéral, ce modèle se structure autour d'une régulation étatique, dont les entreprises publiques constituent l'une des pièces-maîtresses. La liberté d'entreprise, la libre circulation des capitaux, des biens et des hommes ne constituent que des moyens de faire fonctionner efficacement une économie ordonnée autour de l'État. En conséquence la réforme du secteur parapublic ne saurait être limitée à une simple remise en ordre. Elle est étroitement liée au fonctionnement et au dérèglement du modèle ivoirien. Dans cette perspective trois axes d'observation et de réflexion ont été retenus.

Il est permis tout d'abord de constater la diversité et l'importance des entreprises publiques dans l'économie ivoirienne, qui placent ce pays dans une position médiane par rapport à l'ensemble des pays de l'Afrique subsaharienne. Le « libéralisme » ivoirien est donc très interventionniste et ne se distingue pas radicalement, sur ce plan tout au moins, des politiques suivies par des pays qualifiés habituellement de socialistes.

Cette absence de spécificité nationale caractérise également l'architecture générale du modèle de développement, qui est d'abord subsaharien avant d'être ivoirien. Un régime d'accumulation extensive soutenu par une régulation étatique : c'est le dénominateur commun des modes de fonctionnement de la quasi totalité des économies au sud du Sahara. La particularité de la Côte-d'Ivoire a été de mettre en œuvre ce modèle plus rapidement et plus efficacement que les autres pays, avec le concours massif de facteurs de production étrangers (capital et travail) et en assurant une très grande liberté de circulation des produits et des capitaux. C'est par rapport à cette fonction pivot de l'État que doit être perçu le rôle des entreprises publiques, interprétée la réforme de ce secteur et expliquée l'absence de désengagement massif de l'État.

La crise des entreprises publiques est, par voie de conséquence, un phénomène complexe. Elle ne saurait être présentée uniquement comme le résultat de simples erreurs de gestion, qu'il suffirait de corriger pour revenir à une situation satisfaisante. A la fois cause et conséquence des déséquilibres macroéconomiques, elle est l'une des manifestations de la crise générale du modèle de développement subsaharien. Si les entreprises publiques ont largement contribué à la montée des déséquilibres extérieurs, elles se sont également heurtées aux limites d'un modèle de plus en plus inadapté aux nouvelles donnes de l'économie mondiale.

1. Des entreprises publiques omniprésentes

En 1979 les capitaux publics représentaient 50 % du capital de l'ensemble des entreprises du secteur moderne recensées par la *Centrale de bilans*. D'une valeur de 200 milliards de F CFA, ces investissements directs de l'État traduisaient clairement, à la veille de la réforme de 1980, une position dominante des pouvoirs publics dans le système productif.

Avant de nous attacher à identifier et caractériser les entreprises dans lesquelles l'État intervient, soulignons la difficulté de dresser des bilans parfaitement incontestables, tant du point de vue du nombre que du poids économique de ces entreprises. Cette imprécision résulte de plusieurs facteurs. En particulier la complexité de la situation juridique des divers organismes avant la réforme de 1980 et l'absence de réel contrôle exercé par les autorités de tutelle rendent très parcellaires les informations comptables. La multiplicité des critères de définition de l'entreprise publique ne fait qu'accroître la confusion.

La fragilité des données n'est d'ailleurs pas spécifique à la Côte-d'Ivoire. Dans son analyse des entreprises publiques en Afrique subsaharienne, J.Nellis souligne que les estimations doivent être utilisées avec une extrême prudence (BIRD 1985). Selon lui, il s'agit pour le mieux d'ordres de grandeurs. L'une des premières mesures des programmes d'ajustement structurel sera d'ailleurs d'améliorer les systèmes d'information relatifs aux interventions de l'État.

Un ensemble de plus de 250 entreprises

Les évaluations menées par différents auteurs sur la Côte-d'Ivoire conduisent à des estimations extrêmement discordantes.

S'appuyant sur diverses sources d'information et notamment la *Centrale de bilans*, D. Lecallo estime à 206 le nombre d'entreprises du secteur parapublic pour l'année 1977 (Lecallo 1982, p. 9). Cette population, qui représentait 9 % de l'ensemble des 2305 entreprises du secteur moderne, se décomposait, selon cet auteur, de la façon suivante :

Etablissements publics administratifs (EPA)	: 30
Etabl. publics industr. et commerciaux (EPIC)	: 20
Sociétés d'État (SODE)	: 34
Sociétés d'économie mixte (SEM)	: 122
TOTAL	: 206

J.-P. Foirry et D. Requiers-Desjardin proposent de réduire le champ, en éliminant d'une part les EPA dont les ressources propres sont en principe très faibles et qui n'ont donc pas suffisamment d'autonomie financière pour être considérés comme des entreprises à part entière, d'autre part certaines SEM dans lesquelles l'intervention de l'État est beaucoup trop limitée pour que ces sociétés puissent être considérées comme publiques (Foirry et Requiers-Desjardin 1986, p.228). Sans donner de précision sur les critères utilisés, les auteurs estiment qu'en 1979 seules 30 SEM devaient être retenues. C'est donc au total 84 entreprises qui auraient constitué l'ensemble des entreprises publiques ivoiriennes en 1979 dans cette conception très restrictive.

C'est un chiffre intermédiaire de 147 entreprises que retient J. Nellis, toujours pour l'année 1979, à partir des fichiers de la Banque mondiale d'où sont exclus les EPA et les sociétés financières (BIRD 1985, p. 4a).

Les écarts entre les estimations de ces divers bilans s'expliquent d'abord par des divergences dans les critères de définition des entreprises publiques, qui conduisent à retenir des champs plus ou moins larges. Il nous parait préférable de ne pas adopter une approche trop restrictive *a priori*, et de retenir l'ensemble des marges de la population que sont les EPA et les sociétés d'économie mixte à participation minoritaire de l'État. En effet l'une des raisons de l'incompréhension du sens réel de la réforme de 1980 résulte de l'absence de prise en compte de la transformation d'une partie des SODE en établissements publics et notamment en EPA. Par ailleurs l'observation du fonctionnement des SEM montre qu'il suffit parfois, pour l'État mais aussi pour des particuliers, de posséder 1 % du capital de la société pour avoir une représentation au Conseil d'administration. Enfin, au plan du fonctionnement réel de tous ces organismes, dans la décennie 70 rien ne distinguait les EPA des EPIC, des SODE et des SEM. C'est d'ailleurs ce flou opérationnel et juridique, à la source de biens des dérèglements, que la réforme de 1980 visera, entre autres choses, à dissiper. Il n'est donc pas souhaitable d'éliminer *a priori* ce type d'entreprise.

La difficulté de repérage statistique des différents organismes constitue le deuxième facteur de divergence des estimations, notamment en ce qui concerne les SEM. Il existe néanmoins une source extrêmement précise et fiable, qui est restée peu connue. Il s'agit du travail d'inventaire réalisé par le service du Contrôle d'État, dont le rapport de synthèse fait mention pour l'année 1977 d'un ensemble de 254 organismes se décomposant de la façon suivante (RCI, Contrôle d'État 1977) :

EPA	30	
EPIC	20	
SODE	34	
SEM	170	(environ la moitié sont détenues à plus de 33,3 % du capital par l'État).
TOTAL	254	

C'est donc une hypothèse haute qu'il faut retenir pour l'estimation de la population des entreprises publiques en Côte-d'Ivoire à la veille de la réforme de 1980. Ne faut-il pas voir dans la tendance à la sous-estimation du nombre de ces entreprises dans les divers travaux réalisés sur ce sujet, une expression supplémentaire de la méprise sur le sens du « libéralisme » ivoirien ?

Un poids économique important

La *Centrale de bilans* est la seule source statistique permettant de repérer avec suffisamment de détail le sous-ensemble que constituent les entreprises publiques. Bien que le champ couvert ne soit pas exhaustif, il est néanmoins possible de dégager des ordres de grandeur et des tendances (1). Pour

(1) La *Centrale des bilans*, publication annuelle du service de la Banque des données financières du ministère de l'Économie et des Finances, (ou du ministère du Plan, selon les organigrammes des gouvernements successifs) est censée regrouper l'ensemble des entreprises du secteur moderne, c'est-à-dire

l'année 1979, la *Centrale* permet de décomposer l'ensemble des 2305 entreprises recensées en trois catégories : 43 entreprises dans lesquelles les capitaux sont totalement publics (EPA, EPIC, SODE), 52 sociétés d'économie mixte où l'État est actionnaire majoritaire et 2 210 entreprises où le secteur privé détient plus de 50 % du capital. Le tableau n° 2.1 donne une estimation du poids relatif de ces différentes catégories.

Tableau 2.1

IMPORTANCE DU CONTROLE FINANCIER DE L'ÉTAT EN 1979

Pourcentages (à l'exception du nombre d'entreprises)

	Entreprises à capitaux			Total
	totalement publics	publics majorit.	privés majorit.	
Nombre entrepr.	43	52	2210	2305
Valeur ajoutée	14,5	14,5	71	100
Masse salariale	16	15	69	100
Effectif salarié	21,5	15,5	63	100
Cap. autofin.	28	16	56	100
Capital-Dotation	39	12	49	100
Investissement	36	32,5	31,5	100
Dettes M. et L. termes	48	23	29	100

Source : RCI, MEF, *Centrale de bilans*, 1979.

---

celles qui utilisent le plan comptable quelles qu'en soient les modalités. De 1979 à 1984 environ 2 400 entreprises étaient répertoriées. L'ensemble de la valeur ajoutée de ces entreprises représentait 37 % du PIB en 1979 et 30 % en 1984. Une modification de nomenclature en 1980 conduit à émettre des réserves sur la signification des séries chronologiques qui chevauchent cette date. Sur ces problèmes méthodologiques cf. Fauré 1988.

Les deux premières catégories, soit 95 entreprises, constituent un échantillon des 254 entreprises publiques existant à cette époque. Cet échantillon est largement représentatif de l'ensemble des entreprises dans lesquelles l'État a une position dominante. Son poids, mesuré par rapport aux 2 305 entreprises recensées par la *Centrale*, varie suivant le type d'agrégat retenu. Il est d'environ 1/3 pour les indicateurs d'activité (valeur ajoutée, effectif, masse salariale), mais s'élève à plus des 2/3 pour les opérations en capital (investissements, endettement). C'est la confirmation du caractère très capitalistique des entreprises purement publiques, mais aussi de l'existence d'importants besoins de financement. Le poids très important de l'endettement est également à mettre en relation avec la relative faiblesse de la capacité d'autofinancement, qui ne représente que 44 % de la capacité du secteur moderne, soit 24 points de moins que les dépenses d'équipement.

Par rapport à l'ensemble de l'économie, ces 95 entreprises représentaient, en 1979, environ 11 % du PIB, 20 % de l'emploi du secteur qualifié de moderne (estimé à 447 381 salariés pour l'ensemble des branches d'activité, y compris les fonctionnaires : RF, MINICOOP 1982, p. 198), et 43 % de la formation brute de capital fixe de la nation. Indiscutablement les entreprises publiques pesaient lourd dans l'économie ivoirienne à la fin des années 70.

Les comparaisons avec les autres pays de l'Afrique subsaharienne se heurtent à l'absence de sources statistiques incontestables, ce qui favorise des lectures très divergentes des données parcellaires disponibles. Ainsi, dans son analyse des mouvements de privatisation des entreprises ivoiriennes, E. Wilson affirme que le secteur parapublic est moins étendu en Côte-d'Ivoire que dans les autres pays de l'Afrique subsaharienne (Wilson 1989). Il justifie ses propos par le faible nombre d'entreprises entièrement publiques, dont fait état l'étude de la Banque mondiale déjà citée (BIRD 1985). Mais s'il est vrai que la mixité public-privé l'emporte largement sur le « tout État », il n'en demeure pas moins que le poids global de la présence de l'État dans le processus de production est important et sous certains rapports supérieur à celui de nombreux autres pays du continent.

Selon cette même étude de la Banque mondiale, qui porte sur un ensemble de 13 pays de l'Afrique subsaharienne et exclut les EPA et les sociétés financières, pour l'année 1979, la Côte-d'Ivoire arrive en 8ème position en ce qui concerne la part des entreprises publiques dans le PIB et au deuxième rang quant au poids de ces mêmes entreprises dans l'investissement national. Une étude plus récente de la même Banque mondiale (BIRD 1989), qui porte sur 31 pays de l'Afrique au sud du Sahara, classe la Côte-d'Ivoire dans une position médiane et confirme ce que M. Ikonicoff et S. Sigal soulignaient en 1978, à savoir que « l'option libérale prise par la Côte-d'Ivoire n'empêche pas que les Sociétés d'État y soient plus nombreuses qu'au Mali qui a ouvertement proclamé son option socialiste ou qu'au Sénégal qui a défini politiquement une voie appelée socialisation africaine » (Ikonicoff et Sigal 1978, p. 705).

Une présence tous azimuts

L'une des caractéristiques du secteur parapublic ivoirien est sa très grande dispersion dans l'ensemble du système productif. Comme le montre le tableau n° 2.2, tous les secteurs d'activité sont concernés. La présence de l'État est particulièrement forte dans les services, qui regroupaient plus de 60 % des entreprises recensées par le Contrôle d'État en 1977.

Cette dissémination est significative d'un interventionnisme « rampant », résultant de toutes les opportunités économiques, financières et politiques. Certes la répartition varie suivant le statut juridique de l'entreprise. Les sociétés d'économie mixte étaient très présentes dans l'industrie, les SODE dans l'agriculture et les EPN dans le secteur tertiaire. Mais il est clair que cette situation n'a pas été le résultat d'une rigoureuse programmation. C'est au contraire un très grand pragmatisme qui a prévalu jusqu'au début des années 80 et qui a débouché sur une situation difficilement gérable. La très grande diversité des activités, qui exige une capacité d'expertise très étendue, est l'une des causes de la faiblesse des contrôles exercés par les autorités de tutelle et par voie de conséquence à l'origine de sérieux dérapages de gestion. L'un des buts de la restructuration engagée à partir de 1980 sera précisemment de remettre de l'ordre dans ce paysage parapublic, à commencer par le « fleuron » du secteur qu'étaient les sociétés d'État.

Tableau 2.2

RÉPARTITION DES ENTREPRISES PUBLIQUES PAR SECTEUR D'ACTIVITÉ

	EPA	EPIC	SODE	SEM majoritaires	SEM minoritaires	Total	% secteur sur total
Agriculture vivrière, élevage, pêche, sylviculture			6	2	6	14	6,0
Agriculture d'exportation			3	2	2	7	3,0
Industries extractives			1	1	2	4	1,7
Agro-industries			2	4	9	15	6,4
Energie				1	3	4	1,7
Autres industries		1	2	2	33	38	16,2
Bâtiment, travaux publics			2	3	3	8	3,4
Services transp./télécom.		2	3	4	5	14	6,0
Services financiers	7	1	5	4	10	27	11,5
Commerce			1	8	15	24	10,3
Immobilier/hôtellerie			1	9	12	22	9,4
Enseignement/recherche	12	2	1			15	6,4
Autres services	11	12	7	3	9	42	17,9
Total	30	18	34	43	109	234	100,0

Source : RCI, Contrôle d'État, 1977.

Note : cette exploitation porte sur 92 % des 254 organismes et sociétés répertoriés alors par le Contrôle d'État. Les informations pour ventilation sectorielle ne sont pas disponibles sur les 20 entreprises restantes qui se répartissent en 2 EPIC, 1 SEM majoritaire et 17 SEM minoritaires.

La très grande dispersion des activités ne doit pas faire oublier l'extrême inégalité de taille des entreprises, et le poids dominant d'une minorité de grandes sociétés, notamment de SODE agricoles et agro-industrielles. Selon le ministère de l'Economie et des Finances, 9 Sociétés d'État avaient, en 1976, un effectif supérieur à 1 000 salariés et représentaient 17 % de l'emploi du secteur moderne (voir tableau n° 2.3). En 1980, à la veille de la réforme, trois autres SODE avaient dépassé le seuil des 1 000 salariés : l'AVB (1655), l'ARSO (1225) et la SITRAM (1168). Alors que la SODERIZ et la SOCATCI étaient dissoutes en 1977, la SODESUCRE et PALMINDUSTRIE (qui avait pris le relais de la SODEPALM) connaissaient au contraire une très forte croissance de leurs effectifs, qui atteignaient en 1979, respectivement 10 535 et 13 164 salariés. Ces deux entreprises, qui feront partie des 7 SODE maintenues, représentaient à elles seules près de 10 % de l'effectif du secteur moderne (2).

A l'exception de la SITRAM, toutes les grandes entreprises à capitaux totalement publics relèvent du secteur agricole. Cette concentration sectorielle des capitaux publics conduit à relativiser l'impression d'éclectisme des interventions de l'État dans le système productif. Assurément les entreprises publiques ont été en priorité des instruments d'extension et de modernisation de la production agricole.

EPA gérés sur des bases administratives, EPIC dotés d'une plus grande autonomie de gestion, sociétés d'État à la fois autonomes et soumises à de très fortes pressions publiques, SEM extrêmement nombreuses et sur lesquelles s'exerce une tutelle publique très variable : le paysage des entreprises publiques est riche et varié. Mais derrière cette diversité et cet apparent désordre, une logique de régulation étatique de l'ensemble de l'économie est à l'œuvre, qui constitue l'une des caractéristiques fondamentales du modèle de développement suivi par la plupart des pays de l'Afrique subsaharienne, et notamment la Côte-d'Ivoire. C'est donc par rapport à ce modèle qu'il faut chercher à interpréter l'importance du secteur des entreprises publiques dans l'économie ivoirienne à la fin des années 70.

---

(2) Le tableau n° 3.7. donne de plus amples informations sur ces 7 SODE maintenues.

Tableau 2.3

LISTE DES SODE AYANT PLUS DE
1 000 SALARIÉS EN 1976

	Effectif		Effectif
SODEPALM	13 273	SODEFOR	1 794
SODERIZ	5 390	SOCATCI	1 423
SODESUCRE	4 688	SODEPRA	1 199
SATMACI	3 757	MOTORAGRI	1 132
		SODEFEL	1 108

Source : RCI, MEF 1977.
Note : la CSSPPA n'a pas été prise en compte.

2. Modèles de développement et régulation étatique

Au début des années 60, l'intervention de l'État dans les pays en voie de développement apparaissait comme une évidente nécessité. Face à l'urgence des situations de sous-développement, seule une action énergique des pouvoirs publics semblait capable de créer les conditions favorables au « décollage » économique. Le ralentissement de la croissance économique et la montée des déséquilibres financiers à partir du premier choc pétrolier de 1973 ont conduit à une remise en cause radicale des fonctions de l'État. Ce constat d'un État totalitaire dans le domaine économique a été repris par l'ensemble des courants de pensée (3).

Pour les libéraux les interventions publiques cassent les mécanismes du marché et étouffent les initiatives individuelles qui constituent à leurs yeux le ressort fondamental du dynamisme économique (voir par exemple, pour une illustration récente et peu nuancée Sorman 1987). Dans une perspective

(3) Pour une analyse plus détaillée de l'évolution des interventions économiques de l'État en Afrique subsaharienne francophone depuis les indépendances, voir Contamin et Fauré 1988.

marxiste, l'État apparait avant tout comme un vassal du capitalisme international, son action conduisant à accentuer la dépendance extérieure et à renforcer les blocages d'un véritable développement (Godin 1986). Et si une certaine légitimité est reconnue à l'État-relais (Ikonicoff et Sigal 1978) son inefficacité et son surdéveloppement n'en sont pas moins soulignés avec insistance.

Cette convergence des remises en cause a contribué à accréditer la thèse qu'il n'y a rien à attendre de bon de l'État et d'une façon générale du secteur public. Devant l'ampleur et la persistance de la crise économique, le modèle libéral est alors apparu comme la seule orientation réaliste. Comme le souligne M.-F. Lhériteau, la stratégie du Fonds monétaire international « est facilitée par le manque d'une véritable vision alternative globale et cohérente, dotée d'un caractère opératoire équivalent à celui de l'idéologie libérale » (Lhériteau 1986, p. 154). Pour les premiers programmes d'ajustement structurel mis en place au début des années 80 la voie était claire : la restructuration du secteur public était assimilée à un désengagement de l'État, la modernisation apparaissant d'abord comme un « dégraissage ».

Cependant, comme le souligne Ph. Hugon, « l'ajustement par le bas » conduit à des réformes qui non seulement tendent à réduire la base économique de l'État, mais risquent fort également « de renforcer la décomposition socio-politique d'un État dans l'incapacité de jouer son rôle d'État-gendarme, de macro-régulateur et d'unificateur national » (Hugon 1987, p. 20). Tout se passe comme si on avait voulu moderniser l'État comme on a tenté de moderniser l'agriculture, c'est-à-dire en faisant table rase de l'existant et en cherchant à imposer une logique technicienne.

Force a été de reconnaître la permanente nécessité d'interventions publiques. Même la Banque mondiale est conduite à admettre que, « comme le marché est rarement parfait, l'État doit parfois faire certaines mises au point » ; c'est ainsi qu'« en principe, la protection contre les importations n'est pas la meilleure forme d'intervention, mais c'est parfois la seule option. (...). Là encore, un appui de l'État se justifie » (BIRD 1987, p. 8-9). En ce qui concerne les entreprises publiques, il a bien fallu reconnaître que la lenteur du mouvement de privatisation, qui caractérise l'ensemble des pays de l'Afrique subsaharienne, ne s'expliquait pas seulement par des résistances d'arrière-garde. D'une façon plus générale et à première vue paradoxale, les politiques d'ajustement ont fait apparaître avec clarté l'impérieux besoin d'un État fort, capable à la fois de mettre en place des verrous financiers souvent impopulaires, d'impulser une nouvelle dynamique de l'appareil de production, et de faire face à des bailleurs de fonds dont les exigences d'équilibre financier à court terme sont souvent prioritaires.

Il ne s'agit pas ici d'instruire un procés en réhabilitation de l'État , mais plus modestement d'essayer de mieux comprendre les raisons et les facteurs qui ont conduit à une présence aussi forte des pouvoirs publics dans l'économie ivoirienne et à un tel développement des entreprises publiques.

Les interprétations communes de l'interventionnisme

Les explications habituelles de l'existence d'entreprises publiques dans les pays en voie de développement relèvent principalement de deux types d'arguments : d'une part des considérations économiques qui justifient la nécessité de dépasser le champ trop étroit de la rentabilité privée ; d'autre part la mise au jour de facteurs politiques, dont le jeu conduit à des formes « perverses » de gestion, telles que le clientélisme et le patrimonialisme. Ces explications sont-elles pertinentes dans le cas de la Côte-d'Ivoire ?

Incontestablement, la création d'un très grand nombre d'entreprises publiques ivoiriennes peut être justifiée par la prise en compte d'une rentabilité sociale qui dépasse l'horizon économique restreint d'opérateurs privés. C'est le cas des infrastructures (énergie, transports, télécommunications...) dont les « avantages » économiques sont trop diffus dans l'économie pour être récupérés par des entreprises privées. C'est également l'exemple d'opérations agro-industrielles (palmier à huile, sucre, coton...) dont les effets de redistribution régionale ou de formation de la main-d'œuvre paysanne n'intéressent pas nécessairement le secteur privé. D'autre part la prise en charge directe par l'État d'activités de production peut s'expliquer tout simplement par l'absence d'initiatives privées, en dépit de l'existence d'opportunités d'investissement. L'une des raisons de ce paradoxe est bien connue et réside dans l'attrait que suscitent les perspectives de rentabilité rapide dans des secteurs comme l'immobilier ou le commerce, ou plus sûre comme les placements à l'étranger, par rapport aux investissements industriels locaux dont la rentabilisation est beaucoup plus lente et aléatoire. Le maintien d'une faible présence des capitaux privés ivoiriens dans le secteur moderne (environ 10 % du capital total investi en 1985, contre 8,3 % en 1975) est une illustration de cet effet d'éviction (4).

Dans ce contexte, l'initiative privée la plus fréquente dans le secteur moderne émane de sociétés étrangères, que l'État va chercher à contrôler, tant pour assurer une meilleure intégration de l'activité de l'entreprise à l'économie du pays que pour préparer une relève par des nationaux. Dans le cas de la Côte-d'Ivoire le très grand nombre de sociétés d'économie mixte, dont les partenaires privés sont étrangers, s'inscrit dans cette logique. Mais l'exercice de cette responsabilité est très lourd, et l'État n'est souvent dans ces conditions qu'un partenaire silencieux. Cette situation est alors génératrice d'effets qualifiés de « pervers » : loin d'être le garant de l'intérêt général et national, l'État devient un instrument d'enrichissement privé.

Ces explications du développement des entreprises publiques, si elles correspondent à des réalités tangibles, n'en sont pas moins insuffisantes. Fondé sur l'hypothèse que l'État ne peut intervenir que par défaut d'initiatives privées ou par excès d'initiatives politiques, l'interventionnisme étatique apparait fondamentalement comme un accident, un dérèglement momentané, dont la portée doit être inéluctablement réduite par la modernisation et le développement.

Une telle approche est source de désillusions sur les possibilités de désengagement de l'État. Loin d'être aux marges du système, l'État est au contraire le principal acteur de la régulation, au sens où il soutient et pilote le régime d'accumulation (Boyer 1986). C'est donc dans le cadre du modèle d'ensemble de développement qu'il faut situer son rôle et, par

(4) La faiblesse de ce capital a parfois été interprétée comme le signe de l'insuffisance voire de l'inexistence d'une épargne nationale. Il s'agit incontestablement d'une contre-vérité, le problème étant moins celui du montant de l'épargne que de sa mobilisation. Le succès auprès du public de la cession en Bourse, en 1987, d'une partie des actions détenues par l'État dans le capital de la SITAB (société du secteur des tabacs, réputée rentable) en est une preuve (parmi bien d'autres).

voie de conséquence, mieux comprendre l'essor du secteur parapublic.

La logique d'un développement centré sur l'État : le modèle subsaharien

La diversité de l'Afrique subsaharienne, « terre de contraste », est un caractère généralement mis en avant. La variété des paysages, les spécificités des populations, la juxtaposition de zones forestières abondamment arrosées et de zones de savane menacées par la sécheresse, tendent à conforter cette impression d'extrême disparité. Par ailleurs toute vision très globalisante de ce continent est suspectée de conduire dans les pièges de l'ethnocentrisme, qui uniformise au travers du filtre de la modernité.

Il n'en reste pas moins vrai que la crise économique a révélé une très grande homogénéité des situations. Des pays aussi différents *a priori* que la Côte-d'Ivoire, le Nigéria, le Cameroun, le Niger, la Tanzanie sont confrontés à des difficultés économiques de même nature (5). Certes l'ampleur de la crise et le potentiel de réaction aux déséquilibres ne sont pas du tout de même niveau. Mais la similitude des programmes d'ajustement structurel n'est pas seulement le résultat de l'impérialisme idéologique de certains bailleurs de fonds. Elle est aussi l'expression de l'existence d'un modèle de développement commun à l'ensemble de l'Afrique subsaharienne, et dont l'économie de chaque pays n'est qu'une modalité particulière (6).

---

(5) Sur cette homogénéité des structures, des situations et des difficultés auxquelles sont confrontés les pays d'Afrique noire et qui est indubitablement à mettre au compte du modèle continental de fonctionnement des États et des économies nationales, cf., entre autres, Fauré 1989.

(6) Ce modèle, au sens de représentation simplifiée de la réalité et non d'idéal à atteindre, n'est pas nécessairement limité à l'Afrique au sud du Sahara. Il constitue également, à des degrés divers, l'une des bases de fonctionnement d'autres pays en voie de développement. L'expérience du Mexique est à bien des égards très semblable à celle de la Côte-d'Ivoire (Humbert 1988). En parlant de modèle subsaharien nous cherchons simplement à mettre en valeur la relative homogénéité des économies au sud du sahara, sans préjuger de l'existence d'homogénéités à des niveaux géographiques plus larges, et cette construction n'a pour but que d'éclairer le contexte de l'éclosion des entreprises publiques dans la région.

Notre analyse rejoint quant au fond celle de G. Duruflé, qui préfère parler de modèle néo-colonial, faisant ainsi référence explicite à l'origine historique de ce mode d'organisation et de fonctionnement (Duruflé 1988 p. 7). Certes l'histoire coloniale a été un puissant élément de structuration de l'Afrique au sud du Sahara et le poids de l'héritage du régime colonial, « extraordinaire laboratoire d'économie dirigée » selon l'expression d'un historien (Coquery-Vidrovitch 1983, voir aussi Gbagbo 1983 et Aubertin 1980a a qui propose une analyse des effets en Côte-d'Ivoire de l'orientation publique des activités économiques au sortir du second conflit mondial), est particulièrement lourd. Mais il ne faudrait pas pour autant sous-estimer la force des structures, des dynamismes et des stratégies internes, non nécessairement produits du colonialisme, qui concourent à perpétuer un mode de fonctionnement de l'économie articulé autour de l'État.

Ce modèle subsaharien s'ordonne autour de trois pôles principaux :

- une agriculture d'exportation, qui constitue une source importante de revenus monétaires pour une population composée essentiellement de petites exploitations familiales ;
- une industrie de remplacement des importations de biens de consommation finale ou semi-ouvrés, à l'abri d'une forte protection douanière et mise en œuvre principalement par des entreprises étrangères ;
- un secteur informel qui prend en charge, à titre principal ou complémentaire, et de façon croissante avec l'aggravation de la crise, des activités extrêmement variées et notamment une fraction importante de l'alimentation.

L'existence de ressources minières ou pétrolières dans certains pays n'apporte pas de changement de nature : est disponible une manne qui augmente les possibilités de financement sans modifier radicalement la structure de production. Le seul effet spécifique notable est l'affaiblissement relatif de certaines activités, en particulier l'agriculture (« dutch disease », notamment au Nigéria et au Gabon). Par contre le développement d'une agro-industrie d'exportation est susceptible de faire émerger une nouvelle logique productive fondée sur la compétitivité sur le marché mondial.

L'État est au cœur de la régulation de ce modèle. Il apparaît comme le pilier à la fois de l'enrichissement et des tentatives de modernisation, par le contrôle du processus d'accumulation. L'enrichissement résulte principalement du prélèvement effectué sur le surplus agricole, notamment par le canal d'entreprises publiques, au premier rang desquelles figurent les Caisses de stabilisation (Arhin 1985, Fauré in Fauré et Médard 1982). Certes, le démarrage du développement économique est nécessairement financé sur le secteur primaire : c'est une contrainte incontournable. Mais c'est la faible propension du secteur agricole à investir, qui a suscité l'intervention de l'État, tant pour promouvoir une modernisation de l'agriculture que pour assurer les transferts financiers intersectoriels, en particulier au profit de l'industrie.

Cette faiblesse de l'investissement privé agricole est l'une des manifestations du caractère extensif du développement de l'agriculture. On constate en effet que, d'une façon générale en Afrique subsaharienne, l'accroissement des quantités produites est le résultat d'une augmentation des surfaces cultivées et non d'une élévation des rendements (7). Ce type d'accumulation, qui apparait rationnel à court terme pour le producteur (Couty 1988), est considéré par les pouvoirs publics comme un frein à l'accroissement de l'efficacité du système productif dans son ensemble et à ce titre justifie un encadrement du monde paysan. Par ailleurs la mise en culture de nouvelles terres, surtout lorsqu'elle est le fait de petites unités de production, suppose d'importantes mesures d'aménagement et d'accompagnement qui doivent être prises en charge par l'État. Il y a donc un jeu complexe de pressions étatiques et d'appels à l'État.

Dans le secteur industriel, le « besoin » d'État généré par la politique d'import-substitution est particulièrement intense. La protection du marché intérieur est considérée comme la condition du développement d'un appareil de production nationale dont la compétitivité n'est pas suffisante pour affronter la concurrence internationale. L'appel à l'État devient un principe de gestion, l'objectif étant de constituer et de maintenir une situation de monopole sur le marché national. Dans cette perspective il est de bonne gestion pour un investisseur privé,

(7) Il s'agit d'une tendance, qui n'exclut pas l'existence de cas d'intensification (Gourou 1982, p. 262).

et notamment étranger, d'avoir l'Etat comme partenaire direct au capital, afin de bénéficier de sa protection. Il s'agit là d'un puissant moteur de développement du secteur des sociétés d'économie mixte. On peut également qualifier ce type d'accumulation d'extensive dans la mesure où les entreprises cherchent essentiellement à satisfaire un marché existant « captif », selon des techniques de production relativement stables. L'absence de mise en œuvre d'un processus continu d'amélioration de la productivité renforce les handicaps de compétitivité sur le marché mondial, et perpétue ainsi les demandes de protection (8).

Le secteur informel obéit également à une logique d'accumulation extensive. Lorsqu'un surplus peut être dégagé pour un investissement, il est en priorité affecté à la création de nouvelles activités et non au développement et à l'intensification des unités de production existantes. Il en résulte que « petits métiers, artisanat et PME ne constituent pas les différentes étapes d'un même processus d'accumulation. (...). Aucun phénomène de transition ne permet le passage d'un niveau à l'autre » (Caisse des dépôts 1986, p. 24). L'État apparaît alors comme le seul initiateur possible d'une politique de modernisation, extrêmement ambigüe dans la mesure où elle risque de casser ce qui fait précisemment le dynamisme de ce secteur informel, mais par ailleurs réclamée avec insistance par la grande majorité des intéressés qui se plaignent de pas être « aidés » (9).

D'autre part le développement des secteurs publics et parapublics a pu représenter pour des pouvoirs d'État investis depuis peu, l'aire de constitution de clientèles et autres « bases sociales » d'élites conquérantes, plus ou moins « modernisatrices », plus ou moins « socialisantes ». Le cas du Mali fait

---

(8) L'agro-industrie d'exportation, que la Côte-d'Ivoire a largement développée, révèle le jeu ambivalent de la valorisation des ressources primaires : d'une part le renforcement du modèle subsaharien, mais d'autre part l'entrée dans le monde de la compétition industrielle mondiale qui entraîne une remise en cause radicale du modèle par le passage à un régime d'accumulation intensive. L'analyse de cette problématique de la « transition » exigerait des développements qui dépassent le cadre de ce travail.

(9) Si le constat dans ce domaine est particulièrement net pour la Côte-d'Ivoire, l'expérience d'autres pays invite à ne pas considérer les situations comme figées ; cf. à ce sujet Barbier 1986 et Charmes 1989.

figure d'idéal-type d'une situation extrême où le secteur des entreprises publiques a été géré politiquement comme un réservoir de relations et de loyautés par des gouvernants (civils puis militaires) fort méfiants à l'endroit des couches marchandes (cf. par ex. : Constantin et Coulon 1979 ; Coulon 1982).

Comme nous le verrons, la crise a renforcé cette fonction de régulation de l'État, les nécessités de soutien de l'accumulation devenant de plus en plus pressantes. En particulier se sont manifestées les limites inhérentes à une accumulation extensive : rareté croissante des terres, étroitesse des marchés nationaux, difficultés de diversification... Cette pression à l'intervention étatique atteint une intensité d'autant plus forte que l'économie est vulnérable aux chocs extérieurs et que son rythme de croissance est élevé. C'est précisément le cas de la Côte-d'Ivoire, et c'est en ce sens que l'on peut parler de modèle ivoirien.

Le modèle ivoirien et l'extension du secteur public

Même si ses performances apparaissent à bien des égards exceptionnelles (10), l'économie ivoirienne obéit pour l'essentiel à la logique du modèle subsaharien. La remarquable expansion de la production agricole a été le fait d'une accumulation de type extensif. « L'essentiel des accroissements de production du coton est dû à des accroissements de surfaces : cette caractéristique des systèmes extensifs rapproche le système coton-vivrier du système d'économie de plantation (café, cacao) » (RF, MINICOOP 1986b, Annexe II, p. 54). Cette accumulation a été très fortement encouragée et soutenue par l'État, en particulier par le biais des entreprises publiques. C'est ce qui conduit G. Grellet à affirmer que « l'originalité de l'expérience ivoirienne ne tient peut être pas tant aux prix incitatifs qu'elle offre à ses producteurs qu'à l'encadrement très

(10) Au terme d'une analyse économétrique, S. Guillaumont-Jeanneney conclut à la « relative inefficience de l'investissement dans la majorité des pays de la zone franc ». Par contre elle souligne les performances exceptionnelles de la Côte-d'Ivoire, par rapport à l'ensemble des PVD, tant en ce qui concerne le taux d'investissement (par rapport au PIB) que pour l'indicateur de productivité qu'est le cœfficient marginal de capital (Guillaumont 1988).

actif du monde rural » (Grellet 1986, p. 248). Dans le secteur industriel, le jeu des appels à l'État constitue la règle générale. C'est ainsi qu'on a pu observer que dans l'industrie textile, « profitant de leur situation de force auprès de l'administration, les industriels sont parvenus à faire interdire l'importation de produits de bas de gamme et à imposer comme seul licite le niveau de qualité et le niveau de prix de leurs productions. (...). S'il ne rend pas compte de toutes les situations, cet exemple est un modèle largement répandu » (RF, MINICOOP 1986b, p. 29).

Ce sont là les caractéristiques du modèle subsaharien. Est-ce à dire que la Côte-d'Ivoire est un pays tout à fait comme les autres ? Le libéralisme ivoirien ne relève-t-il que du discours ? Certainement pas, mais il s'agit d'une liberté sur fond de contrôle étatique.

— *La spécificité ivoirienne.* L'originalité de la Côte-d'Ivoire est d'avoir mis en œuvre le plus pleinement et le plus rapidement possible le modèle de développement subsaharien, en assurant une très grande ouverture de son économie à l'ensemble des facteurs de production étrangers. On peut situer le début de la croissance ivoirienne autour de 1951, avec le percement du canal de Vridi et la réorientation politique du mouvement anticolonialiste. L'indépendance n'est qu'un prolongement des options de la décennie 50 (Amin 1970b), les autorités ivoiriennes optant pour une croissance rapide, fondée sur l'agriculture d'exportation et l'industrie d'import-substitution. « Le gouvernement avait estimé que, compte tenu du bas niveau de revenu du pays, une croissance rapide constituait la clef de la résolution des problèmes économiques et sociaux » (Den Tuinder 1978, p. 4).

Dans cette perspective la liberté de mouvement des biens, des capitaux et des hommes s'est imposée comme le moyen le plus favorable à une croissance rapide. Ce libéralisme a permis incontestablement de mobiliser une quantité importante de facteurs de production. On a assisté à des entrées massives de capitaux privés en provenance des pays industrialisés et notamment de la France, d'où provenaient, en 1974, 40 % du capital des entreprises du secteur moderne. Mais le trait le plus original, et peut être le plus important, est l'afflux de main-d'œuvre étrangère. En 1971, le taux d'ivoirisation des emplois dans le secteur privé et semi-public était de 47 %, avec une prédominance de non africains dans les postes de responsabilité, et une forte présence d'africains non ivoiriens dans les emplois moins qualifiés (RF, MINICOOP 1982, p. 202). Certes ce taux d'ivoirisation a rapidement augmenté, puisqu'il était de 67 % en 1979. Mais il n'en reste pas moins vrai que la main-d'œuvre étrangère a joué un rôle capital, parfois sous-estimé, dans l'accélération de la croissance économique ivoirienne au cours des années 60 et 70 (11).

Ajoutons que cet impératif de croissance forte est souvent présenté comme le fruit de décisions rationnelles, prises par des dirigeants particulièrement lucides. Certes il faut souligner la capacité d'expertise de l'administration ivoirienne dans les années 60 et 70, et le pragmatisme dans le processus de décision des pouvoirs publics qui a fait la preuve de sa relative efficacité. Mais si l'on peut convenir de l'existence de paris audacieux et parfois judicieux, il est néanmoins clair que ces choix ont été le résultat d'un jeu complexe de logiques sociales, qui ont trouvé un dénominateur commun dans une très grande liberté de mouvement des facteurs de production. La force initiale de la « bourgeoisie de planteurs », l'absence d'industries nationales, la faible densité démographique, la pauvreté des pays voisins sont autant d'éléments qui éclairent la très grande ouverture de l'économie et ses effets sur l'expansion (pour un rappel de ces aspects contextuels favorables, cf. Fauré 1987).

Cette liberté ne peut être assimilée, pour autant, à un libéralisme pur et dur. Instrument de mise en œuvre d'un modèle de développement centré sur l'État, elle est donc une liberté très surveillée, qui ne saurait remettre en cause certains équilibres. C'est dans ce cadre qu'il faut interpréter la politique très ambigüe des pouvoirs publics ivoiriens à l'égard de l'entreprise privée. Si le discours officiel lui est très favorable, les mesures effectives prises en sa faveur, à l'exception d'opérations ponctuelles, n'ont jamais été à la hauteur des intentions affichées. Selon B. Campbell, la bourgeoisie de planteurs aurait « mené une politique délibérée pour faire en sorte que

(11) Pour une analyse plus détaillée de l'effet de la mobilité du travail sur la croissance ivoirienne, voir Fargues 1986. En s'appuyant sur un échantillon plus large, l'auteur donne une estimation plus élevée de la proportion d'Ivoiriens dans la population active : 74 % en 1975.

les activités industrielles demeurent la chasse gardée d'intérêts étrangers, (et ainsi) pour faire obstacle à l'émergence d'une bourgeoisie d'affaires locales » (Campbell 1986, p. 102).

L'histoire du développement du secteur des entreprises publiques ivoiriennes nous montre que le jeu de la régulation étatique est beaucoup plus complexe. Certes le très grand nombre de sociétés d'économie mixte, créées en association avec des capitaux étrangers, et dans lesquelles l'État n'est resté qu'un partenaire silencieux, accrédite la thèse d'un verrouillage de certaines activités au profit d'entreprises étrangères. Mais l'éventail des cas de figure est beaucoup plus large. Donnons un aperçu de ces diverses voies de développement de la présence de l'État dans le système productif ivoirien.

— *Le mouvement de nationalisation.* On repère d'abord assez nettement l'impérieuse tentative (fut-elle partielle, maladroite et conduisant à des échecs) de recentrer les intérêts économiques et financiers dans un sens plus national. Les nécessités de valoriser les productions nationales, le souci à la fois d'approfondir les profits de la spécialisation internationale et d'essayer d'en briser le cercle vicieux des effets qui tendent à enfermer la structure productive du pays périphérique dans son rôle de pourvoyeuse de produits de base, constituent sans doute une première source de la croissance étatique et paraétatique. Quelques exemples fixeront ce processus.

En 1960 le pays se caractérisait par une économie de traite. Il ne disposait d'aucune infrastructure industrielle et le capital des entreprises était largement dominé par des opérateurs étrangers. En vingt ans l'évolution a été considérable. Selon le ministère de l'Industrie, de 1960 à 1980, le chiffre d'affaire du secteur industriel est passé de 13 à 600 milliards de F CFA, la part ivoirienne (privée et publique) du capital social des sociétés de ce secteur s'élevant quant à elle de 0 % à 44,6 %. Ce développement industriel, quels qu'en soient les modalités et les résultats (12), peut être pris pour l'une des réponses à l'impératif de dépasser les conditions initiales d'une économie coloniale et a été l'œuvre (n'a pu être que l'œuvre) de la

(12) Sur l'analyse de la genèse, de l'expansion, des limites et des échecs de l'industrialisation ivoirienne, voir Chevassu et Valette 1975 et 1977, RF MINICOOP 1986a, RF MINICOOP 1986b.

puissance publique, seule capable de dessiner une politique sectorielle et de mobiliser les capitaux indispensables , d'une toute autre ampleur que ceux accumulés dans le secteur économique primaire.

La préoccupation d'augmenter les valeurs ajoutées des produits d'exportation en arrachant aux armements étrangers, jusque-là dominateurs, une partie du frêt maritime, a conduit à la naissance de la société d'État SITRAM (Société ivoirienne de tranport maritime). L'histoire du complexe agro-industriel de Sinematiali, dans le nord du pays, est également représentative de la nécessaire intervention de l'État pour rompre avec la logique imposée par les régles, pas toujours de concurrence pure et parfaite, de l'échange international. Ce complexe a été conçu et édifié, vers la fin des années 70, par la société d'État SODEFEL, dans le cadre d'un de ses programmes maraîchers visant à valoriser sur place des cultures, dans le cas d'espèce la transformation de tomates en produit concentré (Lecallo 1982, pp. 141-176). Apparemment la rentabilité économique était nettement insuffisante, car le concentré produit à Sinematiali l'était à un coût deux fois plus élevé que celui du même produit importé. En réalité la différence était beaucoup plus faible, les pays exportateurs, principalement l'Italie, pratiquant une subvention à l'exportation qui couvrait 75 % du prix du concentré rendu à Abidjan. Le projet de réduire la dépendance en ce domaine ne pouvait dès lors que conduire à un interventionnisme étatique (par la réglementation, la fiscalité, la création d'organismes...). Et cet interventionnisme, loin d'être exclusivement le monstre étendu et parasitaire tant dénoncé par la Banque mondiale, est la réplique explicite à des formes certainement plus sournoises d'interventionnisme dans les économies dominantes. Ainsi l'État ivoirien, pour protéger la production nationale, a été conduit à taxer le produit importé et à redistribuer le produit de cette taxe à la SODEFEL qui a pu de ce fait équilibrer l'exploitation de ce complexe. La morale qu'on peut tirer de cette histoire finalement bien courante, c'est que l'action économique dans un système sous-développé et dominé sur le plan international ne peut se concevoir sans une dose d'intervention de l'État.

La création, en 1970, de la SODEPRA (Société ivoirienne de développement des productions animales) en est un autre exemple. Elle visait à réduire les importations de viande bovine. En 1970 le taux de couverture de la consommation par la production nationale était de l'ordre de 12 % et les prévisions conduites alors faisaient état d'une chute à 5 % à l'horizon 1980. La nécessité de contenir les pertes en devises et de ne pas multiplier les sources de déséquilibre de la balance des paiements a conduit à l'adoption d'un programme de développement de l'élevage, d'inspiration étatique et à modalité parapublique (Bernadet 1985). Au moment de son reclassement, en 1980, la SODEPRA avait contribué à relever le taux de couverture production/consommation à 20 %.

A l'origine de nombreux organismes parapublics (SODE, établissements publics) ou derrière des participations financières de l'État (SEM), se trouve bien souvent une politique plus ou moins formalisée, plus ou moins systématisée, visant à redéfinir les règles du jeu d'une dépendance globale ou sectorielle : tel est le cas de la SODERIZ, la SOCATCI, la CIDT etc. Le cas de la production d'ananas est presque caricatural : en 1968, 88 % des planteurs étaient étrangers ; en 1979 ce taux était descendu à 25 % ; entretemps était intervenue la création de la SODEFEL (Frélastre 1980, p. 42). Cette politique peut aller jusqu'à prendre l'allure d'un coup de force ou d'un pari : le programme sucrier et la SODESUCRE en portent témoignage (Aubertin 1980 a et b ; Lecallo 1982, pp. 177-208). Le lancement du programme et la création d'une société d'État, là où existait déjà une société filiale de deux groupes sucriers français, ont été ressentis comme le seul moyen de lutter contre des forces et des intérêts jugés par trop défavorables au pays : la filiale (SOSUCI) était en effet soupçonnée par les autorités ivoiriennes de freiner le développement national de la production sucrière pour mieux favoriser les autres installations des deux groupes, au Sénégal et au Congo notamment (Sawadogo 1977, p. 161).

— *La régulation sociale et politique.* Les nécessités de la régulation sociale conduisent aussi la puissance publique à intervenir. De nombreux cas d'engagements de l'État sont liés, en Côte-d'Ivoire, aux impératifs du rééquilibrage spatial d'une croissance ayant jusque-là polarisé l'essentiel des ressources (revenus, équipements, scolarisation etc.) dans le sud-est du pays.

Sur un plan complémentaire, P. Biarnes (dans une enquête comparative consacrée au « déclin des sociétés d'État » en Afrique de l'Ouest) n'avait sans doute pas tort de relever que « dans presque tous les cas, de jeunes cadres qui estimaient leurs carrières bloquées du fait d'une africanisation des postes de responsabilité des entreprises insuffisamment rapide à leurs yeux, poussaient aux roues, et cela ne fut pas le moindre moteur de cette évolution (la montée des sociétés d'État) » (Biarnes 1981, p. 22). En Côte-d'Ivoire, le parapublic a donc été le terrain « naturel » d'intégration des nombreux cadres diplômés produits par le système scolaire et universitaire, du fait de la prépondérance étrangère maintenue dans la direction et l'encadrement des entreprises du secteur privé. Le graphique n° 2.1 permet d'étayer cette affirmation. Quel que soit le degré de responsabilité (direction, encadrement ou maîtrise), le taux d'ivoirisation est toujours plus élevé dans les entreprises contrôlées par l'État que dans celles où le secteur privé est majoritaire. A l'exception de la catégorie « maîtrise », l'écart a d'ailleurs eu tendance à s'accroître dans la deuxième moitié des années 70. En 1979, le pourcentage d'ivoiriens occupant des fonctions de direction s'élevait à 74,9 % pour les entreprises totalement publiques et 54 % pour les sociétés à capitaux publics majoritaires, contre 12,9 % dans les entreprises à capitaux privés majoritaires. En ce qui concerne les deux autres catégories de salariés l'écart était moins élevé mais néanmoins important, les taux étant respectivement de 70,5 % et 63,9 % contre 30,4 % pour l'encadrement, de 91,5 % et 78,8 % contre 61,6 % pour la maîtrise.

La régulation plus proprement politique, sous l'aspect du patronage, n'a pas non plus été étrangère au développement et à la prolifération d'organismes paraétatiques (Sode, EPN, SEM). Combien de postes de présidents de conseils d'administration, d'administrateurs, de directeurs généraux, de directeurs généraux adjoints, de directeurs, de directeurs adjoints (le sommet des organigrammes a toujours été chargé) ont été octroyés, sur une base clientéliste et prébendière, à des dirigeants ou cadres du régime ? Plus généralement encore, le secteur parapublic, par les libertés et affranchissements qu'il permettait par rapport au régime administratif mieux contenu et contrôlé, a été le terrain d'élection de pratiques patrimonialistes qui finiront par faire exploser le dispositif des finances

Graphique 2.1

L'IVOIRISATION DU PERSONNEL DE DIRECTION ET D'ENCADREMENT DANS DIFFERENTS TYPES D'ENTREPRISES (1974-1979-1985)

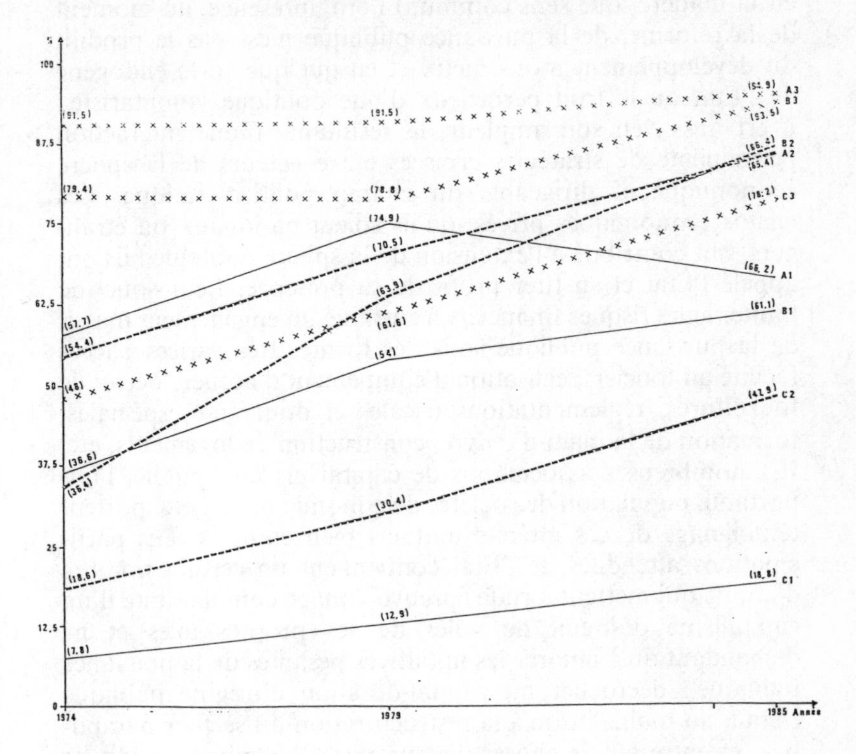

ENTREPRISES

A : Totalement publiques
B : A capital public majoritaire
C : A capital privé majoritaire

EMPLOIS

1 : De direction
2 : D'encadrement
3 : De maîtrise

Source : *Centrales de bilans.*

publiques, ainsi que nous l'exposerons dans un chapitre ultérieur.

Par ailleurs conformément à la logique du modèle subsaharien et contrairement à des vues néo-libérales (qui ne sont, en la matière, que sens commun) l'omniprésence, au moment de la réforme, de la puissance publique n'est pas le produit du développement monstrueux et en quelque sorte endogène de l'État ou le fruit pernicieux d'une politique volontariste : il est aussi, en son ampleur, la résultante d'une interaction permanente de stratégies croisées entre acteurs de la sphère économique et dirigeants du champ politico-étatique. Les agents économiques privés, qu'ils soient nationaux ou étrangers, ont contribué à l'extension de la sphère publique ; ils ont appelé l'État et su tirer profit de sa présence. Leur souci de limiter leurs risques financiers a entrainé un engagement massif de la puissance publique sous des formes très variées : accès facilité au foncier, réalisation d'équipement d'accueil, octroi de fournitures, réglementations fiscales et douanières spéciales, formation de la main-d'œuvre, construction de logements, etc. Les nombreuses associations de capital privé et public, l'importante population de sociétés d'économie mixte, etc. portent témoignage de ces intérêts mutuels bien compris. Les participations attendues de l'État contiennent un certain nombre d'atouts qui mettent à rude épreuve l'image complaisante d'un capitalisme désireux de voler de ses propres ailes et ne demandant qu'à ignorer les initiatives pesantes de la puissance publique : décrocher un capital-dotation d'origine publique c'était, au moins jusqu'à la restructuration du secteur parapublic, et entre autres choses, l'assurance d'obtenir du crédit de l'État (à travers par exemple la CAA), le bénéfice d'exonérations fiscales, l'accès à des marchés de l'État, l'obtention d'intrants subventionnés ou de facteurs de production à prix avantageux, la possibilité d'user du découvert bancaire auprès d'établissements eux-mêmes dans la mouvance parapublique, des prêts consentis à des conditions « spéciales », des subventions d'équilibre accordées sans vérification, l'octroi généreux de l'aval de l'État pour des emprunts extérieurs, l'annulation de certaines dettes, etc. (13). Hommes d'affaires nationaux

---

(13) Source : enquêtes et entretiens. L'ensemble de ces pratiques et méca-

mais aussi investisseurs étrangers ont contribué à installer cette fluidité entre sphères économiques publique et privée.

Par rapport à ces considérations, générales mais décisives, l'existence propre des sociétés d'État en tant que forme particulière, et un moment fort prospère, prise par le parapublic ivoirien répond grossièrement aux ressorts suivants :

— leur prolifération est née d'une conjoncture politique précise : la présidence ivoirienne, qui cumulait, à l'origine et entre autres départements ministériels le portefeuille de l'Agriculture (14), voyait dans ces SODE le moyen de mieux contrôler le personnel gouvernemental en faisant échapper ces structures aux tutelles ministérielles, à tel point que certaines entreprises (comme l'ARSO et l'AVB) étaient directement rattachées aux services du leader ivoirien (Sawadogo 1977, p. 96 et suiv.).

— les partenaires techniques et surtout les bailleurs de fonds étrangers (Banque mondiale, FED, CCCE etc.) refusaient d'apporter leur concours à une structure publique qui ne serait pas clairement distinguée, juridiquement et financièrement, des services administratifs de l'État. Ils ne voulaient pas que leurs apports puissent être dilués dans les ressources publiques générales et qu'ils soient dès lors assimilables à une aide, même indirecte, au budget de fonctionnement de l'État ivoirien. Leur pression a donc était forte pour créer et multiplier les Sode (15). Ce facteur sera confirmé *a posteriori*, puisque ces

---

nismes a donné sa particularité à la bourgeoisie ivoirienne prospérant à l'abri de l'État. Sur cet aspect, cf. De Miras 1982 et Fauré 1986.

(14) Jusqu'au 10 septembre 1963, le président ne cumulera que le portefeuille des Affaires étrangères. A partir de cette date (4e gouvernement) il retient en outre entre ses mains les portefeuilles de l'Agriculture, de la Défense, de l'Intérieur, de la Production animale et de l'Information. Le 28 août 1964 (5e gouvernement) il ajoute à ceux-ci les portefeuilles de la Construction et de l'urbanisme et des Postes et téléommunications. A partir du 21 janvier 1966 (6e gouvernement) il conserve les départements de l'Economie et des finances, de l'Agriculture et de la Défense. A ce dernier département il ne nommera qu'un ministre délégué tout en se désaississant des autres portefeuilles le 5 janvier 1970 (7e gouvernement). Entre 1960 et 1969 ce sont donc 20 Sociétés d'État qui seront créées sur la quarantaine qui cœxisteront jusqu'à leur réforme en 1980, dans cette conjoncture politique particulière où le président, devant la montée de certains périls (complots, agitations, oppositions) se réserve l'essentiel des pouvoirs gouvernementaux.

(15) Sur ce point, confirmé par nos enquêtes et entretiens, cf. Sawadogo 1977, p. 235.

Tableau 2.4

ÉVOLUTION DE LA STRUCTURE DU CAPITAL DES ENTREPRISES PAR AGENTS ÉCONOMIQUES
(valeur en millions F CFA ; parts en %)

	1975	1977	1979	1981	1983	1985
Capitaux :						
publics ivoiriens	49 497 (31,7 %)	131 442 (48 %)	199 711 (50,5 %)	250 401 (52,5 %)	306 296 (55,8 %)	227 192 (47 %)
privés ivoiriens	12 944 (8,3 %)	18 185 (6,6 %)	30 553 (7,7 %)	44 214 (9,3 %)	57 833 (10,5 %)	48 307 (10 %)
étrangers	93 778 (60 %)	124 405 (45,4 %)	165 180 (41,8 %)	182 059 (38,2 %)	185 004 (33,7 %)	207 7847 (43 %)
Ensemble	156 219 (100 %)	274 032 (100 %)	395 444 (100 %)	476 674 (100 %)	549 133 (100 %)	483 283 (100 %)

Sources : *Centrales de bilans.*
Note : il s'agit des entreprises du secteur dit moderne recensées par la Banque des données financières.

bailleurs de fonds, BIRD en tête, n'auront de cesse, après la réforme de 1980, de réclamer le retour pur et simple des organismes qu'ils financent au régime antérieur des SODE.

— dans le secteur agricole, les sociétés d'État ont été l'outil institutionnel de projets de développement se caractérisant par l'ampleur et le coût des investissements, le haut degré technique des équipements, le haut niveau des objectifs de production, l'utilisation de techniques et processus très intensifs, la spécialisation de l'organisme sur un produit qui favorisait les relations avec les instituts de recherche, l'intérêt enfin des « développeurs » étrangers assurés de conduire des actions de

TABLEAU 2.5
ANNÉES DE CRÉATION DES SOCIÉTÉS D'ÉTAT

Années de création	Nombre de sociétés créées
avant 1960	2
1960	0
1961	1
1962	1
1963	4
1964	2
1965	0
1966	2
1967	1
1968	6
1969	3
1970	4
1971	3
1972	1
1973	1
1974	2
1975	3
1976	0
1977	2
	Total 38

Source : Tableau n° 1.2. Note : le total ne correspond pas à celui évoqué lors du Conseil national du 12 juin 1980. Des SODE y avaient été oubliées alors que des SEM avaient été assimilées à des SODE.

« coopération » ayant des effets en retour sur les économies des bailleurs de fonds (achats de matériels et d'équipements, transferts de procédés techniques etc.). Bref, du point de vue de la politique agricole, les SODE représentaient la rupture, conçue comme moderne et nécessaire, avec des modes de production traditionnelle à base extensive et familiale.

Manifestement ces tentatives pour provoquer une transition vers un modèle de développement intensif n'ont pas produit les résultats attendus. Mais l'aggravation de la crise a confirmé la pertinence de telles orientations. Fers de lance d'une politique de modernisation, les SODE seront au cœur des déséquilibres qui se manifestent dès la fin des années 70. Incontestables facteurs d'emballement de l'endettement, elles seront accusées d'être les principales responsables de la crise. Mais en même temps certaines apparaîtront bien vite comme des remparts, certes fragiles et à restaurer sans délai, devant le risque de désintégration de l'économie nationale.

3

Crise économique et entreprises publiques à la fin des années 70

La perception de la crise comme déséquilibre profond et durable de l'économie nationale, ne s'est imposée que lentement et difficilement aux autorités ivoiriennes. Les fortes fluctuations des cours du cacao et du café ainsi que les facilités de crédit international après le premier choc pétrolier de 1973 ont laissé croire qu'il s'agissait de simples déréglements conjoncturels, très passagers. Certes, des menaces de blocage de l'économie ivoirienne se profilaient depuis le début des années 70 et avaient suscité une réelle prise de conscience de la nécessaire évolution du modèle de développement. Mais jusqu'alors les paris les plus audacieux semblaient avoir réussi, et la confiance que beaucoup accordaient à la clairvoyance et à l'habileté du leader ivoirien, ne conduisait pas à s'alarmer outre mesure. De plus la réputation de bon élève du FMI donnait a priori un important capital de confiance à l'économie ivoirienne dans sa capacité à retrouver le chemin de la croissance. Cet optimisme a même surmonté les années de crise : la Banque mondiale n'a-t-elle pas proposé, un an avant la déclaration d'insolvabilité de juin 1987, un scénario très optimiste dans un rapport intitulé « La Côte-d'Ivoire en transition : de l'ajustement structurel à la croissance autonome » (BIRD* 1986).

Dans la mesure où le modèle de développement ivoirien n'est qu'une simple variante du modèle subsaharien, il apparait que la Côte-d'Ivoire ne pouvait pas rester en marge de la crise économique profonde qui secoue l'ensemble du continent au sud du Sahara. Au contraire, étant allée plus vite et plus loin que les autres pays, l'économie ivoirienne est devenue plus vulnérable aux chocs extérieurs. Comme le rappelle B. Lassudrie Duchêne, à propos des nouveaux pays industrialisés, « c'est le succès qui fragilise, et le temps est son principal ennemi » (Lassudrie Duchêne 1986, p. IX). C'est dans cette perspective qu'il nous faut examiner les manifestations et les diverses interprétations de la crise, et de tenter d'apprécier la part des entreprises publiques dans la genèse de cette crise.

La montée des déséquilibres macroéconomiques

Apparemment la crise a été brutale. Incontestablement plusieurs indicateurs macroéconomiques importants se sont brusquement détériorés à partir de 1978 ou 1979. Mais faut-il pour autant dater le début de la crise de la fin des années 70 ? Certaines dégradations de la situation économique sont repérables dès la fin des années 60, laissant entendre que le deuxième choc pétrolier n'a pu être qu'un détonateur. Soudaineté ou progressivité de la genèse de la crise : c'est une question fort controversée qui est à la base de profondes divergences dans les propositions d'ajustement de l'économie ivoirienne. Par voie de conséquence, la part de responsabilité des entreprises publiques dans la montée de ces déséquilibres peut être appréciée très différemment.

TABLEAU 3.1
TAUX ANNUELS MOYENS DE CROISSANCE DU PIB
(en volume)

1961-65	+ 8,9 %	1976-80	+ 7,1 %
1966-70	+ 7,3 %	1981-85	+ 0,1 %
1971-75	+ 5,8 %	1986-88	+ 0,9 % (*)

(*) Chiffre provisoire.
Sources : 1961-85, RF, MINOCOOP 1986b.
1986-88, RCI, MEF 1988.

L'essoufflement de la croissance

L'évolution de 1960 à 1985 du PIB en volume, c'est-à-dire après correction de l'inflation, fait nettement apparaître la brutalité de la crise et sa persistance. Supérieurs à 5 % durant les décennies 60 et 70, les taux de variation annuels moyens sont quasi nuls après 1980. Certes ces moyennes cachent de très fortes fluctuations, avec par exemple -5 % en 1983 et +4 % en 1985. Mais la tendance à l'arrêt de la croissance est nette, la reprise de 1985 et 1986 ayant été très éphémère. Compte tenu de l'augmentation de la population, de l'ordre de +4 % l'an, le PIB par tête a fortement décru de 1980 à 1988 : la diminution est de l'ordre de 25 % sur l'ensemble de la période (RCI, MEF 1988, p. 20). S'il y a manifestement un brutal freinage de la croissance économique à partir du début des années 80, on peut également observer un ralentissement du rythme moyen d'augmentation du PIB de 1960 à 1975. Le taux de croissance perd environ trois points, passant de +8,9 % à +5,8 %. Mais les difficultés de mesure statistique invitent à beaucoup de prudence. Par ailleurs on peut remarquer le niveau élevé de ces taux, et estimer qu'après un rapide démarrage l'économie ivoirienne était à la recherche de sa vitesse de croisière. De plus, la période 1976-80 est marquée par une nette reprise. N'est-il donc pas spécieux de parler d'essoufflement de la croissance ivoirienne ? Selon certains observateurs la dégradation tendancielle a été masquée, au niveau des indicateurs globaux, par une politique étatique de soutien croissant de l'activité économique. L'accélération de la croissance à la fin des années 70 serait donc artificielle, et constituerait précisément l'une des sources des déséquilibres financiers. C'est le point de vue de G. Duruflé pour qui la dépense publique a joué un rôle primordial comme soutien de la demande finale intérieure : « c'est elle qui progressivement dans les années 70 a pris le relais de l'agriculture et de l'industrie d'import-substitution comme principal moteur de la croissance » (RF, MINICOOP 1986b, p. 18). Mais cette dépense publique, et plus particulièrement l'investissement public, s'est révélée coûteuse et relativement peu efficace : « l'envolée de 1976-78 où l'investissement public a atteint 21 % de la demande finale intérieure est restée sans effet durable sur la croissance » (*ibid.*, p. 18). Le tableau 3.2, qui donne une décomposition de la croissance de l'offre et de la demande de biens et services, permet de confirmer cette analyse, mais en même temps de la nuancer (1).

TABLEAU 3.2
CONTRIBUTIONS A LA CROISSANCE DE L'OFFRE ET DE LA DEMANDE DE BIENS ET SERVICES
Taux de croissance annuels moyens
(Pourcentages du PIB)

	1961-65	1966-70	1971-75	1976-80
Offre :				
PIB	+ 8,9	+ 7,3	+ 5,8	+ 7,1
Importations	+ 2,3	+ 3,5	+ 1,1	+ 3,5
Demande :				
Consommation	+ 5,9	+ 5,8	+ 4,4	+ 6,0
Investissement	+ 2,4	+ 2,6	+ 1,0	+ 3,1
Exportations	+ 3,0	+ 2,4	+ 1,9	+ 1,5

Source : RCI, MEF, *Les comptes de la nation* ; RF, MINICOOP 1986b, Annexe 1, p. 45.

Sans aucun doute le moteur de la croissance que constituent les exportations s'est progressivement ralenti de 1960 à 1980. De même on note le net ralentissement de l'augmentation de l'investissement durant la période 1971-75, suivi d'une non moins nette reprise entre 1976 et 1980. Mais il semble excessif d'affirmer qu'« à la fin des années 70, l'effet de dépense de l'investissement public était devenu la principale variable explicative du niveau général d'activité » (RF, MINICOOP 1986b, p. 111), et ceci pour deux raisons. D'abord parce que l'inves-

(1) Afin de rendre directement comparables les taux de croissance des différentes grandeurs, toutes les variations sont ramenées à un dénominateur commun, à savoir le PIB. Habituellement on parle de contributions à la croissance du PIB. C'est une appellation erronée car la demande s'adresse à la fois à l'offre nationale (PIB) et à l'offre étrangère (importations). A noter qu'en raison d'écarts (injustifiés) dans les données statistiques de base, la somme des taux relatifs aux composantes de l'offre est, pour certaines années, légèrement différente de la somme des taux concernant les composantes de la demande.

tissement a un fort contenu en importations, ce qui signifie qu'une partie importante de sa croissance échappe aux producteurs nationaux. La forte reprise des importations, durant la période 1976-80, est la traduction de cet effet de fuite. D'autre part la consommation reste la principale composante de la croissance de la demande, ce qui atteste de l'existence d'un marché intérieur relativement dynamique et pouvait justifier un certain optimisme dans la capacité de l'économie ivoirienne à poursuivre sa croissance.

Dans ce contexte macroéconomique fluctuant, les entreprises publiques ont connu une très forte expansion. Elles ont notamment très largement participé à l'envolée des investissements de la fin des années 70. Compte tenu des incertitudes statistiques, il n'est pas possible de donner une estimation des contributions de l'ensemble des entreprises publiques à ces évolutions. Néanmoins certains indicateurs partiels sont significatifs. Rappelons l'ampleur de l'accélération des investissements à partir de 1978 :

TABLEAU 3.3
FORMATION BRUTE DE CAPITAL FIXE DE LA NATION

	1975	1976	1977	1978	1979	1980
Milliards F CFA	183,9	247,2	397,7	529	526	523
Tx croissance	28 %	34,4 %	60,9 %	33 %	−0,5 %	−0,6 %
% du PIB	22	22	25,8	29,8	27	24,3

Source : RCI, MEF, *Les comptes de la nation.*

Les administrations publiques ont pris une part croissante dans ce mouvement d'investissement, part qui passe de 30 % de la FBCF nationale en 1975 à 50 % en 1978. Une partie de ces investissements est gérée par des entreprises publiques, notamment via le BSIE (Budget Spécial d'Investissement et d'Equipement), les dotations en capital et les subventions d'équipement. Parallèlement certaines entreprises (classées dans les sociétés marchandes) ont financé, sur fonds propres ou par appel au crédit d'importants programmes d'investissement. Si l'on considère l'ensemble de 6 entreprises publiques qui seront maintenues en sociétés d'État par la réforme de 1980, les investissements représentaient 38 milliards de F CFA en 1975 et 83 milliards en 1979 (Tableau nº 3.7), avec des montants particulièrement élevés pour la SODESUCRE et AIRIVOIRE. Compte tenu de son ampleur, le cas de la SODESUCRE mérite quelques précisions supplémentaires. Le programme d'investissement s'élevait en 1979 à 269 milliards de F CFA (BIRD* 1981a). Les contrats de réalisation ayant été signés entre août 1976 et avril 1977, c'est donc en moyenne plus de 75 milliards par an qui ont été investis dans le cadre de ce programme, ce qui représente environ 1/3 du Budget d'investissement de l'État (BSIE). Le financement se répartissait en dotations de l'État (23,7 %), emprunt extérieur (71,5 %), divers (4,8 %). Manifestement ces programmes supposaient une bonne rentabilité afin d'assurer le financement des importantes charges récurrentes et en particulier le remboursement des emprunts extérieurs. Etait-ce un pari raisonnable ? On peut en douter, compte tenu de la dégradation financière de l'ensemble de l'économie ivoirienne durant les années 70.

Les déséquilibres financiers

La situation financière s'aggrave brutalement à la fin des années 70, comme le montrent les graphiques nº 3.1 et nº 3.2. Le solde des recettes et dépenses des administrations publiques qui oscillait dans une fourchette de + ou – 5 % du PIB jusqu'en 1976, devient durablement déficitaire à partir de 1978, après la pointe exceptionnelle de l'année 1977. Parallèlement, à partir de 1979, d'importants déséquilibres de la balance des paiements apparaissent. Depuis cette date la position de la Côte-d'Ivoire auprès du compte d'opération, où sont centralisées les réserves en devises des pays membres de la zone franc, est constamment déficitaire. En janvier 1988 « les avoirs extérieurs nets » de la Côte-d'Ivoire s'élevaient à – 500 milliards F CFA, le déficit pour l'ensemble de la zone franc représentant – 850 milliards F CFA (cf. Vallée 1989, p. 232). Apparemment la soudaineté de la crise est confirmée.

Mais le caractère global de ces indicateurs masque des

GRAPHIQUE 3.1

CAPACITÉ (+) OU BESOIN (–) DE FINANCEMENT DES ADMINISTRATIONS PUBLIQUES

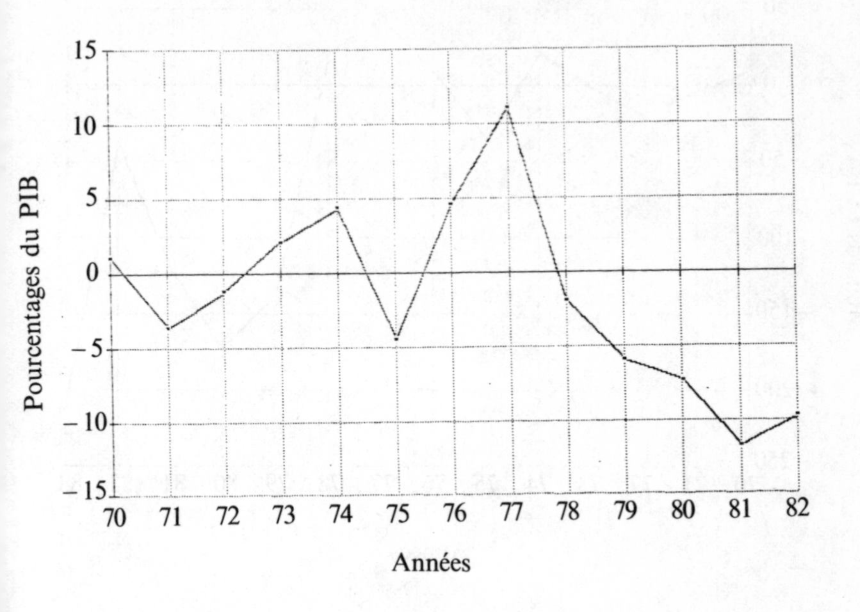

Source : RCI, MEF. Les Comptes de la Nation.
Note : la Comptabilité Nationale a une conception restrictive des finances publiques. D'autres approches conduisent à des estimations plus élevées du déficit : de 9,2 % (BIRD 1986, p. 19) à 17,6 % (RF MINICOOP 1986b, p. 60). Les évolutions tendancielles restent néanmoins semblables.

GRAPHIQUE 3.2
SOLDE BALANCE DES PAIEMENTS

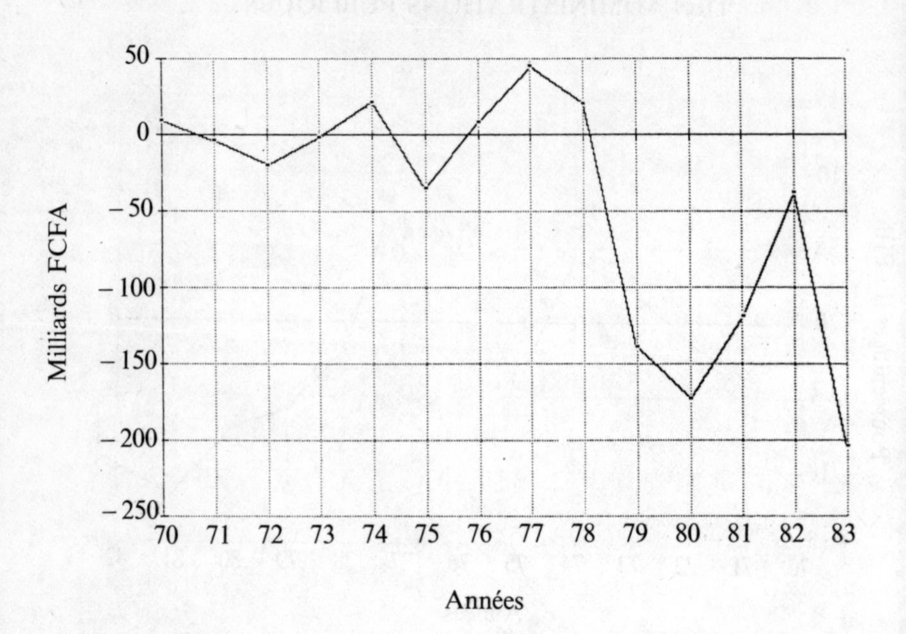

Source : BCEAO.

détériorations plus anciennes, qui tendent à confirmer que le deuxième choc pétrolier n'a été qu'un détonateur de la crise. Il s'agit en particulier de l'augmentation du besoin de financement extérieur, dont le graphique n° 3.3 montre bien la tendance à l'aggravation dès le milieu des années 60. Si la balance des paiements n'est devenue durablement déficitaire que bien plus tard, à la fin des années 70, c'est parce que ce besoin de financement a pu être couvert jusqu'à cette époque par d'importantes entrées de capitaux extérieurs. Il en est résulté un accroissement de l'endettement extérieur qui, dès 1976, approchera les 50 % du PIB et dépassera les 100 % en 1983 (graphique n° 3.4). La situation financière, était donc éminemment fragile, et seule la poursuite d'une forte croissance était susceptible de maintenir un équilibre relatif (2).

Les entreprises publiques ont très largement contribué à cette fragilisation, en accumulant les déficits et en recourant de façon massive aux capitaux étrangers. Sur un ensemble de 33 SODE, 15 présentaient en 1976 un résultat comptable négatif (RCI, MEF 1977a). Parmi les 18 autres sociétés, plusieurs d'entre elles avaient des situations financières très déséquilibrées, masquées parfois par des pratiques comptables peu orthodoxes. C'est ainsi que la SODERIZ présentait régulièrement des comptes d'exploitation et des bilans en équilibre, passant en créance sur l'État des charges que devait normalement supporter l'entreprise (par exemple les frais financiers qui étaient de l'ordre de 1,1 milliard de F CFA en 1975). Pour l'année 1975, la perte réelle était estimée à 2,5 milliards, le découvert bancaire s'élevant à 19 milliards au 30 Septembre 1976.

On peut également souligner la détérioration rapide de la

(2) Une analyse plus fine de la balance des paiements permet de mettre en valeur la dégradation régulière, depuis le début des années 60, du solde des services qui comprend notamment les revenus des investissements et les charges d'intérêt de la dette extérieure. Mais les opérations de transfert sont aussi responsables d'importantes sorties de capitaux, en particulier au titre des transferts privés qui ont fortement augmenté à partir du début des années 70 pour atteindre 150 milliards de F CFA en 1980, soit 7 % du PIB. Selon G. Duruflé (RF, MINICOOP 1986b, p. 11) il s'agirait, pour une petite moitié, des rapatriements d'épargne par les expatriés d'origine européenne, l'autre moitié étant imputable à la population libanaise et au groupe des hauts revenus ivoiriens.

GRAPHIQUE 3.3
BESOIN DE FINANCEMENT EXTÉRIEUR

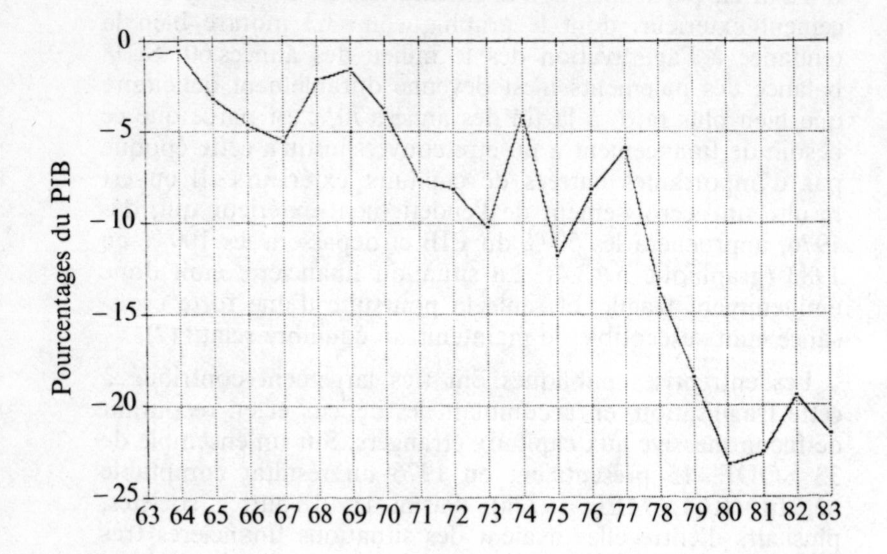

Source : années 1963-65, Den Tuinder 1978, tableau SA 12.
années 1966-83, BCEAO.

Note : le besoin de financement extérieur est égal au solde de la balance des opérations courantes diminué des dépenses d'amortissement de la dette.

GRAPHIQUE 3.4
DETTE EXTÉRIEURE

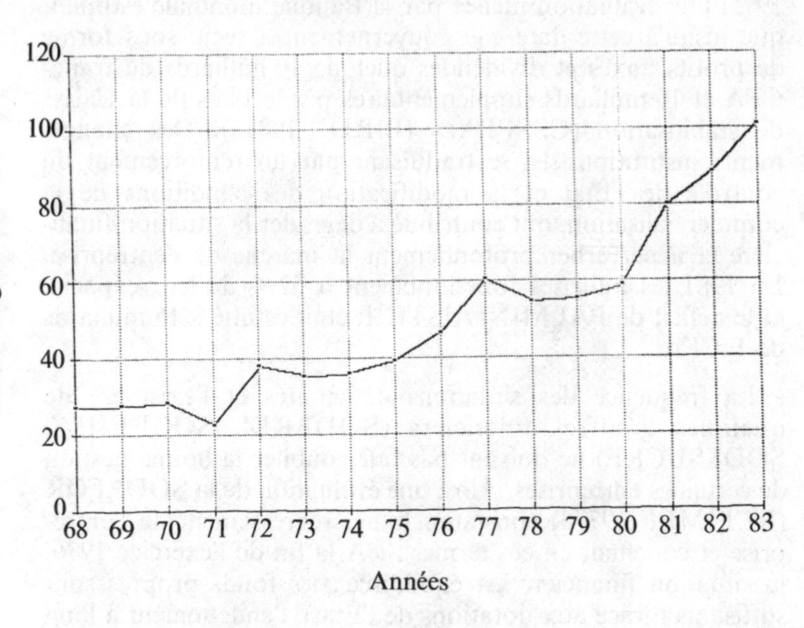

Source : années 1968-71, BIRD, World Tables.
années 1972-83, BCEAO.

Note : sont comptabilisés les encours et les engagements, ceux-ci correspondant à la fraction non mobilisée des emprunts. Il s'agit exclusivement de la dette à moyen et long termes.

situation financière du groupe SODEPALM-PALMINDUSTRIE. Celui-ci avait obtenu de remarquables résultats jusqu'en 1975, une évaluation menée par la Banque mondiale estimant que jusqu'à cette date « le gouvernement a reçu, sous forme de profits, taxes et dividendes quelque 10 milliards de francs CFA et 10 milliards supplémentaires par le biais de la Caisse de stabilisation (CSSPPA) » (BIRD* 1981a). Des changements institutionnels, se traduisant par un renforcement du contrôle de l'État et la modification des conditions de la commercialisation, ont contribué à dégrader la situation financière et à perturber profondément la marche de l'entreprise. En 1981 les huileries fonctionnaient à 52 % de leur capacité et le déficit de PALMINDUSTRIE était estimé à 16 milliards de F CFA.

La fréquence des situations déficitaires et l'existence de quelques gouffres financiers (SODERIZ, SOGEFIHA, SODESUCRE) ne doivent pas faire oublier la bonne gestion de certaines entreprises. Ainsi une évaluation de la SODEFOR (RCI, MEF 1977a) constatait le net redressement de l'entreprise et concluait en ces termes : « A la fin de l'exercice 1976, la situation financière est équilibrée : les fonds propres sont suffisants (grâce aux dotations de l'État), l'endettement à long et moyen terme est raisonnable et contracté à des conditions favorables, la trésorerie est saine ». Il faut également souligner que les déficits n'étaient pas nécessairement imputables à l'entreprise. Certains d'entre eux résultaient principalement de l'insuffisance de fonds propres dus par l'État, ou de la fixation de barèmes de commercialisation ne permettant pas de dégager un autofinancement. C'est le cas de PALMINDUSTRIE dont le déficit « résultait principalement du fait que le financement des projets déjà en cours d'exécution n'avait pu être mobilisé » et que « la plus grande partie des investissements (18 milliards de F CFA entre 1976 et 1977) a été financée sur découverts auprès des banques commerciales » (BIRD* 1981a). Enfin ajoutons que les résultats financiers de la SONAFI, entreprise d'État chargée de gérer les participations publiques au capital des sociétés, attestent de la rentabilité de certaines entreprises publiques.

La dégradation financière globale est néanmoins incontestable. La dette extérieure des SODE et EPN, qui a été avalisée

TABLEAU 3.4
RATIOS DE GESTION ET DE RENTABILITÉ
ENTRE DIFFÉRENTS TYPES D'ENTREPRISES (en %)

	Types d'entreprises	1973	1975	1977	1979	1981	1983	1985	1987
Masse salariale / *Chiffre d'aff. H.T.*	A	30	20	21	18	15	18	16	25
	B	15	12	13	11	11	14	12	16
	C	n.d.	9	8	12	12	11	8	10
Résultats nets / *Capital-dotation*	A	5	− 8	− 19	11	− 6	− 13	− 9	− 5
	B	12	10	12	0	6	− 22	− 2	− 47
	C	n.d	13	11	13	− 3	− 60	6	− 1

Source : *Centrales de bilans.*
Note : Entreprises A = à capitaux totalement publics ; B = à capitaux publics majoritaires ; C = à capitaux privés majoritaires.

par l'État et dont le tableau 3.5. retrace l'évolution (3), a été multipliée par 2,3 entre 1975 et 1977. La dissolution en 1977 de la SODERIZ et de la SOCATCI et l'apurement de certaines dettes par des dotations spécifiques de l'État expliquent la baisse du niveau à partir de 1978. Malgré cette contraction, le service de la dette (versement des intérêts et remboursement du capital) passe de 30 milliards en 1977 à 43 milliards de F CFA en 1980.

Il faut remarquer que ces évaluations ne constituent qu'une fraction de l'endettement des entreprises publiques. Ainsi les sociétés d'économie mixte sont regroupées avec les sociétés entièrement privées, l'ensemble représentant près de 150 milliards d'endettement en 1980. De même les banques et les établissements financiers, tant privés que publics, constituent une catégorie à part dont la dette s'élevait à 30 milliards en 1980. Enfin ajoutons que certains emprunts dont la gestion est assurée directement par la CAA sont en fait destinés à des entreprises publiques. Celles-ci sont parfois tenues d'assurer tout ou partie des charges financières correspondantes, dans le cadre d'une procédure de « consolidation » ou de « répercussion » de dette (4). La complexité des situations et des opérations masquent le rôle important des entreprises publiques dans la genèse du surendettement de la Côte-d'Ivoire à la fin des années 70.

La montée d'une économie d'endettement dans les années 70 n'est pas une spécificité ivoirienne, ni subsaharienne. Le début des années 80 sera marqué, au niveau mondial, par les déclarations d'insolvabilité de plusieurs grands pays semi-industrialisés comme le Mexique et le Brésil. La généralisation de la crise laisse à penser que les déséquilibres sont les

(3) La dette extérieure publique de la Côte-d'Ivoire, dont font état les publications de la Caisse autonome d'amortissement, se décompose en deux catégories : d'une part la « dette gérée » qui est prise en charge directement par la CAA, d'autre part la « dette avalisée » qui correspond aux emprunts des sociétés et établissements, privés ou publics, pour lesquels l'État a accordé son aval. En 1979, la dette avalisée représentait 35,4 % de l'endettement total. Sont comptabilisés l'ensemble des encours et des engagements, ceux-ci correspondant à la fraction non mobilisée des emprunts. Ajoutons qu'il s'agit exclusivement de la dette à moyen et long terme. Précisons enfin que la part de la dette provenant des entreprises publiques doit être considérée, par rapport à cette source, comme un strict minimum.

(4) La dette consolidée et répercutée représentait 217 milliards de F CFA en 1979, soit environ 20 % de l'ensemble de la dette ivoirienne.

TABLEAU 3.5
DETTE PUBLIQUE EXTÉRIEURE
(ENCOURS + ENGAGEMENTS)
milliards de F CFA ou pourcentages

	1975	1976	1977	1978	1979	1980
(1) SODE et EPN	114	173	271	222	192	164
(2) SEM et Soc. Priv.			36	68	107	148
(3) Total Côte-d'Iv. : Dette gérée et aval.	332	524	934	977	1 092	1 287
(1)/(3)	34,3 %	32,6%	29 %	22,7 %	17,6 %	12,8 %
(1) + (2)/(3)			32,9 %	29,6 %	27,4 %	24,2 %

Source : Caisse autonome d'amortissement, *Rapports d'activité.*

manifestations d'un dérèglement de l'ensemble de l'économie mondiale. Est-ce à dire que les autorités nationales ne portent aucune responsabilité dans la montée de ces déséquilibres ? La persistance des désajustements n'exige-t-elle pas une remise en cause du modèle de développement ? C'est dans les réponses apportées à ces différentes questions que se dessinent des lignes de partage entre plusieurs explications de la crise.

2. Les interprétations de la crise

Face à la persistance des déséquilibres, l'unanimité s'est faite sur leur caractère structurel. Mais du déséquilibre de quelles structures parle-t-on ? De l'inefficacité du système productif ? De l'inégalité des marchés internationaux ? De l'épuisement du modèle de développement ? Autant de visions de la crise qui vont induire des politiques de réforme plus ou moins profondes de l'économie dans son ensemble et des entreprises publiques en particulier.

Les erreurs de gestion (5)

Une première série d'interprétations expliquent la crise par l'existence de distorsions introduites par « erreur » dans la gestion de l'économie nationale . Il s'agit de la thèse centrale de la Banque mondiale, pour qui la gestion inefficace d'un secteur public pléthorique est un handicap déterminant. Parallèlement sont dénoncés de trop nombreux obstacles à un développement « normal » du secteur privé, au premier rang desquels figurent la protection des marchés et la pratique généralisée de la corruption. Dans cette perpective, toute amélioration durable suppose avant tout l'existence d'une ferme volonté politique de désengagement de l'État, afin de permettre le respect des règles du marché et par voie de conséquence une meilleure allocation des ressources. D'une façon générale, ce sont les impératifs de rentabilité qui doivent devenir prioritaires, ce qui signifie un « management » plus rigoureux (6). Cette faible efficacité du système productif serait, selon la Banque mondiale, à l'origine d'une perte de compétitivité de l'Afrique subsaharienne sur les marchés mondiaux. « Si les pays africains avaient seulement maintenu à son niveau de 1970 leur part des exportations de produits primaires non pétroliers des pays en voie de développement, cela aurait ajouté de 9 à 10 milliards de dollars par an à leurs recettes d'exportation en 1986-87. Ce manque à gagner est du même ordre de grandeur que le montant de leurs paiements annuels au titre du service de la dette » (BIRD 1989).

Ces erreurs de gestion des unités microéconomiques de

(5) La notion d'erreur est extrêmement ambiguë, dans la mesure où elle s'inscrit dans une approche technocratique ou systémique des processus de décision. Une politique économique peut être une erreur par rapport aux objectifs posés a priori par ses concepteurs, mais peut s'avérer parfaitement rationnelle pour les acteurs qui la mettent en œuvre, comme le confirment les nombreux cas de « réappropriation » de projets de développement par les « développés ».

(6) Comme sur le plan macroéconomique, les recommandations sont souvent très standardisées et mal adaptées aux spécificités africaines. Certains bailleurs de fonds développent néanmoins des analyses fort pertinentes dans la recherche d'une « gestion à l'africaine », comme il existe une « gestion à la japonaise ». Signalons notamment les travaux d'A. Henry, de la Caisse centrale de coopération économique, qui tentent de prendre en compte les facteurs culturels à partir d'études de cas (Henry 1989).

production auraient été renforcées à la fin des années 70 par des erreurs de politique macroéconomique. « Il est paradoxal de constater qu'un grand nombre des exportateurs de ces produits (primaires) connaissent aujourd'hui des difficultés qui viennent en partie de la façon dont ils ont géré leurs gains exceptionnels » (BIRD 1981b, p.87). « Au lieu d'accélérer le processus de développement, les ressources exceptionnelles résultant du boom de la fin des années 70 ont fait naître des attentes irréalistes et conduit à un niveau d'emprunt excessif assortis de conditions non concessionnelles, à des distorsions au niveau des incitations offertes aux producteurs et à un endettement insupportable » (BIRD-ONU 1989, p. 3).

En ce qui concerne la Côte-d'Ivoire, ces critiques sont incontestablement pertinentes. Il est clair que les entreprises publiques, jusqu'à la fin des années 70, ont pris énormément de liberté avec les principes d'une gestion saine, imitant en cela un État central très dispendieux. On peut également constater le faible dynamisme des entreprises ivoiriennes sur les marchés internationaux, révélant par là une capacité concurrentielle insuffisante. La logique du modèle subsaharien est à l'œuvre : l'absence de mouvement massif et durable d'intensification des processus de production traduit une gestion éminemment routinière, même si la Côte-d'Ivoire figure parmi les pays les plus dynamiques.

Dans le domaine macroéconomique, l'argumentaion a encore plus de poids. En effet la montée brutale des cours du cacao entre mi-1975 et fin 1977 (accroissement de plus de 300 %) et du café (multiplié par plus de quatre entre début 75 et début 77) a eu des effets profondément pervers. L'augmentation brutale des ressources de la Caisse de stabilisation (54 milliards de F CFA en 1976, 239 milliards en 1977, pour revenir à 86 milliards en 1980) a amplifié les possibilités d'emprunts sur les marchés internationaux. Cet effet de levier (Calabre 1985, p. 200), conjugué à un effet d'offre (abondance de pétrodollars en quête d'emploi), a généré un niveau de dépenses publiques, et notamment d'investissement, incompatible avec les rentrées financières d'années « normales » et *a fortiori* d'années de « basses eaux ». C'est dans ce contexte que les entreprises publiques se sont lourdement endettées auprès de bailleurs de fonds extérieurs, avec l'aval d'un État peu regardant. La situation a été aggravée par la poursuite d'une politique de haut niveau de dépenses publiques dans les années 79 et 80 alors que les indicateurs économiques marquaient un net retournement de conjoncture. « Dès lors, l'État, conduit, ainsi qu'à l'accoutumée, une forte politique anticyclique qui permet de maintenir un taux élevé de croissance du PIB en 1979 et 1980. Naturellement une telle politique ne peut que retarder l'échéance de la crise en dégradant encore plus les différents indicateurs de l'équilibre économique » (Foirry 1986, p. 75).

Cette politique apparemment incohérente et suicidaire doit être replacée dans le contexte de la fin des années 70, marquée par une très forte inflation. La préoccupation de ne pas laisser des avoirs se dévaloriser, a conduit les autorités ivoiriennes à trouver rapidement des emplois à leurs excédents. Comme l'a écrit l'ancien ministre de l'Agriculture, « devant cette augmentation de l'épargne, plusieurs attitudes sont possibles : on pourrait songer à une politique d'extrême prudence qui consisterait à considérer comme exceptionnelle et passagère cette phase de hausse des cours et par conséquent à mettre de côté avec des placements financiers une partie de cette épargne créée pendant les belles années pour pouvoir les utiliser plus tard à des fins d'investissement. (...) Le danger était parfaitement clair : celui de se retrouver au bout de quelques années avec une épargne intérieure fortement diminuée en termes constants du seul fait de l'inflation mondiale. Cette attitude était donc beaucoup moins opportune à choisir qu'il n'y paraîtrait à première vue » (Bra Kanon 1985, p. 129). Les entreprises publiques ont été tout naturellement les principales bénéficiaires de cette politique d'emploi des surplus financiers.

On peut rappeler que dans ce domaine les bailleurs de fonds eux-mêmes n'ont pas fait preuve de très grande prudence. Ils partagent très largement la responsabilité de cette montée excessive de l'endettement, ayant incontestablement sous-estimé les risques de dérèglement de l'ensemble du système financier international. La montée de la crise est donc indissociable d'une fragilisation de l'environnement économique international, dont les déséquilibres croissants vont réduire encore plus la marge de manœuvre des autorités nationales.

La détérioration de la conjoncture extérieure

Le deuxième « choc pétrolier » de 1979 marque le début d'une période de profonde dégradation de l'environnement international, particulièrement préjudiciable aux pays du Tiers monde. Le ralentissement de l'activité économique mondiale et la détérioration des termes de l'échange ont entrainé une diminution des recettes d'exportation. D'autre part la hausse des taux d'intérêt et l'élévation du cours du dollar ont alourdi les charges de remboursement de la dette (7). Cet effet de ciseau est généralement considéré par les gouvernements des pays du Tiers monde comme le principal facteur explicatif de la crise financière.

C'est précisemment le cas des autorités ivoiriennes qui s'appuient sur cette analyse pour expliquer la prolongation de la crise et dénoncer l'iniquité des marchés internationaux. La détérioration des termes de l'échange est présentée comme le point de cristallisation d'un mouvement d'étranglement d'une économie, dont le choix d'intégration à l'économie internationale, conformément aux principes libéraux des avantages comparatifs, est pour le moins mal récompensé. C'est sur le double registre de l'inconséquence des pays industrialisés et de l'absence « d'humanité » des relations économiques entre nations, qu'est dénoncée la dégradation de la situation économique. « On nous parle de surproduction. Mais les mêmes hommes qui parlent de cela encouragent les plantations de cacao en Malaisie et de café en Indonésie. On est dans un casino, l'immense casino des pays développés qui jouent avec notre travail », déclare le président ivoirien (*Le Monde*, 28 décembre 1989).

Cette argumentation est remise en cause par la Banque mondiale qui fait observer que les termes de l'échange, s'ils se sont effectivement profondément détériorés depuis le début des années 80, ont en fait retrouvé leur niveau du début des

(7) La hausse du dollar entraine par ailleurs une augmentation des recettes d'exportation, principalement libellées en cette monnaie. Dans le cas de la Côte-d'Ivoire l'effet net est incertain (RF, MINICOOP 1986b, Annexe I, p. 11-14). Les autorités ivoiriennes ont d'ailleurs déploré tour à tour une hausse, puis une baisse du dollar (*Jeune Afrique* du 14-8-85, p. 17 et *Fraternité-Matin*, 27-1-87, p. 1. Sur ces contradictions cf. Fauré 1989).

années 70 (BIRD-ONU 1989). G. Duruflé a également souligné que, dans le cas de la Côte-d'Ivoire de la fin des années 70, « contrairement à une opinion répandue, le déficit de la balance des paiements courants (...) ne s'explique pas sur longue période par une détérioration des termes de l'échange » (RF, MINICOOP 1986b, p. 3). La dégradation du pouvoir d'achat des exportations, si elle a été un facteur aggravant après le premier choc pétrolier, ne peut donc pas constituer une explication de la genèse des déséquilibres.

Les interprétations de la crise en termes d'erreur ou de détérioration de la conjoncture internationale ont en commun de ne pas remettre en cause le modèle de développement sur lequel fonctionne l'économie ivoirienne. L'explication est fondée sur l'apparition de facteurs perturbateurs, extérieurs au modèle, qui doivent disparaître si des mesures appropriées sont adoptées et effectivement mises en place. Il s'agit avant tout de bien gérer l'existant. En ce qui concerne les entreprises publiques, que l'objectif soit leur remplacement par des entreprises privées (censées faire moins d'erreur) ou leur rationalisation (en attendant des jours meilleurs), le résultat attendu est le même : procéder avant tout à un ajustement financier. Certes, ces politiques d'ajustement sont qualifiées de structurelles, révélant ainsi l'ampleur des changements nécessaires. Mais est-il possible de modifier les structures sans repenser l'architecture d'ensemble ?

L'épuisement du modèle

C'est à S. Amin que l'on doit les premières critiques, rigoureuses sur le plan économique, de la « voie ivoirienne » de développement. Dans un premier temps l'auteur reconnait les remarquables performances de la Côte-d'Ivoire, qui « a prouvé qu'une croissance agricole rapide était possible en Afrique tropicale. Au cours des quinze dernières années, il s'est passé quelque chose dans ce pays, ce que l'on ne saurait dire de beaucoup d'autres. Les critiques doivent être replacées dans ce cadre. A condition que des directions nouvelles soient prises dans certains domaines, non seulement ces taux de croissance peuvent être soutenus encore longtemps, mais encore ils peuvent préparer le démarrage d'un développement réel » (Amin 1970b, p. 110).

Mais l'économie ivoirienne est exposée à des risques de dérèglements financiers profonds et durables, car « la prolongation d'une croissance du type actuel est seulement possible à la condition que l'aide extérieure publique et l'apport des capitaux privés étrangers, non seulement se prolongent quasi-indéfiniment, mais encore qu'ils grandissent plus vite que le produit intérieur brut » (Amin 1970b, p. 263). Selon l'auteur, cette nécessité de recours croissant au financement extérieur s'explique moins par le niveau de l'épargne que l'économie ivoirienne est capable de générer, que par l'impossibilité d'assurer la mobilisation d'une fraction suffisante de cette épargne (8). Les risques de blocage du modèle seraient donc essentiellement d'ordre financier. Indéniablement l'évolution économique de la fin des années 70 et de la décennie 80 confirme cette analyse. Mais ce n'est pas fondamentalement le modèle ivoirien qui a été remis en cause, à savoir une large ouverture sur l'extérieur et un rythme rapide de croissance. Le mal est plus profond et concerne le modèle subsaharien tel que nous l'avons défini.

C'est ce que B.A. den Tuinder, responsable d'une mission envoyée par la Banque mondiale en Côte-d'Ivoire en 1975, suggére en mettant en valeur la montée de ce qu'il appelle les nouvelles contraintes, et notamment la décroissance des rendements qui renforce le poids déjà très lourd des facteurs de production étrangers. G. Duruflé a poursuivi cette analyse, et clairement montré que, au-delà de la crise financière, c'est le système productif dans ses ressorts fondamentaux qui est remis en cause. « Initialement fondé sur le développement de la production et des exportations de produits agricoles et de la forêt (le modèle) a fait une place croissante à la dépense publique pour relayer l'agriculture, soutenir la croissance, intégrer un nombre plus important de nationaux à la Côte-d'Ivoire « moderne ». Cette modernisation et cette croissance

---

(8) « Cette épargne est fonctionnellement destinée à être exportée, et aucune technique de « mobilisation » de l'épargne ne permettra de transgresser cette loi objective » (*ibidem,* p. 275). L'affirmation de l'existence de déterminations pernicieuses pures et dures contraste avec (contredit ?) la reconnaissance des capacités d'adaptation de l'économie ivoirienne...

se sont faites au prix d'un recours accru aux facteurs de production étrangers, d'un endettement plus fort de l'État et avec une efficacité économique tendanciellement décroissante » (RF, MINICOOP 1986b, p. 111).

Les déséquilibres ont été amplifiés par le coût de la régulation politique qui s'est traduit à l'ombre de l'État par « un enrichissement du secteur moderne sans commune mesure avec l'accroissement de production et les gains de productivité » (Gouffern 1982, p. 116). S'est donc manifesté un effet de ciseau avec d'une part la baisse constatée de l'efficacité de l'investissement et de la dépense publique, et d'autre part la nécessité d'augmenter cette efficacité pour respecter la contrainte financière.

Dans cette perspective, la restructuration des entreprises publiques représente un enjeu économique capital. Au-delà de l'assainissement financier, il s'agit de dynamiser ce secteur clef de l'économie ivoirienne. Le retour à une croissance régulière avec un faible taux d'investissement, suppose « un très fort accroissement de l'efficacité économique du secteur parapublic qui reste l'un des principaux investisseurs, ce qui suppose qu'après la mise en application des mesures de rigueur en matière de gestion soit surmontée la démobilisation potentielle des cadres nationaux suite à l'alignement des salaires et une certaine paralysie que pourraient entrainer des contrôles excessivement tâtillons. » (RF, MINICOOP 1986b, p. 114). D'une façon plus générale, c'est la mobilisation de l'ensemble de la force de travail de ces entreprises qui est en jeu, mobilisation qui passe nécessairement par une plus grande capacité d'initiative du secteur parapublic. Cette nécessité entre manifestement en contradiction avec les indispensables verrouillages financiers, tant au niveau des unités de production qu'au plan macroéconomique.

La marge de manœuvre est étroite. La lecture des diverses interprétations de la crise nous a permis de hiérarchiser les principaux facteurs de blocage et de mieux cerner les enjeux de la réforme des entreprises publiques. Il est évident qu'à travers la restructuration du secteur parapublic, c'est le modèle de développement subsaharien qui est en cause. Or le dépassement des limites de ce modèle, qui implique un mouvement durable d'augmentation de la productivité, appelle deux observations. Tout d'abord il s'agit de rappeler les tentatives de la

Côte-d'Ivoire pour accroitre sa compétitivité et diversifier ses productions, et ceci dès le début des années 70. Mais la transition s'est révélée lente et difficile, sous l'effet de facteurs très divers : la rapidité du progrès technique, la taille trop réduite du marché national, le poids des logiques de rentabilisation à court terme... Comme le rappelle P. Judet dans son étude sur les nouveaux pays industrialisés « quel que soit le dynamisme des phases d'accélération ou le caractère specta-

Tableau 3.6

SUBVENTIONS DE L'ÉTAT AUX ENTREPRISES DU SECTEUR MODERNE
(en milliards de F CFA)

Années	Catégories d'entreprises			
	A	B	C	Total
1973	3,2	0,5	0,5	4,2
1974	5,1	0,5	1,2	6,8
1975	6,6	1,3	1,1	9,0
1976	16,4	2,7	1,5	20,6
1977	12,6	6,0	3,3	21,9
1978	19,2	10,8	2,8	32,8
1979	29,8	12,2	0,9	42,9
1980	18,7	20,0	18,6	57,3
1981	70,2	15,7	22,8	108,7
1982	46,7	19,5	31,3	97,5
1983	37,7	16,8	7,1	61,6
1984	n.d.	n.d.	n.d.	n.d.
1985	15,5	34,2	7,1	56,8
1986	30,1	30,7	37,0	97,8
1987	23,0	27,5	34,9	85,4

Source : *Centrales de bilans* et Banque des données financières.
Note : il s'agit des subventions d'exploitation, d'équilibre et d'équipement (quote part d'amortissement). Entreprises : A = à capitaux totalement publics ; B = à capitaux publics majoritaires ; C = à capitaux privés majoritaires.

culaire de réalisations ponctuelles, aucune base industrielle complexe ne semble se construire sans référence à de longues maturations historiques » (Judet 1981, p. 73). L'erreur de la Côte-d'Ivoire a peut être été moins de croire en la pérennité du modèle subsaharien, que de faire l'hypothèse de sa transformation progressive, sans solution de continuité.

Reste un problème capital, qui est de savoir comment la classe dirigeante peut être amenée à faire sienne une logique de développement intensif. Pour B. Campbell, l'affaiblissement des fournisseurs traditionnels de capitaux européens (sur lesquels s'appuyait l'ancienne bourgeoisie de planteurs) et l'importance croissante du capitalisme financier nord américain (via notamment la Banque mondiale) est une nouvelle phase de décolonisation, de nature à entraîner des changements radicaux dans l'organisation de l'activité productive (Campbell 1986, p. 106). La « transformation capitaliste » sera-t-elle suffisamment importante pour créer de nouvelles bases économiques et sociales du pouvoir ? Que deviendront les entreprises publiques dans un tel mouvement ? L'histoire de la réforme de 1980 nous invite à une extrême prudence, et à ne pas prendre de simples annonces pour des réalisations tangibles. L'analyse du rôle effectif joué par la Banque mondiale dans le processus de réforme du secteur parapublic est à ce sujet particulièrement édifiante.

TABLEAU 3.7
SOCIÉTÉS D'ÉTAT MAINTENUES : ÉVOLUTION DE QUELQUES AGRÉGATS

	Effectifs				Chiffre aff. H.T.			
	1975	1979	1983	1987	1975	1979	1983	1987
AIR IVOIRE	nd	144	262	261	479	1 413	3 187	3 152
PALMINDUSTRIE	nd	13 164	14 510	15 772	—	18 783	26 473	40 446
PETROCI	nd	153	269	250	nd	45 238	88 696	15 902
SITRAM	nd	934	1 141	1 104	7 861	21 665	32 351	39 725
SODEMI	nd	279	227	231*	93	9	21	69*
SODESUCRE	nd	10 535	8 999	6 249	7 537	10 352	27 931	25 148
CSSPPA	nd	nd	nd	nd	nd	nd	nd	nd
Total	nd	25 209	25 408	23 867	15 970	97 460	178 659	124 442

	Valeur ajoutée				Masse salariale			
	1975	1979	1983	1987	1975	1979	1983	1987
AIR IVOIRE	148	554	123	625	95	367	953	846
PALMINDUSTRIE	—	15 665	12 854	20 097	—	7 513	8 647	10 459
PETROCI	89	– 4 465	13 508	1 604	28	597	1 263	1 455
SITRAM	1 682	8 249	9 645	9 114	1 425	3 054	5 453	6 795
SODEMI	– 82	421	414	402*	244	536	652	651*
SODESUCRE	4 973	25 241	11 864	14 977	1 867	7 494	12 920	9 258
CSSPPA	nd	nd	nd	nd	nd	nd	nd	nd
Total	6 810	45 665	48 408	46 819	3 659	19 561	29 888	29 464

	Investissements				Dette à M. & L. termes			
	1975	1979	1983	1987	1975	1979	1983	1987
AIR IVOIRE	31 615	11 377	102	427	10 000	—	121	—
PALMINDUSTRIE	1 006	3 704	2 620	6 368	6 200	22 700	29 972	19 869
PETROCI	1 103**	1 192	2 766	415	543	5 716	32 703	24 476
SITRAM	503	900	4 285	216	1 502	27 700	25 462	15 286
SODEMI	18	39	59	79*	—	—	—	—
SODESUCRE	4 329**	66 077	3 833	3 652	28 472	162 153	101 792	2 018
CSSPPA	nd	nd	nd	nd	nd	nd	nd	nd
Total	38 574	83 289	13 665	11 157	46 717	218 269	190 050	61 649

	Capacité autofin.			
	1975	1979	1983	1987
AIR IVOIRE	15 978	84	– 179	– 200
PALMINDUSTRIE	2 036	4 780	6 746	9 132
PETROCI	74	1 362	9 137	79
SITRAM	– 175	3 244	3 458	1 152
SODEMI	25	109	– 1 203	nd
SODESUCRE	1 106	3 005	1 806	4 541
CSSPPA	nd	nd	nd	nd
Total	19 044	12 584	19 765	14 704

Sources : *Rapports d'activité, Centrales de bilans, Marchés tropicaux*, presse nationale, entretiens.
Note : * = 1985 ; ** = 1976. Unité : millions de F CFA sauf effectifs.

4

Une réforme sous influence extérieure ?

Le préjugé de l'ajustement structurel

De quelque côté qu'il aborde pratiquement son sujet, le chercheur qui se propose d'analyser la réforme des entreprises publiques en Côte-d'Ivoire se voit immanquablement et généreusement offrir diverses « explications » spontanées qui, s'il n'y prend garde, paraissent devoir rapidement s'imposer à lui. Ces interprétations, par-delà les différences factuelles qui les séparent et qui tiennent à leur plus ou moins grande proximité du processus concret de réforme, concordent au moins sur un point fondamental, et si unanimement qu'elles forment, en la matière, une véritable « thèse » simple, séduisante et complète. Elles disent toutes que l'influence exercée par le FMI et la Banque mondiale aurait été décisive dans la restructuration du secteur parapublic ivoirien, conformément aux pressions et déterminations que ces deux organismes développent sur les politiques économiques nationales mises en œuvre dans les diverses situations d'ajustement structurel. On aura bien évidemment noté la structure syllogistique d'une telle thèse qui lui assure un succès immédiat, de même qu'elle sous-tendra, on le verra, les interprétations communes en matière de privatisation : dès lors que le FMI et la BIRD, dont on sait les orientations et la puissance, interviennent en Côte-d'Ivoire et qu'il y a eu, dans ce pays, réforme des organismes parapublics, celle-ci ne peut être le fait que des institutions de Bretton Woods.

Cette croyance spontanée et massive est d'autant plus redoutable à l'égard du travail d'analyse qu'elle prend l'allure d'une ligue : de tous bords, de tous milieux en effet est avancée cette thèse de l'influence qui réduit le sens et le contenu de la réforme aux volontés, intérêts et conceptions des bailleurs de fonds. Ce *zeitgeist* dominant est évidemment bâti sur de solides préjugés, mais il est aussi alimenté par de plus objectives vraisemblances qui renvoient aux conditions de crise qui ont suscité les diverses politiques publiques développées en Côte-d'Ivoire depuis le début des années 80. Il convient donc sans doute d'examiner d'assez près et sur ces deux plans — celui des représentations agissantes et celui des politiques pratiques — les conditions de possibilité de cette thèse dominante de l'extranéïté de la réforme avant de s'attacher à la réfuter dans ce qu'elle a de grossier et de mécanique.

L'enjeu est d'importance : sur le thème étroit de cette étude il s'agit en premier lieu de déterminer qui a réellement conçu et mis en œuvre le dispositif de réforme et d'identifier les déterminants de ce programme d'action. Par-delà il s'agit, on l'a dit dans l'introduction, de contribuer à l'analyse d'un système politique africain contemporain, d'apporter des lumières sur ses modes de fonctionnement, de savoir aussi si l'État postcolonial existe et de quoi, c'est-à-dire de qui, il est fait, d'évaluer dans quelle mesure il est sensible au jeu d'intérêts et de pouvoirs extérieurs. Le chantier empirique choisi pour cette réflexion, la réforme des entreprises publiques, n'est pas indifférent : il s'agit de la réforme la plus profonde, la plus cohérente, la plus déterminante dans la vie économique, financière, sociale, politique et administrative de ces dix dernières années en Côte-d'Ivoire. Les questions précédentes n'en prennent alors que plus d'importance.

1. La force et les origines d'un préjugé

On notera en premier lieu, et sans avoir à s'y attarder longuement, que tous les « gouvernements sous ajustement structurel » trouvent dans cette interprétation commune prétexte à imputer les rigueurs économiques, sociales et financières de ces dix dernières années au compte des figures extérieures et impériales du Fonds et de la Banque, commode moyen de tenter de s'affranchir de leurs responsabilités à l'égard de leurs sociétés, classes, groupes, catégories sociales à la fois dans les orientations d'austérité imposées par la crise mais aussi dans la montée préalable des déséquilibres et des blocages justifiant l'adoption de rigoureux plans de redressement (1). Partisans fébriles du néolibéralisme, journalistes pressés, commentateurs peu scrupuleux ou sous-informés : chacun a apporté complaisamment sa contribution à la thèse de l'influence extérieure au point qu'on a pu aller jusqu'à faire de la réforme des sociétés d'État l'une des conditions imposées par les pays de la Communauté européenne aux associés ACP (Afrique, Caraïbes, Pacifique) (Lavroff 1985)...

Les faiblesses de la production savante

Plus surprenant sans doute est de rencontrer cette thèse dans des productions savantes. Tel est le cas de l'ouvrage dirigé par I.W. Zartman et C. Delgado (Zartman et Delgado 1984). Le raisonnement de ces analystes se développe ainsi : dans les années soixante-dix la Banque mondiale émit des critiques sur le secteur jugé démesuré des entreprises publiques et parapubliques ivoiriennes, sur leur prolifération anarchique, leur manque de coordination et leur gestion financière défectueuse. Des directives gouvernementales imposèrent en 1972 un contrôle plus strict et de nouvelles pratiques de gestion. Mais ces entreprises se battirent contre ce qu'elles soupçonnaient être un retour au régime de l'administration générale, elles défendirent leurs intérêts corporatistes et les décrets organisant les nouvelles modalités de contrôle et de gestion ne furent, de fait, jamais appliqués. En 1973 un expert français appelé à analyser la gestion de ces entreprises fit un rapport critique

---

(1) Le gouvernement du Nigéria est l'un des rares, et sous la pression des élites très hostiles à l'égard du FMI, à avoir dû se passer de ce moyen de tout mettre sur le compte d'intervenants extérieurs. L'ajustement structurel y a fait l'objet d'un important débat public, tout à fait exceptionnel en Afrique noire (cf., entre autres sources, *Le Monde* du 18 décembre 1986).

et suggéra une série de mesures tendant à améliorer leur performance. Cette question fit l'objet, la même année, du séminaire de Yamoussoukro, sans plus d'effet. De la même façon les entreprises publiques ont été particulièrement insensibles aux nouvelles normes de contrôle par l'État et d'harmonisation de la réglementation contenues dans des décrets de 1975. Cependant en 1976, lorsque le rapport de la BIRD (2) lui fut présenté en ses principales conclusions qui reprenaient, entre autres, la critique de ces organismes, la présidence se décida à engager le fer contre eux, passant enfin outre aux atermoiements antérieurs et aux résistances qu'ils avaient su jusqu'alors opposer à toute tentative de reprise en mains par le pouvoir central.

I.W. Zartman et C. Delgado établissent un lien de causalité entre le document de la Banque mondiale et le lancement par le président ivoirien de la réforme des entreprises publiques : « However, when the World Bank report the following year continued to criticize the administration and fiscal impunity of the bodies, the president decided on direct action against the parastatals... » (*ibidem*, p. 8). Ils continuent : M. Mathieu Ekra, l'un des plus proches lieutenants du président ivoirien fut chargé de la réforme de ce secteur au milieu de l'année 1977, c'est-à-dire au moment où le gouvernement subissait sa plus importante transformation depuis l'indépendance avec le congédiement de neuf ministres dont les principales personnalités qu'on avait fini par identifier à la réussite économique du pays. Confirmant leur interprétation, ils précisent alors de nouveau « Initiative for reform came from within the top executive, under pressure from abroad... » (*ibidem*, p. 10). Cette présentation des conditions d'adoption de la réforme parapublique est tout à fait intéressante. Le spécialiste de l'évolution économique, administrative et politique du pays confirmera la quasi totalité des faits avancés dans ces développements. Cependant, faute de pousser plus loin leur analyse et de disposer d'une collection plus riche d'informations, ces auteurs s'interdisent de préciser le processus de l'influence et accréditent l'idée d'une réforme adoptée sous la pression

(2) Ce rapport sera ultérieurement connu du grand public dans son édition commerciale, cf. Den Tuinder 1978.

exclusive des bailleurs de fonds multilatéraux. Si les alarmes et invites de ceux-ci ont bien été réelles, la restructuration des entreprises publiques n'est certainement pas réductible, dans ses conditions de production et dans ses principales orientations, à ce « paquet » d'influence dans ce qu'il aurait d'univoque, d'exclusif, de mécanique et de décisif.

Dans un article (Alibert 1987) établissant le bilan et décrivant minutieusement les différentes formes et modalités des opérations de privatisation observées dans plusieurs pays africains (3), un expert reprend à son compte cette thèse de l'influence en prenant prétexte que les programmes du FMI et de la BIRD de réhabilitation des secteurs publics africains allant dans le sens d'un désengagement des États constituent bien les principes auxquels sont subordonnés l'allocation des concours financiers nouveaux et le décaissement des prêts par les bailleurs de fonds. La transition, alors, pour l'analyste, ne fait aucun doute : « Sous l'influence de la Banque mondiale, de nombreux pays, engagés dans un programme d'ajustement, ont donc procédé à cette politique de privatisation. Il en existe aujourd'hui plusieurs exemples. Ainsi, en 1981, le gouvernement (ivoirien) a lancé un programme d'ajustement structurel. (...) Il a adopté une politique monétaire restrictive et mis en place un vaste ensemble de mesures budgétaires et fiscales, notamment un programme de réorganisation des entreprises publiques... » (*ibidem*, p. 37).

Pourtant, abordant plus loin les expériences nationales, le même auteur, en signalant que « la Côte-d'Ivoire a entamé dès 1980 une importante restructuration de la trentaine de sociétés d'État ... » (*ibidem*, p. 45) avait l'occasion de mettre en doute la relation causale directe entre les conditionnalités des

---

(3) Cet article, qui contient de pertinentes remarques sur les limites et paradoxes des privatisations africaines, révèle une excellente « connaissance de terrain ». C'est ainsi, par exemple, que l'auteur analyse l'édification des secteurs parapublics africains comme autant de lieux de « pratiques clientélistes » ayant, entre autres, répondu à certaines préoccupations de donner des « bases sociales » aux pouvoirs en place. Il n'élude pas, non plus, le fait que l'une des contradictions de tout processus de privatisation (on reviendra plus loin dans cette étude sur cet important point) tient à ce que soit l'entreprise publique générait des déficits financiers qui ont donc dissuadé toute reprise par des opérateurs privés, soit l'entreprise dégageait des excédents ce qui a fait réfléchir les gouvernements sur l'opportunité d'abandonner ainsi, par la privatisation de l'entreprise, une source de recettes des finances publiques.

concours d'ajustement structurel des bailleurs de fonds et le mouvement de restructuration du secteur parapublic tel qu'il avait été lancé en Côte-d'Ivoire. Fort significative dans ce comportement du reste assez exemplaire des attitudes communes en ce domaine est peut-être moins la facilité à retenir cette conception de l'influence que l'aptitude à adopter une posture préalable telle qu'elle interdit *a priori* d'être sensible à la moindre première objection : l'influence semble si « naturelle », plausible, légitime qu'on n'est pas disposé à voir que la simple confrontation des chronologies peut faire problème et semer la suspicion. C'est bien en quoi on est fondé à parler ici d'un véritable préjugé : la force banale de la thèse est justement d'anesthésier tout sens critique et tout effort raisonné. On mesure ainsi la prévalence de la thèse de l'influence : elle est à la fois dominante et profonde. Elle a la force, la solidité du gros bon sens commun.

Les bailleurs et l'activité d'imposition du sens des ajustements

Il est vrai que les bailleurs de fonds ont eux-mêmes alimenté cette conception de leur influence directe et décisive, parfois même en ses atours les plus simplistes, en multipliant documents, publications et déclarations dans lesquels ils ne tarissent pas d'éloge sur la mise en œuvre des programmes de libéralisation engagés par les gouvernements africains et ne refusent pas la paternité de ce qu'ils s'évertuent à faire passer pour des succés de politique économique.

Les revendications de paternité

Précisément le FMI et la BIRD, dans les premiers rapports relatifs à l'ajustement structurel, ont généralement considéré que les mesures préconisées en Côte-d'Ivoire avaient été mises en pratique et suivies d'effets positifs et que les premiers résultats de cet ajustement témoignaient du souci des dirigeants ivoiriens de respecter le programme d'action concocté par le Fonds et la Banque. Cette façon de présenter les choses d'une part conforte l'impression que le programme est plus ou moins imposé par les bailleurs de fonds et d'autre part suggère que ce programme, tel qu'il est initialement conçu par eux, est globalement respecté. Ainsi, par exemple, dans son rapport de 1983 sur le développement, la BIRD établit une relation automatique entre l'adoption de programmes de stabilisation ou d'ajustement structurel (4) et les améliorations qu'elle constate çà et là (5) (BIRD 1983b). La Banque se plaît à souligner, ou à suggérer, que les mesures de libéralisation des économies du tiers monde, le démantèlement des monopoles de commercialisation, l'introduction des mécanismes concurrentiels etc. sont un courant insufflé par elle ou auquel elle n'a pas peu contribué.

Ceci est exprimé et présenté non sans, parfois, quelques précautions de langage car il ne s'agit évidemment pas de heurter les susceptibilités gouvernementales. Usant de l'euphémisme elle parlera alors d'« appui extérieur » à telle ou telle politique ou mesure économique mais ne perd jamais l'occasion de faire comprendre que les réorientations observées dans maints pays depuis quelques années sont induites d'elle-même : ne dit-elle pas que « les autorités politiques acceptent désormais que... » (BIRD 1983a) ou encore qu'« un nombre croissant de pays africains reconnaissent aujourd'hui la nécessité de... » (BIRD 1984). Dans des publications moins officielles qui dispensent de circonlocutions diplomatiques, la thèse de l'influence trouve matière à autoproclamations sans retenues (6) ; on croit pouvoir dès lors s'y faire plus précis sur le rôle exact de la Banque dans les politiques économiques d'ajustement et rappeller les principes imposés par elle et sur lesquels elle ne saurait transiger (cf. par ex. : Bock et Michalopoulos 1986). Ces principes sont de fait les fameuses condi-

---

(4) Abaissement des taux de change, promotion des exportations, réduction des protections industrielles, resserrement des politiques monétaires, relèvement des taux d'intérêt réels, augmentation des tarifs des services publics, réduction des subventions à la consommation, diminution des dépenses du secteur public, réhabilitation du rôle des entreprises privées et des mécanismes de marché, etc.

(5) Développement des exportations, du secteur industriel, de l'épargne intérieure, croissance du PIB, etc.

(6) Tel est le cas, par exemple, de *Finances et Développement*, revue du FMI et de la BIRD dont les articles, émanant d'experts de ces deux organismes, sont signés par leurs véritables auteurs et dans laquelle il est bien précisé que « les opinions qui y sont livrées, ne constituent pas l'expression de la politique du Fonds et de la Banque ».

tionnalités dont sont assorties officiellement les programmes d'ajutement structurel en contrepartie des prêts accordés par le FMI et la BIRD. Mais on verra que ces « principes » admettent, avec ou sans l'assentiment des bailleurs de fonds, quelques exceptions en des domaines précis. Ce qu'on peut retenir de ces divers textes et déclarations, c'est qu'ils sont empreints de « linéarité » et d'optimisme, comme si les évolutions constatées étaient le résultat mécanique des conceptions et des injonctions de ces deux organismes mondiaux. Ils ne posent absolument ni la question de l'éventuelle influence exercée dans le processus décisionnel, ni la question de l'effectivité pratique de l'ensemble des programmes d'action présentés comme insufflés de l'extérieur, ni évidemment la question des résistances locales éventuelles ou des contournements et autres subversions apparus sur le terrain de la mise en œuvre (7).

Le rapport Berg comme mythe fondateur

Parmi les foyers à partir desquels s'est diffusée l'idée commune que les mesures de réorientation économique prises en Afrique, dont celles relatives à la réforme du secteur parapublic en Côte-d'Ivoire, étaient dictées depuis les organismes de Washington, le rapport de 1981 sur *Le développement accéléré en Afrique au sud du Sahara* figure en première place (BIRD 1981a). On sait que ce rapport qui fit grand bruit (8) tant par son contenu que par la notoriété de son coordinateur (le professeur américain de science politique Elliot Berg), formulait la doctrine d'action de la Banque mondiale en direction de l'Afrique pour les années quatre-vingt. Ses orientations sont connues : elles visent à « libéraliser » les économies africaines, développer « les forces du marché », privatiser des organismes publics, réduire les réglementations censées entraver les structures productives, contrôler les dimensions et les dépenses des appareils des États, préparer la voie de leur désengagement, etc. Ce rapport ne comportait pas l'énoncé de mesures précises

(7) C'est le cas-type de l'article du directeur général-adjoint du Fonds : R.D. Erb 1986.

(8) Cf. notamment l'analyse critique qu'en a proposé Amselle 1983.

(qui seront mises au point dans les divers programmes d'ajustement structurel dans le courant des années 80 justement) mais faisait l'inventaire des facteurs de blocage de la croissance et préconisait des orientations en vue de relancer les économies africaines (9). Quelques développements y étaient consacrés aux secteurs parapublics.

Les experts de la BIRD constataient que les organismes parapublics se révélaient être des poids considérables pour le budget nécessitant d'importants transferts de la puissance publique sans pour autant que ces organismes contribuent aux recettes fiscales des États africains. Ils dénotaient également de graves tensions de trésorerie dans ces entreprises et ne daignaient reconnaître une certaine rentabilité à quelques-unes d'entre elles (les sociétés mixtes du secteur manufacturier) que pour aussitôt en trouver la raison dans des pratiques de fort protectionnisme : exonération des intrants mais contingentement ou fortes taxations de l'importation de produits concurrents. Ils déploraient enfin un manque général de rigueur dans la gestion de ces entreprises publiques et croyaient en trouver la cause essentielle dans le fait que les instruments budgétaires et comptables s'inspiraient trop profondément des modèles en cours dans l'administration générale et que les rares audits qui y étaient réalisés provenaient des gouvernements, par ailleurs peu désireux ou peu capables de remédier à la situation. Et, conformément à une approche néolibérale dont l'économicisme n'a d'égal que la naïveté politiste (puisque les conditions sociales de construction de ces secteurs publics et parapublics sont délibérément éliminées de l'analyse), ils déploraient enfin que les gouvernements africains aient du mal à « accepter que les sociétés parapubliques jouent un rôle non politique » (*ibidem*, p. 45) notamment sur le plan des emplois, des ventes subventionnées en faveur de certaines catégories sociales, des investissements décidés souvent hors « critères économiques et financiers », etc.

Dans le prolongement de ce sombre constat le rapport Berg évoquait explicitement, mais en termes très généraux et relatifs à l'ensemble du continent, la « réforme des entreprises publi-

(9) A la fin de la décennie 80 on peut constater l'utopie de cet objectif apparemment simple retenu par le rapport en début de période.

ques » et préconisait sept séries de mesures présentées comme autant de « remèdes simples » (*ibidem*, p. 45 et s.) :

— la définition précise des objectifs de réforme et du cadre de référence ;
— l'encouragement à la mise au point de protocoles, type contrat-plan, définissant clairement les relations financières État/entreprises publiques ;
— l'élaboration de systèmes d'incitations à l'efficacité ;
— l'autonomie de la gestion courante ;
— l'autonomie de la gestion du personnel ;
— le recours à des systèmes comptables jugés acceptables par la BIRD ;
— dans certains cas la liquidation pure et simple de l'entreprise publique (ce qui, dans la langue châtiée des experts de la BIRD donnait : « l'acceptation du principe suivant lequel dans certaines circonstances il peut être souhaitable de liquider une entreprise » (*ibidem*, p. 45).

On le voit : le bilan que dressait la Banque mondiale était très critique. Il embrassait la situation subsaharienne dans son ensemble, ne se permettant pas de faire allusion à tel ou tel pays en particulier, sauf dans quelques encadrés illustratifs. Et, dans sa partie programmatique, grosse de mesures de réforme, on voyait se construire la doctrine d'action de la Banque. Comme en matière de privatisation les intentions étaient donc clairement affichées. Le rapport Berg véhiculait, cette fois appliqué à une aire géographique précise, un système de représentation socio-économique qui a eu vocation quasi-hégémonique à partir du milieu des années 70. On y reconnait aisément une approche qui se situe à un niveau d'économie pure (équilibre de tous les marchés), qui fait prendre pour réalités comptantes des fictions ou conventions (la concurrence pure et parfaite, les prix-frontières). La force de fascination de cette conception chez certains a été telle que, comme l'a très bien analysé R. Boyer, la non coïncidence entre réalité sociale et théorie était à mettre sur le compte « de la violation des hypothèses de base du modèle » (Boyer 1986). De la même façon que la crise économique, dans une telle perspective, n'est pas prise en soi, pour ce qu'elle peut être -un état durable par exemple — de même « toute forme d'organisation collective, intervention publique ou réglementation (est) une source inéluctable de crise » (*ibidem*, p. 8). Il est significatif à ce propos que les experts et documents de la BIRD parlent de « distorsions » pour désigner chaque fait d'intervention publique ou de réglementation, associant généralement les termes « politiques » (actions gouvernementales) et « distorsions » (introduites dans le champ de l'économie qui ne demandait qu'à rester « pure »).

Le retentissement de ce document a été important et ses critiques nombreuses. La plupart des mesures censées constituer de « nouvelles politiques économiques » en Afrique noire lui ont été imputées par tous les bords. On peut se demander si tous les observateurs n'ont pas été quelque peu abusés, à la fois ceux qui tenaient ces orientations néolibérales comme la solution au blocage de la croissance et ceux qui, d'inspiration keynesienne ou d'inspiration marxiste, soucieux de dénoncer promptement l'irréalisme et les méfaits des analyses et des propositions de la Banque tendaient à en exagérer les réalisations. Beaucoup, de chaque côté, et pour des raisons symétriques, ont accordé crédit et efficience *a priori* au discours de la BIRD. Et, comme le courant des politiques économiques effectivement mises en œuvre depuis quelques années en Afrique allait apparemment dans ce sens, comme en outre, c'est un fait, le FMI et la BIRD intervenaient de plus en plus massivement sur le continent, les choses semblaient simples et limpides : la Banque préconise un désengagement économique des organismes publics et les réformes entreprises çà et là réalisent cette intention.

Pour ce qui concerne très précisément la Côte-d'Ivoire, observons que certaines propositions contenues dans le rapport Berg (qui n'est pas, rappelons-le un programme précis d'action de la Banque mais un cadre conceptuel justifiant un certain nombre d'orientations) se trouveront effectivement réalisées dans la sphère parapublique nationale : les relations entre la Société d'économie mixte des transports abidjanais (SOTRA) et l'État ivoirien ont fait l'objet d'un contrat-plan, des entreprises publiques ont été privatisées, d'autres liquidées, les outils de gestion ont été sensiblement revus et améliorés, etc. Il n'est pas prouvé pour autant que cette coïncidence soit le fruit de la pression propre et exclusive des bailleurs de fonds. Sans avoir besoin pour l'instant d'évoquer le jeu possible d'une variable intermédiaire qui pourrait éclairer cette convergence, relevons l'optimisme du programme de la Banque par rapport aux réalités ivoiriennes : par exemple en ce qui concerne les contrats-plans tant vantés par la BIRD, un seul a pu être mis en place en Côte-d'Ivoire où l'intervention de la Banque, dans nombre de secteurs, a été pourtant fort importante ces dernières années. Notons enfin que ce « programme incitatif d'action », puisque tel est son sous-titre, s'il a été commandité à l'automne 1979 par les gouverneurs africains de la Banque, est confectionné, dans l'hypothèse la plus favorable à la thèse de l'influence extérieure pesant sur la réforme ivoirienne des entreprises publiques, en même temps qu'ont été prises les grandes mesures de restructuration du parapublic ivoirien de l'été et de l'automne 1980.

Il faut donc poursuivre l'analyse des influences exercées sur cette réforme par les bailleurs de fonds, et essentiellement dans le cadre de la politique d'ajustement structurel conduite sous leur égide par les autorités d'Abidjan à partir des années 80. Si un des directeurs de la BIRD n'a pas semblé cautionner le rapport du professeur Berg (cf. Laïdi 1989 p. 140 et s.), il n'empêche que bien des orientations et des conditionnalités des programmes d'ajustement structurel (PAS), qui notons-le, commencent à fleurir après 1980, trouvent leur inspiration dans ce document. Le détour par l'examen des divers programmes arrêtés entre la Côte-d'Ivoire et les bailleurs de fonds doit donc permettre de mieux apprécier le poids des influences, simples pressions ou véritables déterminations, exercées par ces organismes, d'autant que, depuis une décennie, l'essentiel des politiques économiques, financières, sociales et administratives du pays a été mené dans ce cadre.

2. Les entreprises publiques dans les programmes d'ajustement structurel

On sait qu'à partir des années 80 le FMI et la Banque mondiale sont massivement intervenus dans les économies africaines à travers leurs nombreux prêts-programmes de stabilisation financière et d'ajustement. Au point de suggérer désormais une mise en tutelle des politiques gouvernementales du continent noir. La vocation quasi planétaire des deux organismes de Bretton Woods, leur tendance à devenir désormais les deux principaux créanciers des États du tiers monde, surtout depuis la fermeture, à la fin des années 70, des circuits bancaires privés, les ont propulsés à l'avant-scène. Dans une abondante littérature citons Ph. Hugon pour qui : « Le FMI est ainsi devenu, tant par l'ampleur de ses interventions que par la nature de celles-ci, un pivot du système financier international. Bailleur de fonds leader, son intervention est décisive pour entraîner des engagements de la Banque mondiale, des aides gouvernementales et des banques commerciales » (Hugon 1986). De son côté Z. Laïdi est porté à accorder ce rôle princeps à la Banque en la voyant « siéger aux Conseils des ministres » de nombreux pays (Laïdi 1989).

Si ce schéma n'est pas faux il demande cependant à être nuancé en ce qui concerne les pays de la zone franc où les institutions du Trésor public français et de la Coopération conduisent toujours d'importantes actions financières et économiques. Cette précision s'impose d'autant plus, pour ce qui concerne la Côte-d'Ivoire, que les concours apportés par les organismes publics français entre 1980 et 1986, période cruciale pour le sujet traité, ont été importants, prenant la forme soit d'une aide directe aux finances publiques, soit de financement de projets précis de développement. Ceci justifie donc l'attention portée aux programmes d'intervention et aux prêts de ce troisième partenaire extérieur de la Côte-d'Ivoire, agissant principalement, dans le domaine qui nous occupe, à travers la Caisse centrale de coopération économique (CCCE), sorte de Banque de développement de la coopération française. Ceci précisé, il reste tout à fait vrai, comme le rappellent les auteurs cités, que le FMI et la Banque ont un rôle leader puisque les autres interventions publiques et les concours des établissements privés ont tendance à dépendre de plus en plus d'un accord de base signé entre le gouvernement concerné et les organismes de Washington. En outre, on le verra, la CCCE n'a pas de visée macro-financière, son champ d'intervention étant celui des politiques sectorielles, et, principalement en Côte-d'Ivoire, celui des entreprises publiques à vocation agricole.

La question des entreprises publiques — appréhendées soit individuellement, soit par secteurs d'activité économique, soit en tant que constituant un domaine en soi — figure dans les divers programmes d'action visant au redressement des finances publiques, des comptes extérieurs et de l'économie de la Côte-d'Ivoire. Elle en est un des points de convergence majeurs s'expliquant, on l'a vu dans le chapitre précédant, par la place prise par le secteur parapublic national dans la montée des déséquilibres et des déficits.

Le programme de redressement du Fonds fiduciaire (1978-1979)

Avant même que les accords entre le gouvernement ivoirien, le Fonds et la Banque inaugurent la politique d'ajustement structurel, un premier programme de redressement financier avait été mis sur pied pour la période allant du mois d'avril 1978 au mois de mars 1979 avec l'aide du Fonds fiduciaire (10). Ce dispositif se trouvait justifié par l'approfondissement, en 1978, du déficit des finances publiques que la chute brutale et importante des cours mondiaux du café et du cacao dans la seconde moitié de l'année interdisait de combler à très court terme (Duruflé 1986). Essentiellement orientées dans un sens financier car les problèmes étaient encore officiellement conçus comme strictement conjoncturels et relevant de difficultés de trésorerie, les mesures prévues dans ce premier plan d'action et intéressant notre sujet consistaient principalement en la mise en place d'un contrôle, dont était chargée la Caisse autonome d'amortissement (CAA), des emprunts extérieurs des entreprises publiques, la réduction des dépenses publiques d'investissement et le lancement d'expertises en vue d'une réforme des Sociétés d'État (*ibidem*, p. 49).

(10) Les données présentées dans les développements qui suivent et figurant dans les programmes d'ajustement, les accords complémentaires, les mémorandums et autres déclarations de politique économique, sont tirées des nombreux documents signalés dans la bibliographie terminale et obligeamment mis à notre disposition par les organismes internationaux, divers ministères ivoiriens, les services de la Coopération française, etc. Elles ont été confrontées à celles utilisées dans divers travaux d'analyse publiés (notamment ceux de Duruflé 1986) ou demeurés inédits ou confidentiels.

L'accord de facilité élargie du FMI (1981-1983)

L'absence de redressement des recettes d'exportation, le retard du programme d'exploitation des gisements pétroliers *off shore* dans lequel le gouvernement plaçait de sérieux espoirs pour alimenter les budgets de l'Etat, la seconde vague de renchérissement des produits pétroliers, l'augmentation des taux d'intérêt, etc. ne permirent pas d'assurer le succés de ce plan financier et les déficits augmentèrent, celui des finances publiques (9 % du PIB en 1978, 10 % en 1979, 13 % en 1980) et celui de la balance des paiements courants (11 % du PIB en 1978, 15 % en 1979, 18 % en 1980). Concevant que les problèmes, en l'absence d'un rétablissement immédiat ou prévisible des termes de l'échange, étaient plus importants que prévu et que la situation exigeait une analyse et l'adoption de mesures en profondeur, le gouvernement se tourna alors vers le FMI avec lequel des pourparlers furent engagés en 1980 qui débouchèrent sur l'accord de facilité élargie de février 1981 comportant un « programme de stabilisation économique et financière » de trois ans (1981-1983).

Cet accord de facilité, à côté d'objectifs propres de rééquilibrage de la balance des paiements (représentant le compte des opérations du pays avec l'extérieur), visait à réduire de moitié le déficit du secteur public et celui des transactions courantes, à stabiliser le ratio du service de la dette à un niveau inférieur à 30 % des recettes d'exportation en 1983 — alors que le trend laissait prévoir qu'à cette date le cap des 40 % serait hardiment dépassé. Les mesures concrètes arrêtées conformément à ce programme ont donc tendu à maîtriser les finances publiques (stabilisation des dépenses de fonctionnement de l'Etat, réduction des crédits d'investissement) et ont eu pour effet de ralentir la croissance.

C'est dans ce cadre que se sont inscrites les prescriptions du Fonds orientées vers un meilleur contrôle des activités des entreprises publiques. Un ensemble de mesures spécifiques à ce secteur ont en effet été demandées par lui — et exécutées en grande partie : augmentation des prix et des tarifs, réduction des déficits, allègement des subventions allouées par l'Etat, etc. Les préoccupations du FMI, à travers un tel programme, apparaissaient donc à la fois globales (le souci du Fonds étant de revenir à des macroéquilibres) et exclusivement financières et monétaires. Elles allaient donc dans le sens traditionnel de ses interventions qui, par rapport à d'autres bailleurs de fonds comme la BIRD et la CCCE, visent principalement à corriger l'aspect financier des déséquilibres affectant les économies des pays du tiers monde : réduction des déficits budgétaires (par l'augmentation de la fiscalité et la diminution des dépenses à travers, entre autres, le blocage des rémunérations de la fonction publique et la maîtrise de ses effectifs), la diminution des agents de l'assistance technique étrangère (nombreux alors en Côte-d'Ivoire), le contrôle des dépenses d'éducation et de santé, etc. Le contrôle de l'endettement extérieur imposait désormais que les emprunts soient rigoureusement sélectionnés et leurs conditions examinées attentivement. L'intervention du FMI concernait également la politique des prix, non seulement à travers le relèvement des tarifs publics et le réexamen des subventions mais aussi à travers la redéfinition des prix aux producteurs. La politique monétaire et de crédit (contrôle de la masse monétaire, détermination des taux d'intérêt, encadrement du crédit et orientation de celui-ci vers les secteurs productifs) clôturait logiquement ce programme du FMI.

Ces prescriptions ou suggestions ont été mises en œuvre avec une certaine fidélité, comme en témoigne par exemple l'examen attentif des lois de finances, et il convient de dire que si, d'un point de vue macrofinancier, ce plan de stabilisation 1981-1983 n'a pas donné les résultats escomptés, c'est moins faute pour les dirigeants ivoiriens d'avoir méconnu ses recommandations que du fait de l'aggravation, dans cette période, de la conjoncture internationale et la survenance, en fin de programme, de conditions climatiques désastreuses : en 1983 le maintien du ralentissement mondial de la croissance cantonne l'indice des termes de l'échange de la Côte-d'Ivoire à un niveau très inférieur à celui de 1980 (-16 %) ; l'accroissement des taux d'intérêt, depuis 1980, fait rebondir d'autant le service de la dette ; le contingentement des exportations de café génère la constitution, à Abidjan, de stocks assez considérables et l'importante et brutale sècheresse de 1983 a sensiblement réduit les productions agricoles, fait chuter l'activité industrielle et impose un coûteux passage de l'énergie d'origine hydraulique à l'énergie thermique, etc.

Les PAS I et II de la Banque mondiale (1)

Le plan du FMI s'est doublé des interventions de la Banque mondiale décidées dans le cadre des prêts d'ajustement structurel (PAS) qu'elle a accordés à la Côte-d'Ivoire et des appuis techniques qu'elle apporte aux réorientations auxquelles s'engagent les autorités lors des négociations, souvent longues et difficiles, et qui s'achèvent généralement par des « déclarations de politique économique » et autres « lettres d'intention » souscrites par tous les gouvernements dont les pays se trouvent placés sous ajustement structurel. Toutes les clauses ne sont pas forcément publiées, en partie pour ménager la « souveraineté » des Etats et en partie pour éviter de susciter des troubles sociaux tant les mesures décidées affectent des intérêts internes et l'ordre économique et financier des positions et des rapports entre groupes et catégories sociaux et professionnels.

Accordé à la Côte-d'Ivoire à compter de novembre 1981, le PAS I comportait une riche panoplie de mesures à mettre en œuvre en plusieurs domaines. A côté de dispositions à portée plus générale (modifications de la structure de l'offre, stimulation et diversification des exportations, redéfinition de la politique d'investissements publics, amélioration de la planification des ressources, etc.), le programme d'action concernait les entreprises publiques à un double titre. La Banque souhaitait en premier lieu voir adopter par le gouvernement ivoirien, dans le cadre d'une nouvelle politique agricole, une réforme des structures administratives et institutionnelles intervenant dans ce secteur. Etaient alors prévus : l'arrêt du programme sucrier (SODESUCRE), la suppression des subventions de la vente de coton (CIDT) aux filatures, la présentation d'un budget 1982, acceptable aux yeux de la Banque, des trois sociétés de développement régional (SATMACI, CIDT, PALMINDUSTRIE), le renforcement du personnel et des moyens du BETPA, un assouplissement du régime de la tutelle technique et financière pesant sur les entreprises publiques du secteur primaire (SATMACI, CIDT, PALMINDUSTRIE,

(1) Un Pas III a été conclu en mai 1986 mais on arrêtera notre examen au PAS II car la réforme des entreprises publiques et sa mise en oeuvre étaient alors acquises dans leurs grandes lignes.

SODEPALM, SODEFEL, etc.) et la transformation de PALMINDUSTRIE en société d'économie mixte.

D'autre part le secteur des entreprises publiques et parapubliques constitue, en lui-même, une rubrique à part entière visée par un programme d'action spécifique, dit programme sectoriel : leur restructuration est à l'ordre du jour explicite de la Banque. Ayant obtenu l'engagement des autorités d'Abidjan pour « l'organisation d'un secteur parapublic qui sera géré de façon économique, dans le cadre d'un système économique alliant un contrôle efficace de l'Etat et une décentralisation effective de la gestion » (BIRD* 1981b p. 5) la Banque se propose de faire diminuer ou disparaître les transferts et subventions de l'Etat aux entreprises publiques, de réduire leur part dans l'endettement public et les dépenses budgétaires de l'Etat, d'effectuer ou de faire effectuer des audits, en particulier dans huit entreprises soupçonnées d'absorber la majeure partie des subventions de la puissance publique (PALMINDUSTRIE, CIDT, SATMACI, SOTRA, SODESUCRE, OPT, SIR, SOGEFIHA, etc.). La Banque invitait également le gouvernement ivoirien à préparer des contrats de programme entre l'Etat et certaines entreprises publiques et à réduire ce qu'elle estimait être la trop forte concentration de la tutelle de ces entreprises entre les mains du ministère de l'Économie et des Finances. Enfin il était prévu que le suivi de ce programme serait effectué sous la forme de consultations entre la Banque et les autorités ivoiriennes à raison de deux fois l'an et que ce programme d'action serait accompagné par des opérations d'assistance technique.

Le PAS II, quant à lui, a été approuvé en juillet 1983. On y décèle les rubriques habituelles de la politique d'ajustement structurel puisqu'un train de réformes (nouvelles ou renforcées) est prévu dans les domaines suivants :

— la politique macroéconomique et la politique des investissements publics (la Banque s'associe ici pleinement au travail du FMI en apportant son appui pour une amélioration de la programmation des investissements, la rentabilisation de ceux déjà réalisés, la rationalisation des outils de prévision, etc.) ;

— la politique agricole ;

— la politique industrielle ;

— la politique du logement.

S'agissant ponctuellement des entreprises du secteur public le PAS II prévoit :

— en matière agricole la mise en œuvre des réformes qui font suite aux études que la Banque a réalisées ou fait réaliser sur les entreprises : SODESUCRE (où est prévue une réduction du personnel), PALMINDUSTRIE, CIDT, SODEFOR, SODEPRA, MOTORAGRI. Il prévoit également un audit de gestion à la SODEFEL et la préparation des budgets 1984, acceptables par la Banque, de CIDT, SATMACI, SODESUCRE, PALMINDUSTRIE.

— relativement à la politique du logement préconisée par la Banque, des audits de gestion sont décidés à la SETU, à la SICOGI et à la SOGEFIHA. En outre la politique de location de cette dernière est appelée à être réformée et le contrôle du prix des loyers supprimé. Enfin la Banque attend du gouvernement ivoirien qu'il précise ses rapports financiers avec la SETU.

— plus globalement la Banque obtient l'engagement des autorités ivoiriennes de mettre au point des outils permettant de mieux connaître la situation financière consolidée du secteur parapublic (flux avec l'Etat central, transparence du système bancaire, recensement et règlement des arriérés de paiement, relance du système des tableaux de bord des entreprises à participation publique majoritaire par branche d'activité, etc.). En outre, l'objectif affiché par la BIRD étant toujours d'améliorer la rentabilité économique et financière des entreprises publiques, elle préconise d'en renforcer les systèmes de contrôle (notamment en matière d'emprunt) et d'y développer des outils de rationalisation de la gestion. La poursuite des actions de réhabilitation financière et un nouveau train de huit audits sont programmés dans l'immédiat, de même qu'est prévue l'élaboration de contrats de programme entre l'Etat et certaines sociétés (SATMACI, SODESUCRE, OPT, SOTRA, INTELCI). Enfin est arrêté le principe de la révision des statuts de cinq entreprises, première concrétisation du lourd contentieux entre la BIRD et le gouvernement ivoirien à propos du paysage parapublic profondément bouleversé à partir de 1980.

Le PAS II étant divisé en deux tranches, il est convenu que la seconde partie des crédits ne sera débloquée que si certaines conditions de mise en œuvre ont été satisfaites par les dirigeants ivoiriens. Cette modalité, relativement à notre objet d'étude, concerne particulièrement la préparation des budgets 1984 des entreprises SODESUCRE, SETU, SOGEFIHA, CIDT, PALMINDUSTRIE, SATMACI dont la Banque demande qu'ils lui soient soumis pour examen et approbation.

Certaines de ces mesures apparaissent si importantes, au regard de la BIRD, qu'elles seront mises en œuvre par le gouvernement ivoirien, sur les recommandations de la Banque, avant même la signature officielle, en juillet 1983, du second PAS qui se contentera dès lors de les consacrer. Citons parmi elles et pour l'intérêt qu'elle présente au regard de notre recherche : la réforme du système de logement des fonctionnaires lancée dès janvier 1983 (et qui débouchera sur l'affaire dite des baux administratifs à l'origine d'un important mouvement de grève chez les enseignants) et la réduction du personnel de la SODESUCRE (envisagé à hauteur de 7 %) en principe démarrée en juin 1983.

Il convient enfin d'indiquer que, dans le cours des négociations devant aboutir à la signature du deuxième PAS, une déclaration de politique économique préparée et proposée par la Banque au mois de mai 1983 détaillait, dans une annexe précise et technique, un ensemble de modifications à mettre en œuvre en vue de « l'aménagement du système de tutelle des entreprises publiques » (BIRD* 1983, annexe pp. 1-6). Si les mesures préconisées, par leur nombre et l'ampleur des effets attendus, devaient déboucher — les représentants de la Banque mondiale en avaient-ils réellement conscience ? — sur une remise en cause fondamentale des rapports Etat/entreprises publiques réaménagés en 1980, elles n'avaient cependant pas la qualité de conditionnalités formelles subordonnant l'ensemble des nouveaux prêts consentis à la Côte-d'Ivoire. Ce document avait davantage l'allure d'un catalogue de revendications exprimées par la Banque et que celle-ci s'évertuerait à faire respecter, soit au cours des négociations générales en vue de la signature du PAS II, soit tout au long de l'application de celui-ci. Ce texte s'est révélé être, parmi d'autres faits, une pomme de discorde entre les autorités ivoiriennes et les experts de la BIRD. Aussi l'examinerons-nous de nouveau, dans le détail, dans des développements ultérieurs consacrés au contentieux entre les deux protagonistes.

Même si elle est loin de régler, comme on le verra plus loin, la question de l'influence dans l'élaboration de la réforme du secteur parapublic ivoirien, l'application des mesures prévues dans les PAS I et II ne saurait faire de doute sur un plan général (2) : en matière financière par exemple la réduction des déficits d'exploitation, la diminution des transferts de l'Etat, le respect progressif des instruments budgétaires, le contrôle, voire l'interdiction des emprunts, la mise en place de systèmes de gestion et de collecte des informations sur les situations de trésorerie, etc. autant de mesures, nouvelles ou simplement renforcées et de modifications des conduites qui se sont imposées dans le fonctionnement des services et entreprises publics. Il est vrai, comme on essaiera de le montrer, que la mise au pas des responsables du secteur parapublic par le pouvoir central était devenue une priorité politique et sociale et que, de leur côté, les bailleurs de fonds entendaient désormais mieux vérifier l'utilisation des concours qu'ils consentaient au pays.

L'accord de confirmation du FMI

Cet accord a été signé en mai 1984. Il s'inscrit dans les circonstances suivantes par rapport au plan de stabilisation de 1981 et par rapport à l'évolution économique du pays. Le programme de 1981, aux dires du FMI, a été respecté par les autorités ivoiriennes. Certes, un sérieux dérapage dans les dépenses publiques, aggravant le déficit de l'Etat, a été relevé dans la seconde moitié de 1983, mais le FMI consent à le mettre au compte de problèmes d'ordre technique (enregistrement comptable). Il contribue tout de même à l'amplification du déficit global du secteur public qui dépasse les 10 % du PIB en 1983 alors qu'il était initialement escompté, dans le plan de 1981, à 6,2 % du PIB. Surtout de graves difficultés sont apparues, tant sur le plan interne qu'international, que l'on a précédemment entrevues : l'exceptionnelle sècheresse qui fait chuter les productions agricoles et industrielles, l'exploitation pétrolière en retard et inférieure aux prévisions officielles, les grandes difficultés de commercialisation du café, etc. De tout cela a résulté la chute des recettes budgétaires alors que les

(2) Nous souscrivons totalement à l'analyse précise de la mise en œuvre des programmes d'ajustement qu'a réalisée G. Duruflé 1986.

concours extérieurs continuaient à se raréfier. Fin 1983 l'Etat ivoirien se trouve dans une très grave crise de liquidités. Ainsi s'explique que les objectifs du premier plan de stabilisation du FMI, probablement trop optimistes, en outre, quant aux chances de reprise mondiale, n'aient pas été totalement atteints même si dans l'ensemble les déficits, à quoi s'attaquait en priorité le FMI, ont été nettement réduits. Le gouvernement et le Fonds se sont donc décidés à mettre en place un deuxième plan financier qui a pris la forme de l'accord de confirmation de mai 1984, celui-ci accentuant encore dans le sens de l'austérité les mesures arrêtées dans la précédente période.

Cet accord réaffirme la nécessité de réduire le déficit des finances publiques (outre les sources générales déjà signalées, voir en particulier le *Bulletin du FMI* du 3 décembre 1984 pp. 357-361 ainsi que Hugon 1986). Pour ce faire seront décidés le gel, pour 1984, des dépenses budgétaires au niveau nominal de 1983 (soit une diminution sensible en valeur réelle) et une notable augmentation, de l'ordre de 20 %, des recettes de l'Etat : le FMI compte en fait sur une rétrocession importante des revenus prévus de la Caisse de stabilisation (CSSPPA) et sur l'augmentation de la fiscalité. Il est en outre prévu, au regard de notre sujet, que le gouvernement ivoirien :
— va s'efforcer de limiter les dépenses de personnel (arrêt des recrutements dans la fonction publique, maintien du blocage (décidé depuis 1981) des salaires du secteur public, suspension des promotions, non remplacement automatique des partants, allègement des effectifs de l'assistance technique, principalement dans le domaine de l'enseignement. C'est dans ce cadre que sera menée l'opération, qui fit des vagues, de recensement des fonctionnaires.

— est décidé, dans le monde des entreprises publiques, à aligner les salaires sur ceux, nettement moindres, de la fonction publique et à programmer la chute des investissements publics qui alimentaient beaucoup les budgets des organismes parapublics chargés des grandes opérations de développement.

De manière plus précise encore : en juin 1984 le FMI et la BIRD obtiennent la fermeture de deux complexes de la SODESUCRE jugés les moins rentables. En outre les tarifs de l'eau sont relevés, en vue d'améliorer la situation de la SODECI, et une réduction des dépenses d'exploitation est demandée à la SOTRA, à l'EECI et à la SIR.

Les concours de la CCCE

Au sens strict, la Caisse centrale de coopération économique n'a pas accordé de prêts d'ajustement structurel. Certains de ses financements étaient cependant assortis de conditions ou de recommandations comme ceux de la BIRD. De fait, l'intervention de la CCCE en Côte-d'Ivoire, après 1980, est articulée à celle de la Banque avec laquelle d'ailleurs une mission d'expertise avait été diligentée en 1981 et dont était issu un rapport conjoint. Et les opérations de financement de la Caisse se conformeront aux dispositions de ce document commun (Duruflé 1986 p. 57). Mais elle délaisse le champ macroéconomique pour se consacrer à des interventions sectorielles, et presqu'exclusivement en direction des entreprises publiques.

Si l'on met à part un financement complémentaire de projets de développement qu'elle a accordé en 1980 à la Côte-d'Ivoire et qui a permis à celle-ci de régler sa quote part dans des opérations financées par des concours extérieurs, les apports de la CCCE ont consisté, pour l'année 1982, à allouer un « prêt de restructuration des sociétés d'encadrement du secteur rural » et, en 1983 et 1984, à consentir deux « prêts de restructuration des entreprises publiques » (PREP) (Duruflé 1986 p. 48 et s.). Les objectifs poursuivis étaient le redressement financier (dont la suppression des arriérés de l'Etat) et l'analyse des coûts de ces entreprises, la mise au point de contrats de programme, l'allégement des procédures de fonctionnement, la formation de l'encadrement etc. Les interventions ne portaient pas sur l'ensemble du secteur des entreprises publiques ; il s'agissait d'actions ponctuelles sur certaines d'entre elles : SODEPRA, PALMINDUSTRIE,SODEFOR, SODESUCRE (complexe de Borotou), CIDT, SATMACI, SOTRA, EECI.

On conviendra que cet impressionnant train de mesures relatives aux entreprises publiques ivoiriennes paraît donner force au préjugé de l'ajustement structurel comme vecteur de l'interventionnisme des bailleurs de fonds. Un examen détaillé des négociations et des décisions mises en œuvre conduit cependant à abandonner cette conception séduisante mais superficielle de la réforme des entreprises publiques ivoiriennes.

5

Echec à la banque

Les programmes d'ajustement, par leur nombre et leur importance, étaient les cadres opportuns d'une prise en main à vocation totalisante des bailleurs de fonds. Beaucoup d'observateurs ont cru y voir la force structurante essentielle des évolutions économiques et sociales de la dernière décennie en Afrique. Or, la mise en œuvre de ces programmes montre que les acteurs gouvernementaux, bien que sous perfusion financière, n'en arrivent pas moins à développer leur propre jeu. D'autre part ces programmes ne s'inscrivent pas sur une table rase : des initiatives locales les ont précédés.

1. Accommodements et antériorité

L'examen des programmes conduits dans le cadre de l'ajustement structurel suggère bien l'interdépendance des interventions des bailleurs de fonds : il confirme la grande proximité de ces organismes — qui entretiennent des relations techniques régulières à propos de tel pays, tel plan d'action, telle opération ponctuelle — et révèle une sorte de répartition, entre eux, du travail de redressement, sur les plans financier et économique, sur les plans de l'offre et de la demande, sur les plans macroscopique et sectoriel, sur le court terme et le long terme. Les programmes du FMI et de la Banque sont même nettement intégrés au point que celle-ci est parfois chargée de définir une politique sectorielle précise dans le but d'atteindre des objectifs indiqués par le FMI. Ce fut par exemple le cas, en Côte-d'Ivoire, des mesures relatives au contrôle des investissements concrétisé dans la mise en place d'un comité chargé de cette tâche, mesures adoptées sous l'étroit contrôle de la Banque et destinées à accompagner la réhabilitation financière explicitée par le FMI dans son accord de facilité élargie de février 1981.

Des divergences profitables au débiteur

Cette articulation n'empêche bien évidemment pas certaines nuances, voire certaines divergences d'analyse, de conception et de modalités d'action entre les intervenants. On peut notamment constater, à travers l'inventaire précédent, que les orientations de politique économique préconisées par la Banque mondiale se distinguent très globalement de celles mises en avant par le FMI, et se rapprochent de ce fait des modes d'intervention de la Caisse centrale de coopération économique d'un triple point de vue : d'abord elles visent à agir sur l'offre puisqu'elles concernent les structures de production ; ensuite elles ont une dimension sectorielle que n'a pas le programme du FMI qui en reste au macroréequilibrage des finances publiques, de la monnaie et du crédit ; enfin elles ont une portée plus lointaine, visant l'horizon du moyen et du long termes, au contraire du FMI dont la préoccupation centrale est le redressement à court terme de la balance des paiements.

Ces différenciations peuvent s'expliquer à partir de plusieurs ordres de considérations. Soit techniques (horizons temporels, interventions plus ou moins structurelles, etc.) ; ainsi, alors que le FMI paraît obsédé par les grands équilibres financiers, la Banque et la CCCE sont conduites à empêcher l'anémie des structures productives entraînée presque mécaniquement par la politique récessive du Fonds. Soit encore des considérations politiques, au sens plein du terme, éclairent les nuances et divergences. En particulier on sait que la CCCE est l'instrument financier de la coopération économique française. Son action s'inscrit donc par rapport au champ franco-africain animé par une logique et des intérêts spécifiques : autant dire que l'activité de la CCCE intégre des paramètres, par exemple ceux vécus en termes stratégiques (maintien de l'influence française en Afrique, etc.) ou ceux renvoyant à une dimension plus historique et culturelle (une certaine conception du rapport de la France à l'Afrique), qui la rendent en partie irréductible aux conceptions et visées de la Banque mondiale et du FMI.

Ces rapides indications sur la non intégration parfaite des programmes ne paraissent pas superflues : elles interdisent de considérer le processus de l'influence, qui reste encore à mesurer, comme un mécanisme monolithique ; des disjonctions et des contradictions émaillent son déroulement dont peuvent peut-être tirer partie les autorités gouvernementales. Il ne s'agit pas là, il s'en faut de beaucoup, d'hypothèse d'école : un des exemples les plus manifestes de ces divergences s'est vérifié dans le dossier de la SODESUCRE. Devant ce qui est passé pour l'une des opérations de développement les plus déficitaires de la Côte-d'Ivoire, la Banque mondiale proposait, comme condition à son concours financier et technique, des solutions extrêmement brutales : fermeture de complexes encore en exploitation, diminution des subventions, privatisation de la gestion, apport, par la Banque, de plus d'une cinquantaine d'assistants techniques etc. Le gouvernement ivoirien a refusé nettement ces conditions, sensible aux conséquences sociales d'une telle rigueur (licenciements, chute des revenus salariés dans une zone déjà défavorisée, risques de troubles, etc.). La CCCE sollicitée a proposé d'autres orientations (apport d'une quinzaine d'assistants techniques, montage financier conduisant à un transfert à l'État de la dette de la SODESUCRE, programme visant à l'autofinancement des complexes en exploitation, apport d'argent frais, etc.). Le gouvernement ivoirien, rassuré, a donc préféré passer accord avec la CCCE (source : enquêtes et entretiens).

On sera cependant en droit de rétorquer que ces divergences se situent à l'intérieur d'un accord général sur la « nécessité » d'ajuster structurellement l'économie en crise des pays du tiers monde aux évolutions de l'environnement international en privilégiant l'optique de l'approfondissement de l'insertion des économies périphériques dans le marché mondial (sur la base, par exemple, des encouragements à l'exportation industrielle, du calcul des avantages comparatifs, etc.) (1) plutôt que des stratégies de plus ou moins grande déconnexion avec le monde extérieur ou l'adoption d'un système sectoriellement sélectif de mesures protectionnistes comme réponses à la crise.

L'examen des programmes successifs d'ajustement structurel a permis de confirmer l'importance majeure qu'a revêtue le secteur parapublic dans les politiques économiques mises au point sous l'égide des bailleurs de fonds en Côte-d'Ivoire. Par ses propres dérèglements financiers et économiques et par sa contribution aux déficits publics et extérieurs le secteur des entreprises publiques est donc devenu la cible principale des mesures de redressement et d'austérité adoptées depuis 1980. Le cas ivoirien ne déroge en rien, sur ce terrain-là, à la situation générale : on a pu faire remarquer que l'amélioration des performances financières des entreprises publiques était inscrite au répertoire d'action de 73 % des PAS signés par la Banque mondiale entre 1980 et 1986 avec l'ensemble des États bénéficiaires. Il s'agit du thème de conditionnalité qui arrive en second rang selon l'ordre de fréquence (Laïdi 1989, p. 154).

Rien d'étonnant donc à ce que les entreprises publiques ivoriennes aient été visées par l'ensemble des programmes et en soient l'une des constantes. Reconnaître leur poids dans les déséquilibres et les blocages, saisir l'importance que leur accordent les bailleurs de fonds c'est, par voie de conséquence, découvrir le principe *a priori* de l'influence de ces bailleurs. Mais le fait que de tels objectifs figurent à l'ordre du jour des intervenants extérieurs ne signifie pas que la réforme ait été conduite sous leur contrôle étroit et à leur expresse convenance. L'ensemble de ces programmes d'action et des conditionnalités aux concours financiers indique des possibilités objectives d'influence, un potentiel de déterminations. Seul l'examen approfondi de l'ensemble du processus de réforme permettra de mesurer le degré d'autonomie de la décision et vérifier l'éventuel passage du potentiel d'influence à l'influence effective.

---

(1) Cf. notámment l'ouvrage d'Amin 1970a, principalement le chapitre V consacré à l'analyse de la balance des paiements extérieurs, et qui fut l'un des premiers à développer cette thèse, pour la critiquer, à propos des pays du tiers monde.

Le retour à la chronologie

L'examen de la chronologie comparée des opérations de restructuration des entreprises publiques et des plans d'action économique, contreparties des concours financiers extérieurs, montre un premier décalage entre les deux séries de mesures et invite à la prudence dans le traitement du problème de l'influence.

Alors que les principaux axes de la réforme annoncée en détail lors du Conseil national du 12 juin 1980 avaient été publiquement dévoilés par le président ivoirien à l'occasion du discours de Katiola de décembre 1979 ponctuant le 19e anniversaire de l'accession du pays à l'indépendance, les grandes négociations financières menées avec le Fonds monétaire international et qui prépareront l'accord de facilité élargie de février 1981 — acte en quelque sorte fondateur des mesures d'ajustement structurel — ne seront lancées que dans le courant de 1980 et prendront un tour plus précis dans la seconde moitié de cette année, c'est-à-dire au moment où les principales dispositions de la restructuration parapublique sont arrêtées et précisées : liquidations, privatisations et reclassements des Sode (juin 1980), recomposition totale des statuts des établissements publics nationaux et des sociétés d'État, reclassements des établissements entre les catégories nouvellement redéfinies (septembre-novembre 1980).

La simple mise en perspective chronologique de ces deux séries d'opérations suggère assez bien la logique proprement interne qui a présidé à la genèse du processus de refonte des entreprises publiques. Cette autonomie relative décelée ici ne porte pas tant sur le contenu pratique et définitif d'une réforme complexe, relativement étendue dans le temps et où demeurent visibles un certain nombre de traces d'intervenants extérieurs, que sur le plan de l'énonciation de la réforme et du paradigme qui en sous-tend le lancement. Les conceptions qui y sont engagées (rôle et place de l'État dans l'économie et dans la société, rapports avec les investisseurs étrangers, fonction assignée à une élite diplômée, etc.) relèvent d'un état donné des relations sociales et politiques internes ainsi que de la culture propre à l'unité sociale considérée. Les décisions de restructuration de 1977 et surtout de 1980 — dont on ne sait encore, l'expérience passée suggère plutôt le contraire, si elles

Tableau 5.1

CHRONOLOGIES COMPARÉES DES PRINCIPALES MESURES DE RÉFORME PARAPUBLIQUE ET D'AJUSTEMENT STRUCTUREL

Réforme parapublique	Ajustement structurel
07-1977 : annonce de la réforme des sociétés d'État et création d'un ministère *ad hoc*	02-1981 : accord de facilité élargie avec le FMI 04-1981 : prêt sectoriel de la CCCE sur le dévelop. rural
12-1979 : annonce à Katiola, par le président ivoirien, des principales orientations de la réforme envisagée	11-1981 : PAS I de la BIRD
06-1980 : le président présente les décisions en Conseil national	04-1983 : prêt de la CCCE pour la restructuration des entreprises publiques (PREP)
09-1980 : l'Assemblée nationale adopte les nouvelles lois sur les sociétés d'État et les établissements publics nationaux	07-1983 : PAS II de la BIRD 05-1984 : accord de confirmation du FMI 05-1984 : rééch. dette par les clubs de Paris et Londres
11-1980 : le président signe le décret de classement des établissements publics en EPA et en EPIC	08-1984 : PREP II de la CCCE 04-1985 : accord de confirmation du FMI 08-1985 : rééch. dette par les clubs de Paris et Londres
02-1981 : publication du décret fixant le régime financier et comptable des établissements publics	05-1986 : PAS III de la BIRD

Sources : cf. tableau n° 1.2. et bibliographie terminale.

Tableau 5.2

CHRONOLOGIE DES DÉCISIONS DE RÉFORME DES SOCIÉTÉS D'ÉTAT

Décisions de maintien ou de transformation relatives à chaque société prises :				
avant 1980	en 1980			après 1980
BNETD (1977)	AIR-IVOIRE	MOTORAGRI	SODEFEL	BDI (1982)
IVOIR-OUTILS (1979)	ARSO	PAC	SODEFOR	BIPT (1981)
LONACI (1978)	AVB	PALMINDUSTRIE	SODEMI	CNBF (1983)
SICOFREL (1978)	BIN	PETROCI	SODEPALM	FGCEI (1981)
SOCATCI (1977)	BNEC	SATMACI	SODEPRA	FOREXI (1982)
SODERIZ (1977)	CSSPPA	SETU	SODESUCRE	INTELCI (1984)
SODHEVEA (1972)	ITIPAT	SIETHO	SOGEFIHA	OPEI (1982)
PALMINDUSTRIE (1977)	LONACI	SITRAM	SONAFI	SONAGECI (1981)

Source : cf. tableau n° 1.2.
Note : n'ont été prises en compte que les décisions relatives aux SODE en tant que telles ; les décisions arrêtées après une première modification du statut de société d'État (par ex. : après qu'elle ait été transformée en EPIC) n'ont pas été retenues dans ce tableau puisqu'elles portaient alors sur des organismes relevant d'une autre type et, partiellement, d'une autre problématique.

Tableau 5.3

ÉTABLISSEMENTS PUBLICS : L'IMPORTANCE RELATIVE DU RECLASSEMENT DU 28-11-80 DANS L'ENSEMBLE DE LEUR RESTRUCTURATION

Le reclassement du 28-11-80		Les transformations ultérieures	
1. Établissements administratifs		ANAM (1982)	INFIP (1987)
ASM	INJS	BDI (1982)	INPP (1987)
BCET	INPP	BETPA (1982 + 1985)	INSP (10983)
CGRAE	INSET	BCET (1984)	IRF (19833)
CICE	IPCI	BVA (1989)	LBTP (1983)
CNOU	IPNETP	CAA (1988)	OCPA (1986)
DCGTX	LBTP	CAPEN (1982)	OCPV (1984)
EIB	MOTORAGRI	CCIA (1984)	OISSU (1981)
ENS	OCM	CHU CO. (1984)	ONP (1984)
ENSEA	DISSU	CHU TR. (1984)	ONPR (1981)
ENSA	OMOCI	CHU YO. (1988)	ONT (1984)
ENSPT	ONEP	CICE (1984)	OPEI (1982)
ENSTP	ONAC	CIDV (1988)	OPT (194)
FER-P	ONPR	CIRT (1982)	OSP (1985)
FNI	ONS	CNE (1981 + 1984)	OTU (1984)
IAB	OSER	CNPT (1984)	PSP (1984)
ICA	OTU	CNPS (1984)	SAMU (1984)
IDREM	SODEFOR	FER-P (1985)	SETU (1987)
IGCI	UNCI	FGCEI (1981)	SIETHO (1984)
		FNA (1987)	SODEFOR (1985)
2) Établissements industriels et commerciaux		FNHy (1987)	SODEPALM (1988)
BVA	PASP	IDESSA (1982)	SOGEFIHAN (1985)
CAA	SATMACI	IDREM (1982)	RAN (multinatio. 1989)
CGPPPGC	SETU		
CNPS	SIETHO		
LONACI	SODEFEL		
OIC	SODEPALM		
OPT	SODEPRA		
PAA	SOGEFIHA		

déboucheront sur une politique publique exécutée — n'apparaissent pas nettement liées, au moment de leur formulation et des premières mesures concrètes qui les prolongent, à des concours financiers et plans d'action d'origine extérieure.

Les rares indices d'une partielle corrélation dans cette décisive période 1977-1980 sont constitués d'une part par les audits prévus lors du programme financier établi avec le Fonds fiduciaire (1978/1979) que les autorités ivoiriennes avaient de toute manière envisagés en 1977 pour étayer un début de réorganisation des entreprises les plus déficitaires du secteur et, en second lieu, par l'interdiction faite en 1978, et suggérée par les bailleurs de fonds, des emprunts extérieurs directement lancés jusque-là par les entreprises publiques. On sait en effet que le FMI et surtout la BIRD ne se sont pas fait faute, dans les années soixante-dix, de critiquer la gestion des sociétés d'État et de mettre en cause la politique d'investissements publics, jugée anarchique et somptuaire, alors menée en Côte-d'Ivoire. Il semble que ces alarmes, rendues d'autant plus réalistes que les chutes épisodiques, puis profondes et durables à partir de la fin 1978, des cours des produits de base imposaient de nouveaux comportements, aient eu quelque effet sur la résolution présidentielle de mettre de l'ordre dans le secteur parapublic. Mais comme elles reprenaient à leur tour des critiques plus anciennes, largement connues de la présidence ivoirienne (notamment l'expertise de Laugier, cf. Compagnie française d'organisation 1972), il serait dès lors extrêmement difficile de mesurer exactement l'efficacité de chaque sédimentation dans la préparation du terrain de la réforme.

On inclinera donc ici à interpréter les alertes des organismes financiers extérieurs — au premier titre desquelles figure le rapport de B. den Tuinder établi au nom de la Banque mondiale (Den Tuinder 1978) comme coalescentes aux résolutions et intérêts proprement internes dans le mouvement de réforme : elles contribuent, avec les échos intérieurs qui parviennent aux oreilles présidentielles, à la résolution du leader ivoirien de refondre les entreprises du secteur d'État.

Si la formulation de la politique publique que le gouvernement ivoirien entend désormais conduire dans le secteur des entreprises d'État échappe en grande partie aux opérateurs extérieurs, il ne s'agit pas pour autant de tirer un trait sur eux en les reléguant hors du champ de cette politique ; une partie des décisions prises à l'égard de telle ou telle société après 1980, la dimension financière de la politique de réforme ensuite seront, on en conviendra, sensibles à certaines recommandations et injonctions externes et, en tout état de cause, délimitées par les grandeurs financières tracées dans le cadre des grands équilibres des comptes publics et extérieurs d'ajustement fixés avec ou par les bailleurs de fond.

Si les fondements de la réforme ne doivent presque rien aux sommations externes et si son contenu ultérieur ne leur est que très partiellement redevable, il reste alors à s'interroger sur la présence massive et récurrente, dans les divers programmes des bailleurs de fonds, et notamment les PAS de la Banque mondiale, de multiples mesures de transformations à réaliser, à l'échelle sectorielle ou individuelle des entreprises publiques, et des nombreux engagements obtenus auprès des autorités ivoiriennes en ce domaine, ainsi qu'on l'a vu précédemment. Ces indices, qui peuvent logiquement entretenir et conforter la croyance selon laquelle la réforme des entreprises publiques serait bien le fait des intervenants extérieurs, Banque mondiale en tête, gagnent leur intelligibilité s'ils sont, eux aussi, parfaitement situés dans le temps. A défaut de cet effort les plaintes et revendications de la Banque se présentent en véritable trompe l'œil.

L'ensemble de ses résolutions visait en réalité non pas à modifier le paysage parapublic des années 70, mais à faire revenir les autorités d'Abidjan sur les régimes modifiés ou créés à partir de 1980, jugés par la Banque d'inspiration trop administrative, à faire échapper un certain nombre d'organismes qui bénéficiaient de subsides extérieurs à la désormais stricte réglementation des établissements publics et à convaincre le gouvernement ivoirien du bien fondé d'un retour, pour la majorité d'entre eux, à la qualité de société d'État. L'attitude de la BIRD ne consiste pas à se plaindre d'un régime parapublic en vigueur jusqu'à la fin des années soixante-dix en exigeant une première grande réforme du secteur, mais bel et bien à se plaindre des transformations introduites en 1980 par le gouvernement ivoirien, c'est-à-dire en dehors d'elle. C'est ce qui expliquera, par exemple, la décision de la Banque de dépêcher un inspecteur général des finances français pour une expertise des nouvelles conditions d'exercice de la tutelle. La Banque ignorera pendant plus d'un an les termes exacts de la réforme de 1980, son contenu « technique » et ses effets comptables et financiers et c'est ce qui explique également que jusqu'en 1981 aucun document en provenance de la Banque (courrier, télex, memorandum, rapport de mission et d'audit, etc.) n'intègrera ces modifications de fonds opérées par les autorités ivoiriennes dans le champ des entreprises publiques. On reviendra sur ces points. Retenons essentiellement à ce stade que les interventions des bailleurs de fonds ne sont pas instituantes mais, plus simplement, réactives.

2. Le contentieux Banque mondiale/gouvernement ivoirien

Non seulement, on l'a vu, les grandes orientations de réforme parapublique de 1980 sont dessinées, pour l'essentiel, en dehors des volontés et conceptions des bailleurs de fonds mais encore la plupart des efforts que leur leader, la Banque mondiale, déploiera pour réaménager le système parapublic dans un sens plus conforme à ses intérêts, objectifs et conceptions donneront lieu à un épais contentieux avec les autorités ivoiriennes (2). Entre 1980 et 1986, la Banque n'a cessé de tenter de faire revenir les autorités ivoiriennes tantôt sur les principes, tantôt sur les détails techniques de la réforme. A défaut, elle a fait pression pour faire échapper tel ou tel organisme aux rigueurs qu'elle percevait dans la nouvelle organisation et le nouveau fonctionnement des entreprises publiques.

Les assauts de la Banque

La Banque s'était contentée d'émettre, tout comme le FMI, un certain nombre de critiques d'ordre exclusivement financier

(2) Les indications qui suivent sont extraites d'une abondante documentation qui nous a été fournie çà et là et dont la double origine permet de restituer les points de vue et les prises de position des deux parties. Cette information a été vérifiée et complétée par de nombreux entretiens.

à la fin des années 70 et de suggérer des améliorations. Elle n'a pas été associée aux phases préparatoires de la réforme de 1980, et s'en tenait toujours, à la fin de cette même année, au paysage parapublic tel qu'il s'était organisé, de fait, dans la décennie précédente. Elle n'a pas été immédiatement attentive aux profondes et nombreuses refontes qui s'élaboraient à Abidjan entre la Présidence, le Ministère d'État II, le Ministère de l'Economie et des Finances et la Chambre des comptes de la Cour Suprême. Ce n'est que dans la seconde moitié de l'année 1981 qu'elle fut alertée de l'importance des restructurations décidées et qu'elle s'inquiéta des effets jugés trop bureaucratiques et centralisés de la nouvelle donne dans l'espace parapublic ivoirien.

— *La mission conjointe BIRD/CCCE.* En effet, dans le cadre partiel de la préparation du PAS I de novembre 1981 et de l'établissement d'un bilan-diagnostic du secteur parapublic, elle prit l'initiative d'envoyer à Abidjan une mission conjointe BIRD/CCCE en février-mars 1981. Il s'agissait alors exclusivement pour les experts d'analyser les graves problèmes financiers du secteur, dus non seulement à son endettement extérieur mais aussi aux importants arriérés de l'État, et de vérifier la situation précise de quelques entreprises. Elle procéda donc à un audit organisationnel, économique et financier de quinze entreprises publiques (BIRD* 1981a). Le rapport provisoire de synthèse de ces audits (dit rapport d'études de cas) réalisé en juillet 1981, était très explicite. Si quelques recommandations financières de redressement figuraient bien à l'examen de la plupart des entreprises, un seul rapport d'audit faisait une très brève allusion au changement de statut de l'entreprise étudiée (celui portant sur la SOGEFIHA). Rien n'était dit sur les transformations qui avaient également affecté neuf autres entreprises (les cinq restantes étant des sociétés d'économie mixte dont le régime et la qualification n'ont pas été modifiés en 1980). Dans quelques cas les experts de la BIRD éprouvaient des difficultés à situer le régime de l'entreprise étudiée (alors qu'une clarification de principe était intervenue en septembre et novembre 1980). Il arriva même à l'un des auditeurs de commettre une grossière erreur sur la nature juridique de l'organisme sous revue, présentant la SICOGI en tant qu'établissement public industriel et commercial alors qu'il s'agissait d'une société d'économie mixte qu'il n'a jamais été question de faire entrer davantage dans le giron de l'État. Cette erreur modifiait pourtant manifestement les termes d'analyse comptable de l'entreprise en question. Dans la quasi totalité des cas la situation organisationnelle et financière, les résultats obtenus et les perspectives d'avenir étaient appréhendés dans le cadre opérationnel antérieur aux réformes de 1980.

C'est justement très vraisemblablement au cours de leurs investigations que les auditeurs, troublés par ces changements qu'ils ne maîtrisaient pas (3) alertèrent les organismes dont ils dépendaient (Banque mondiale et CCCE). Comme le rapport final et de synthèse (tome I) présentant les études de cas (tome II reprenant la version de juillet 1981)) ne fut rédigé qu'en janvier 1982 (BIRD-CCCE 1982), ses auteurs se sont autorisés de cette tardive rédaction (à moins que le retard n'ait été précisément aménagé pour tenir compte des modifications « de terrain ») pour développer leur appréciation de l'application faite, dans le courant de l'année 1981, des nouvelles mesures de tutelle et de contrôle des entreprises publiques prises par le gouvernement ivoirien à partir de 1980. L'exploitation tardive des principales conclusions de cette mission empêcha d'ailleurs les experts de la Banque d'inclure dans le premier PAS signé en novembre 1981 le catalogue des infléchissements et corrections par rapport à la refonte de 1980 que leur inspiraient ces investigations conjointes. Ils exercèrent de fortes pressions sur le gouvernement ivoirien dans des opérations concomitantes mais indépendantes de la mise en œuvre du PAS I et durent se résoudre à attendre les longues négociations préparatoires au PAS II pour présenter un memorandum complet des revendications de la Banque dans le domaine des entreprises publiques.

Le document de synthèse de la mission conjointe BIRD/CCCE achevé en janvier 1982 se présente, de manière tout à fait significative, en deux volets. Dans une première partie les experts de la Banque développent leur interprétation sur les causes des problèmes rencontrés par les entreprises

---

(3) Pas moins cependant, pour les raisons qu'on verra, que les chefs d'établissements audités.

publiques ivoiriennes (*ibidem*, pp. 3-10). Imprécisions, pluralité et contradictions des missions qui leur sont confiées (vocation commerciale et service d'intérêt général) les rendent faiblement productives (SODESUCRE, EECI, OPT, SOTRA). Certaines disposent de ressources trop modestes, d'autres sont figées par des surinvestissements manifestes (PALMINDUSTRIE). L'absence d'autonomie de gestion interdit l'équilibre et la fiabilité de la structure financière (SOGEFIHA). Les conseils d'administration, constitués de « prestigieux représentants » sont jugés totalement inopérants et la bonne orientation des entreprises publiques est hypothéquée soit par leur trop grande taille qui empêche les ministères techniques, plus modestes, d'exercer sur elles un contrôle efficace, soit du fait que la société de développement manque totalement d'autonomie par rapport aux services de l'État. Le contrôle d'État s'est avéré totalement défaillant. La médiocrité des résultats financiers des entreprises publiques s'explique par le coût élevé des structures de gestion bien moins productives que dans le secteur privé, par l'inadaptation profonde (longueur des délais et complexité des procédures budgétaires) des mécanismes de financement (notamment en matière de mobilisation de ressources externes), par les retards considérables dans les mises à disposition des fonds en provenance de l'État ivoirien. Les procédures de contrôle interne sont jugées inexistantes, les sytèmes comptables en faillite. Les experts regrettent que la comptabilité analytique ne soit aucunement pratiquée dans le secteur parapublic etc. Il est inutile de prolonger les termes de ce réquisitoire : il s'agit bien d'une analyse renvoyant au mode d'organisation et de fonctionnement des entreprises publiques tel qu'il était en vigueur jusqu'en 1980.

Mais, entretemps, les mesures de redressement et de réorganisation prises par le gouvernement ont interpellé les auditeurs sur le terrain même de leurs investigations et c'est pourquoi, si les rapports individuels d'audit s'en tiennent toujours au cadre précédent, le nouveau cadre institutionnel et financier décidé par les autorités d'Abidjan depuis 1980 fait l'objet de la seconde partie du document introductif (*ibidem*, pp. 11-24). Dans ces pages la BIRD développe ses critiques autour de trois thèmes. En premier lieu elle conteste la pertinence du nouveau classement des entreprises publiques et le trouve inadapté pour un certain nombre de structures. En second lieu elle s'inquiète des effets de la politique salariale que le gouvernement se propose de mettre en œuvre dans les organismes parapublics (4), et souhaite, pour des raisons de productivité, que l'alignement des salaires sur les grilles de la fonction publique soit abandonné ou, tout au moins, qu'il laisse la place à des compléments de rémunération qui encouragent les rendements et tiennent compte de la vocation commerciale des structures concernées. Enfin la Banque remet en cause les nouvelles dispositions régissant le contrôle a priori des établissements publics. Elle ne comprend pas l'utilité du contrôleur budgétaire, l'une des innovations du régime nouveau. Ce contrôle *a priori* est jugé malsain, incompatible « avec le développement d'un esprit d'entreprise : (*ibidem*, p. 18), inadapté aux missions des structures parapubliques et notamment celles d'encadrement du monde agricole et introduisant une regrettable dualité de compétence avec le directeur de l'entreprise publique (5) pouvant conduire à une dilution de responsabilité. La Banque préconise donc la disparition de ce contrôle *a priori*, à défaut son assouplissement, estimant que les contrôles *a posteriori* exercés dans le cadre de la tutelle et sur la base des audits doivent amplement suffire. Enfin, exprimant ses « recommandations conclusives » (*ibidem* pp. 23-24) la BIRD souhaite voir développer un ensemble de contrats de programme concernant dans un premier temps la SOTRA, la CIDT, PALMINDUSTRIE et l'OPT, invite à la mise en place de sytèmes de gestion interne fortement décentralisés à l'échelle de chaque entreprise publique, suggère la constitution de comités ad hoc sur la politique salariale et sur l'étude des simplifications à réaliser en matière de procédures administratives.

---

(4) En réalité si le gouvernement prévoit déjà de drastiques mesures en matière de rémunérations dans ce secteur, il devra reporter plusieurs fois l'application des décisions sous la pression des personnels concernés. Ce point sera examiné plus loin dans l'étude.

(5) Ce thème très précis de la « dualité de compétence », qui sera repris de façon récurrente par la Banque tout au long de ses rapports contentieux avec le gouvernement ivoirien représente beaucoup moins une appréciation propre à la Banque qu'il ne reflète les angoisses exprimées à ses experts par les chefs d'entreprises publiques auditées, effrayés par l'irruption soudaine de deux nouveaux acteurs financiers dans les entreprises publiques, et vus comme des concurrents par les directeurs : l'agent comptable et le contrôleur budgétaire.

Ce document avait donc valeur de double aveu : il prouvait la non intervention de la Banque, chef de file des bailleurs de fonds, dans les premières et décisives opérations de réforme des entreprises publiques ; il manifestait d'autre part la diversité et l'importance des désaccords entre elle et les autorités ivoiriennes à propos du nouveau cours donné au secteur parapublic national.

En dépit des pressions exercées par la Banque (audiences, envoi de télex, de lettres, de notes, etc. au président ivoirien et au ministre de l'Economie et des Finances) ce rapport conjoint ne modifia pas l'attitude du gouvernement ivoirien. Dès sa réception le ministre de l'Economie et des Finances l'avait fait analyser par ses plus proches collaborateurs du cabinet et des grandes directions administratives de son département. Une ferme argumentation, reprenant et répondant négativement à chaque élément du rapport BIRD/CCCE, fut préparée par la Direction générale des finances et adressée à ces deux organismes, tout d'abord sous forme d'une note longue et détaillée de quatre pages dactylographiées datée du 24 février 1982 et sous forme d'un document confectionné le 5 de ce même mois (« *Vade-mecum* du contrôle budgétaire », 14 pages dactylographiées). Ce dernier développait l'analyse technique du régime du contrôle budgétaire nouvellement mis en place et était initialement conçu à destination des agents des finances parapubliques et des chefs d'établissements publics. La note du 24 à l'adresse de la BIRD et de la CCCE les renvoyait à ce texte pour une meilleure information. Ces deux textes se présentent comme une ardente défense et illustration des nouvelles disciplines comptables, financières et budgétaires instaurées dans l'univers des entreprises publiques. La note du 24 février manifestait en outre le regret de voir que la Banque mondiale feignait d'ignorer une dimension essentielle de la réforme critiquée à savoir « la volonté politique qui a présidé aux grandes orientations de la réorganisation » visant à éviter les errements passés, à mettre au pas les personnels dirigeants des entreprises concernées, à arrêter efficacement la dégradation des finances de l'État et justifiant par là même le renforcement des contrôles dans l'unité reconstituée des finances publiques. Les responsables ivoiriens du ministère de l'Economie et des Finances invitaient donc la BIRD et la CCCE à prendre connaissance de ce document censé pouvoir répondre à toutes leurs questions et apaiser toutes leurs craintes.

— *L'expertise d'un Inspecteur général des finances.* Inquiétée par tant d'obstination et surprise par tant de résistance, la BIRD diligenta un inspecteur général des finances — du ministère français de l'Economie et des Finances — chargé par elle de réaliser une expertise relative au « système de tutelle administrative, financière et technique des entreprises publiques » mis en place récemment par les pouvoirs publics ivoiriens. Cette mission, préparée par une abondante documentation remise à l'expert par la BIRD, fut réalisée du 17 au 27 novembre 1982 et donna lieu à la rédaction d'un rapport (R.F., Inspection générale des finances 1982). Ses principales conclusions (6) étaient les suivantes. En premier lieu il exprimait son approbation à l'endroit de la conception globale du système des rapports État/entreprises publiques, des trois grandes catégories d'organismes institués (Sode, SEM, EPA, EPIC), ainsi que leur régime modulé en raison du degré d'attachement à l'État (à partir du critère des transferts financiers) (*ibidem*, p. 3 et s.). S'agissant particulièrement des établissements publics nationaux (EPN), objets principaux des émois de la Banque mondiale, il parvenait aux appréciations suivantes :

— le resserrement des contrôles par l'État se justifie pleinement dans les EPA ;

— la séparation (nouvelle dans les faits à défaut de l'être dans les textes) ordonnateur/comptable apparaît normale et pleine d'avantages. Cependant, pour éviter des blocages, l'expert recommandait de prévoir un droit de réquisition du comptable par l'ordonnateur ;

— l'instauration du contrôle budgétaire est sans doute nécessaire pour mettre fin aux abus et dérèglements antérieurs. Mais il est rappelé que le contrôleur ne doit pas être seulement

(6) Les indications qui suivent sont tirées du projet de rapport que l'inspecteur rédigea en décembre 1982. Celui-ci a l'avantage de ne pas être édulcoré par les transactions ultérieures qui porteront sur la forme et le contenu de la version définitive.

le gendarme des finances publiques mais devenir aussi un conseiller en gestion ;

— les rémunérations des personnels doivent certainement englober, dans les EPIC, des primes spécifiques. D'une manière générale, au lieu de réduire brutalement les rémunérations, l'expert proposait de les figer un moment pour les faire revenir à un niveau plus proche des grilles de la fonction publique ;

— le classement des entreprises publiques doit comporter des assouplissements pour les deux ports (dont il reconnaissait que dans la plupart des pays ce sont, comme en Côte-d'Ivoire depuis la réforme, des établissements publics, contrairement aux allégations des experts de la Banque), pour la SATMACI et un statut spécial pour la Caisse autonome d'amortissement (CAA) qui a des activités de banque. Il recommandait de transformer la SIETHO (qui gère des complexes hôteliers) d'EPN en Sode ou en SEM, la SODEFOR d'EPA en EPIC, de même que la MOTORAGRI ;

— le régime budgétaire des EPN (surtout ceux des établissements à « activité fluctuante » c'est-à-dire les ex-Sode agricoles) devrait être plus indicatif que limitatif ;

— les marchés administratifs sont jugés trop lourds et complexes, leur procédure demande à être revue ;

— une pause est recommandée aux autorités ivoiriennes dans les réformes entreprises.

Ce rapport était donc, en définitive, beaucoup plus nuancé que ne l'aurait souhaité la Banque mondiale, l'expert sollicité se montrant fort autonome dans ses appréciations par rapport aux matériaux informatifs — et à leurs orientations — qui lui avaient été remis par la Banque en préparation à sa mission. L'économie générale de la réforme ivoirienne lui apparaissait justifiée, équilibrée, pertinente. D'autre part une des originalités du rapport (une de ses qualités doit-on dire si l'on veut bien sortir du paradigme que la Banque mondiale tentait d'imposer) était d'intégrer des dimensions négligées ou rejetées délibérément par le commanditaire. En effet l'expert n'hésitait pas à aborder la situation antérieure à la réforme marquée par de nombreux abus, gaspillages, etc. Il tenait compte de la nécessité d'y mettre fin. Toutes les mesures critiquées par la

Banque et soumises par elle à l'examen de l'inspecteur des finances commençaient, chaque fois, par le rappel des pratiques passées et les réorganisations examinées s'en trouvaient dès lors, comme naturellement, justifiées. Beaucoup plus prudent, nuancé, informé que les représentants de la Banque, l'expert s'était mis en position de mieux comprendre certains des enjeux (politiques et patrimonialistes notamment) de la réforme de 1980 et la rigueur des solutions retenues. La Banque n'obtenait manifestement pas l'appui espéré (7).

— *Le siège des ministères.* La Banque mondiale dut se résoudre à partir à l'assaut de la citadelle gouvernementale avec ses propres moyens de pression et d'influence. On conviendra qu'ils n'étaient potentiellement pas minces dans cette période 1982-1983 où, on l'a vu précédemment, la crise ivoirienne s'approfondissait requérant de nouveaux prêts du FMI, de la Banque mondiale et de la CCCE. N'ayant pu, pour les raisons signalées plus haut, intégrer ses réactions à la réforme de 1980 dans le premier PAS de novembre 1981, la BIRD se proposait de profiter des longues et complexes négociations préparatoires au PAS II signé en juillet 1983 pour obtenir des autorités ivoiriennes les corrections et assouplissements qu'elle jugeait nécessaires. On a déjà entrevu que ses exigences à l'endroit du secteur des entreprises publiques modifié à partir de 1980 étaient moins explicitées dans les conditionnalités formelles, officielles et rendues à peu près publiques du deuxième prêt qu'elles n'étaient développées par le détail dans un memorandum portant « déclaration de politique économique » (BIRD* 1983) confectionné par elle au printemps 1983 et qu'elle avait soumis au gouvernement ivoirien le 25 mai.

---

(7) Il convient sans doute de faire remarquer que la formation et la culture administrative française de l'expert devait le rendre prédisposé à « comprendre » les orientations et le contenu d'une réforme conçue dans la mouvance idéologique et institutionnelle du système parapublic de l'ancienne puissance coloniale (même s'il ne s'agit point d'un simple décalque car nombre de mesures introduites dans la réforme ivoirienne ont été imaginées et instituées par rapport à la situation interne et antérieure du secteur) et, qui plus est, mise en œuvre avec l'aide consistante de nombreux assistants techniques français.

Ce texte faisait suite à de nombreux échanges, verbaux et écrits, entre la Banque et les autorités ivoiriennes concernées par le secteur parapublic et ces échanges sur le sujet avaient pris une forme régulière et une nouvelle densité à partir de la fin de 1982. Les experts de la BIRD avaient donc eu l'occasion de transmettre, à plusieurs reprises, un catalogue de questions et de critiques. Le ministre ivoirien de l'Économie et des Finances coordonnait ces échanges, organisait les séances de travail, enregistrait les doléances qu'il faisait ensuite examiner par la commission dite *ad hoc* réunissant les responsables de son département, ceux du ministère de la Fonction publique ayant compétence sur ce dossier (le secrétariat général à la réforme administrative) ainsi que des conseillers de la Chambre des comptes de la Cour suprême. Cette commission, qui rassemblait, selon les séances, de 10 à 20 personnes, analysait les interrogations et propositions de la Banque, préparait les réponses techniques et argumentées que le ministère mettait en forme et adressait ensuite à ses interlocuteurs. Les réflexions de la commission donnaient lieu à la rédaction de comptes rendus dont la lecture atteste que la partie ivoirienne a défendu pied à pied « sa » réforme et que les vagues successives de plaintes de la Banque sont, dans la très grande majorité des cas, venues s'échouer sur cette résistance hardie et convaincue.

Les relations tendues entre ses experts et les responsables des départements ministériels, outre les points qui seront repris dans le document du 25 mai, s'étaient notamment cristallisées, au mois de mars 1983, sur la question du type de comptabilité retenu dans les entreprises publiques. La Banque exprimait ses vives inquiétudes que les entreprises soient soumises à une comptabilité trop administrative. Elle réclamait donc des éclaircissements et des engagements fermes à la partie ivoirienne. La commission ad hoc se plût à renvoyer ses interlocuteurs à une lecture attentive des dispositions arrêtées et publiées depuis 1980. S'agissant des SODE et des SEM le système de comptabilité commerciale demeurait parfaitement inchangé. S'agissant des établissements publics nationaux il était rappelé aux experts de la Banque qu'ils étaient soumis au système de comptabilité publique, ce que redoutaient bien évidemment ces experts. Aussi la commission, avec beaucoup de fermeté et un brin de malice, s'efforçait-elle d'apaiser ces craintes en rappelant adroitement que le plan comptable des EPN, fixé par un décret du 18 février 1981, « a été volontairement calqué sur le plan comptable ivoirien (celui qui sert à la présentation de leurs comptes par les entreprises privées) et qu'il est, quant aux comptes utilisés et aux documents produits, quasiment identique à la comptabilité commerciale » (Commission *ad hoc*, *Compte-rendu de séance du 14 mars 1983*, 6 pages dactyl.). C'était, à n'en pas douter, mettre la Banque en face de ses ignorances et lui montrer, avec humour, que ses récriminations étaient un tant soit peu nominalistes.

Les débats en réalité durèrent de longs mois car, derrière la question apparente de la technique comptable à mettre en œuvre, les luttes doctrinales étaient vives et les enjeux fort importants. Le premier point en discussion mettait aux prises deux conceptions très différentes des finances publiques et du fonctionnement des agences de l'État : l'une, plus étatiste, tenant compte de l'origine publique des fonds utilisés et n'admettant des démembrements fonctionnels de l'État que dans la mesure où ils se trouvent compensés ou délimités dans l'incorporation organique de ses satellites ; l'autre, dite plus libérale, portant l'accent sur l'efficacité des utilisations faites des ressources publiques et suscitant souplesse relationnelle et autonomie d'action. Au souci scrupuleux de vérifier la régularité des opérations répondait en contrepoint la préoccupation de ménager la pleine responsabilité des agents. Pour grossière que soit cette opposition on aura reconnu la doctrine d'inspiration française des finances publiques et la doctrine en vigueur dans le monde anglo-saxon (8). Le second point en discussion portait sur les circuits comptables, le rôle de l'agent comptable, le sens de la séparation ordonnateur/comptable, l'identification des responsabilités de chef d'entreprise publique, les experts de la Banque ne comprenant pas, ou feignant de ne pas comprendre, que le double circuit hiérarchique d'une entreprise publique lié au modèle « jacobin » (hiérarchie financière parallèle à la hiérarchie administrative et technique) était un des moyens d'assurer le contrôle des autorités politiques sur la gestion de deniers en provenance de l'État.

---

(8) Ces échanges engagent naturellement beaucoup plus que la simple opposition entre deux « philosophies » de l'État.

— *La déclaration de politique économique.* Quant à la « déclaration de politique économique » soumise au gouvernement le 25 mai 1983 par la Banque mondiale, l'une des annexes de ce document intitulée « proposition de calendrier pour l'aménagement du système de tutelle des entreprises publiques » reprenait sur 6 pages l'inventaire précis et général des revendications de la Banque et fixait un échéancier de réalisation de chaque proposition. Ce sont au total 33 points sur lesquels la Banque se proposait d'arracher des modifications et des annulations. Ce catalogue revendicatif s'organisait autour de 10 rubriques :

— *l'agence comptable :* préciser la position de l'agent comptable dans la hiérarchie administrative et son rôle par rapport au directeur de l'établissement, déterminer qui est l'ordonnateur ; préciser le type de comptabilité (publique ou commerciale) à tenir ; préciser le droit de réquisition du directeur sur l'agent comptable ; préciser la procédure d'une double signature en cas d'absence de l'agent comptable ; préciser la mise en place de régies de recettes et de dépenses ;

— *le contrôle budgétaire :* préciser le rôle du contrôleur (gendarme ou avocat de l'entreprise) ; délimiter la période de dispensation de son visa ; préciser que les budgets de certaines entreprises sont indicatifs et non limitatifs ; autoriser les transferts de chapitre à chapitre ; prévoir des contrôleurs intérimaires en cas d'indisponibilité du titulaire ;

— *les SEM et les SODE :* déclarer officiellement une pause à la transformation en établissements publics des actuelles SODE et SEM ; constituer d'urgence des conseils de surveillance des SODE ; imposer un minimum de deux réunions annuelles des conseils d'administration ; nommer des délégués du gouvernement dans les plus importantes d'entre elles ; porter à trois le nombre de conseils auxquels les cadres qualifiés du ministère ont le droit de participer ;

— *les audits et la direction des participations :* dans les EPIC faire effectuer les audits en liaison avec le contrôleur budgétaire ; étendre l'audit des SODE et des SEM à la gestion financière et technique ; prévoir des audits contradictoires avec droit de réponse des directeurs d'entreprises ; mettre en place un audit tous les deux ans en moyenne par entreprise ; corriger ou sanctionner les abus dénoncés à l'occasion des audits ;

— *le nouveau classement des entreprises publiques :* convenir que ce classement n'a aucun caractère définitif et qu'il a vocation à évoluer en fonction de l'environnement économique et financier ; reclasser deux EPA en EPIC (SODEFOR et MOTORAGRI), envisager la privatisation de la SATMACI ; accepter le principe d'un reclassement à moyen terme de certains EPIC en SODE ou en SEM ; étudier un statut particulier pour le PAA et la CAA ;

— *la trésorerie des entreprises publiques :* assurer la mise en place régulière des moyens financiers à la charge de l'État ; éviter tout recours des entreprises publiques au découvert bancaire ; étudier la possibilité d'émission de bons du Trésor ; préciser les conditions de gestion des comptes ouverts au Trésor et assurer leur flexibilité ; autoriser certaines entreprises à disposer de comptes en banque ;

— *les contrats-plan :* arrêter une liste précise et un calendrier de mise en œuvre pour les entreprises bénéficiaires ; celles-ci seront prioritairement celles assurant un service public et assujetties à des contraintes tarifaires, les entreprises disposant d'un quasi monopole, enfin certaines entreprises chargées d'un programme de développement dans le secteur primaire ;

— *les marchés des entreprises publiques :* faire procéder à une étude générale des circuits et procédures administratives de passation des marchés ;

— *les rémunérations des personnels :* inviter le gouvernement à faire réaliser une étude générale sur le problème et prévoir des statuts particuliers indispensables à certaines entreprises ;

— *programme de formation :* mettre au point un programme de formation des contrôleurs budgétaires dans trois directions : analyse comptable, analyse financière et contrôle de gestion.

Il n'a pas paru superflu de rapporter ce long inventaire pour plusieurs séries de raisons. Le document préparé par la Banque permet de mettre en perspective ses revendications et la situation qui prévaudra ultérieurement dans le secteur parapublic ivoirien et, par voie de conséquence, favorisera la mesure de son influence sur le cours d'une réforme déjà lancée depuis trois ans. En attendant de procéder à cette évaluation ce document présente l'irremplaçable avantage d'exprimer l'état de connaissance des experts de la Banque des principes et des thèmes techniques de la réforme engagée en 1980, dont l'essentiel est déjà alors acquis et la mise en œuvre largement engagée dans le fonctionnement et l'organisation des entreprises publiques. Or, sur ce plan, le texte suscite la plus grande perplexité. Sous le rapport de leur exactitude à l'endroit du contenu réel des réorganisations menées par les responsables ivoiriens et des chances de les voir accepter par eux, les récriminations et demandes de la Banque peuvent être fractionnées en trois grandes masses.

Une première masse est composée de modifications prêtes à être approuvées par le ministère de l'Economie et des Finances car elles rejoignent les préoccupations de ses propres services déjà acquis à des aménagements limités et fonctionnels des nouveaux dispositifs. A ce titre le droit de réquisition de l'agent comptable, le délai de délivrance du visa par le contrôleur budgétaire, la quasi totalité des propositions en matière d'audits sont des points pratiquement acquis : la documentation du ministère l'atteste bien (source : enquêtes et entretiens). Quant à la pause sollicitée dans les transformations d'entreprises en établissements publics, il suffit, pour se convaincre de la légèreté de cette proposition, de consulter les tableaux présentés dans les chapitres précédents de cet ouvrage : au milieu de l'année 1983 la très grande majorité des décisions sont prises, toutes les ex-SODE ont été reclassées (ou maintenues), il ne reste que quelques entreprises à identifier clairement mais dont la qualification d'établissement public ne fait pas de doute. Quant aux sociétés d'économie mixte, il n'a jamais été question, dans les sphères gouvernementales, de les étatiser davantage. La demande de pause apparaît donc tout à fait superflue.

La deuxième masse de revendications de la Banque révèle de sa part une surprenante et profonde méconnaissance des innovations et transformations opérationnelles introduites depuis les premiers textes de réforme de l'année 1980. Qu'il s'agisse des assouplissements exigés en matière de contrôle budgétaire, d'agence comptable ou de la proposition d'interdire aux établissements le recours direct à l'endettement, etc. : les dispositifs contiennent déjà ces mesures (le contrôle budgétaire n'est pas d'opportunité mais de régularité, les agents comptables secondaires sont prévus, l'endettement direct est formellement interdit par les nouvelles réglementation de l'État, etc.). Les représentants de la Banque semblent alors se comporter comme s'ils n'avaient pas pris connaissance des nouveaux textes arrêtés depuis 1980 et comme s'ils n'avaient pas lu les notes techniques longuement illustrées et argumentées que les services du ministère de l'Economie et des Finances leur avait déjà adressées en réponse aux critiques contenu dans le rapport de la mission conjointe BIRD/CCCE et au rapport d'expertise de l'inspecteur général des finances.

La troisième masse de propositions entrait en contradiction avec certaines des conditions de fond de la réforme et exposait la Banque, par voie de conséquence, à se voir opposer une fin de non recevoir des autorités ivoiriennes ; il n'est certainement pas question pour elles de revenir sur les principes et le contenu des reclassements, sur l'interdiction d'ouverture de comptes bancaires par les établissements publics, d'autoriser sans condition des transferts dans les masses budgétaires de chapitre à chapitre, de moduler ouvertement et *a priori* la politique des rémunérations, etc. Car il s'agit, à travers tous ces points névralgiques, des verrouillages institutionnels et financiers par lesquels les autorités, présidence en tête, ont remis au pas et contrôlent désormais les organismes et dirigeants du secteur parapublic. En conclusion on ne peut que demeurer confondu par l'état de connaissance et le sens des revendications exprimées par la Banque mondiale. Ses experts espéraient-ils, dans ces conditions, obtenir satisfaction ? On n'est pas peu surpris de tant de maladresse affichée dans la préparation d'un cycle difficile, long, complexe et nécessairement tendu de négociations. Naïveté, impréparation du dossier, grossier acharnement tactique ? L'hésitation est permise.

En tout état de cause, fidèle à une démarche à présent assurée, le ministre de l'Économie et des Finances saisissait pour étude la commission *ad hoc* et la Chambre des comptes. Après examen, il était proposé de rejeter la plupart des exigences de la Banque jugées contraires à la logique et à l'exposé des motifs de la réforme. Sur deux points techniques la Banque obtenait des accommodements : celui des virements de chapitre à chapitre, pour lesquels un arrêté ministériel devait toujours intervenir mais dans des délais désormais réduits (15 jours en principe) ; celui des remaniements budgétaires : était recherchée une certaine souplesse dans les EPN aux ressources fortement fluctuantes ou disposant de concours extérieurs (principalement les entreprises du secteur primaire). Mais cette souplesse s'opposait au principe de la compétence parlementaire en matière budgétaire. Tout remaniement aurait donc dû être voté dans les mêmes termes et les mêmes conditions que le budget initial. Une solution conciliant ces exigences contradictoires fut trouvée par la commission *ad hoc* dans l'annexe fiscale (article 25) à la loi de finances pour l'exercice 1984 (9) qui autorisait les EPN, dans certains cas, à utiliser des ressources supplémentaires par rapport au budget initial.

Bilan de la campagne

Quel bilan peut-on tracer de ces pressions, démarches, interventions ? Qu'en reste-t-il dans l'organisation et le fonctionnement avéré des entreprises du secteur parapublic à la fin de la décennie 80 ?

— *Le résultat des interventions de la Banque*. Quelques remarques préalables. En premier lieu le caractère tardif et réactif des revendications de la Banque par rapport au train des réformes arrêtées et mises en œuvre interdisait par hypothèse une prise en compte totale car cela revenait alors soit à lancer une seconde réforme, soit à abroger celle engagée depuis 1980... En second lieu beaucoup d'objections, critiques, propositions de la BIRD furent rejetées, soit parce qu'elles constituaient une remise en cause jugée inacceptable par les autorités ivoiriennes des principes fondamentaux de la réforme, soit parce que les dispositons réclamées étaient déjà prévues dans les nouvelles règles de fonctionnement et d'organisation du secteur parapublic. En outre quelques revendi-

(9) Cette modification aurait pu poser un intéressant problème juridique car elle passait par un texte de valeur législative alors qu'elle concernait en réalité l'application de l'article 12 du décret du 18 février 1981 portant régime financier et comptable des EPN. Elle ne relevait donc pas de la compétence du législateur mais de celle du gouvernement. Problème posé aux juristes : que se passerait-il si un contrôleur budgétaire refusait à l'EPN le bénéfice de cet article 25 de la loi de finances ?

cations étaient trop éloignées des réalités pour pouvoir être raisonnablement prises en compte. A joué dans le sens de l'échec objectif de quelques-unes de ses revendications l'évolution des conjonctures (économiques, financières etc.) qui pouvait rendre désormais incompatible des projets de la BIRD avec les situations nouvelles. C'est l'exemple type des contrats de plan : solution attractive en début de période d'ajustement structurel, la Banque souhaite la voir mettre en place dans une demi-douzaine d'entreprises avant de l'étendre à d'autres. La crise croissante des finances publiques, la difficulté grandissante à obtenir des engagements clairs et précis des services de l'État sur les moyen et long termes expliquent qu'un seul contrat de programme, celui de la SOTRA, ait été signé. Enfin, le gouvernement ivoirien eut beau jeu de renvoyer les bailleurs de fonds à leurs propres contradictions. Deux exemples instructifs : alors que le FMI invitait à la réduction de la masse salariale à la charge de l'État, la BIRD renâclait devant la perspective de l'alignement des rémunérations parapubliques sur la grille de la fonction publique ; alors que le FMI imposait la réduction des transferts financiers de l'État (dotations et subventions), la BIRD réclamait le retour à des budgets d'entreprises publiques purement indicatifs et non plus limitatifs.

S'il est, globalement, possible d'établir un bilan assez clair du sort des revendications et tentatives d'influence des bailleurs de fonds, une analyse très précise en est rendue cependant assez délicate : ce type d'exercice comptable a tendance à occulter une dimension essentielle des interactions, celle de l'intensité et de l'importance des points en discussion entre protagonistes. Or, tous les items revendicatifs n'ont pas le même poids, le même statut à la fois pour les bailleurs de fonds et pour le gouvernement ivoirien. Tout travail comptable aura donc la fâcheuse tendance à neutraliser ceci qui est pourtant au cœur des rapports transactionnels. C'est par rapport à tous ces préalables que le bilan suivant est avancé et proposé, qui ne concerne, pour les raisons qu'on aura aisément comprises, que le stock de doléances de la Banque mondiale.

Satisfaction lui a été donnée, soit sur la base d'un ralliement explicite de ses interlocuteurs à ses positions, soit parce que les conceptions et les intérêts (évolutifs) de ceux-ci rejoignaient ceux de la Banque, dans les domaines suivants : des subventions ont été supprimées à des sociétés d'économie mixte, le recours direct à l'endettement est en principe toujours interdit aux établissements publics et/ou centralisé pour les autres entreprises à participation financière publique majoritaire (SODE et SEM) entre les mains de la CAA. Les audits pratiqués régulièrement sur les EPIC, les SODE et les SEM le sont, globalement, selon les principes suggérés par la Banque. Le délai de délivrance du visa par le contrôleur budgétaire a été réduit ; les circuits et procédures financières et administratives en matière de marchés publics ont été expertisés et cette évaluation a débouché sur la rédaction d'un nouveau code des marchés publics (qui ne contient que peu des assouplissements demandés par la Banque au point que ce texte a été, lui aussi, ultérieurement, l'objet de la vindicte de la Banque). Sur le plan financier deux compromis ont été trouvés : les remaniements budgétaires sont admis, sous certaines strictes conditions et il est prévu des dérogations au mécanisme initial de reversement automatique dans les comptes du Trésor public des excédents des EPN (fixé par l'art 11 de la loi du 13 septembre 1980, détaillé par le décret du 4 décembre 1985 et un arrêté du 17 décembre 1985). La BIRD a obtenu une application souple de ce mécanisme pour les entreprises à vocation agricole auxquelles elle apporte son concours financier. Son inquiétude était que, sous couvert de la rigueur de la consolidation des finances EPN/État, des prêts et des aides portant sur des projets précis aillent alimenter la trésorerie générale de l'État ivoirien. S'agissant de ses « exigences » sur le statut de tel ou tel organismes, elle n'a rencontré la compréhension de ses interlocuteurs qu'à propos de la SODEFOR (et encore de manière mitigée) et peut s'estimer satisfaite de l'évolution statutaire de la CAA (10). Elle s'est vue

---

(10) Importante institution des circuits financiers publics, la Caisse autonome d'amortissement (CAA), qui remplit une double fonction — de gestion de la dette publique et de gestion de dépôts d'organismes publics — avait été initialement classée en EPIC. Ses demandes de reclassement avait été repoussées par les autorités et un arbitrage présidentiel lui avait été défavorable. Des expertises de la SEDES (qui mettaient en avant certaines difficultés à prévoir avec les négociateurs du Club de Londres — dans le cadre des rééchelonnements de dette — en raison d'un statut non bancaire de l'organisme emprunteur) ajoutées à des pressions du FMI (qui demandait la reconnaissance de la qualité

opposer de persévérants refus ou elle a essuyé des échecs de fait sur les douze autres établissements et entreprises dont elle escomptait réorienter le statut et/ou la gestion (PALMINDUSTRIE, SODESUCRE, OPT, SOTRA, SOGEFIHA, Ports autonomes, SATMACI, SODEFEL, MOTORAGRI, SIETHO, BETPA).

En contrepartie ni le système de tutelle (technique, administrative et financière), ni le schéma comptable, ni le modèle budgétaire, ni le régime du personnel, ni le système des rémunérations, ni l'économie des catégories d'organismes, ni les classements, etc. (pour ne retenir que quelques dispositifs généraux introduits par la réforme) n'ont été retouchés par les responsables ivoiriens.

Les résultats obtenus par la Banque étaient donc assez minces, et certainement pas à la mesure du déluge de reproches qu'elle avait exprimés à l'endroit de cette réforme. Si elle avait été, aux dires de beaucoup d'observateurs et d'analystes, si pesante sur le cours des choses, pourquoi se serait-elle tant plaint des orientations de la réforme et comment s'expliquerait un tel échec ? Pourtant son potentiel d'influence était grand tout au long de cette décennie d'ajustement structurel et principalement dans cette période préparatoire au deuxième PAS. Ses moyens d'action nombreux et *a priori* efficaces : lettres, rapports, notes, memorandum, déclarations, audiences, réunions de travail. Soit depuis la représentation régionale permanente de la Banque à Abidjan, soit depuis les responsables centraux à Washington. Le télex a été abondamment utilisé, permettant notamment aux directeurs de la BIRD, depuis le siège, de jouer sur la fermeté apparente et la menace ultime. Un exemple extrait d'une généreuse réalité : la Banque comptait faire revenir le gouvernement ivoirien sur la qualification d'EPIC des ports autonomes. Dès décembre 1982 elle fait connaître aux autorités d'Abidjan son inquiétude de voir adopter dans ces organismes un fonctionnement de type administratif. Les négociations sont lancées, les expertises

d'établissement bancaire avant juin 1984) ont eu raison des résistances initiales et, finalement, le 22 juillet 1988, le statut d'établissement public à caractère financier était approuvé par les autorités, permettant à l'établissement d'échapper à la plupart des disciplines imposées aux EPA et aux EPIC.

suivront (cf. A* A* 1984), les échanges seront nombreux. Un mois avant le premier rééchelonnement de la dette ivoirienne le siège de la Banque à Washington croit pouvoir clôturer ce cycle de transactions par l'envoi d'un télex aux autorités ivoiriennes (Télex BIRD Washington du 30 mars 1984) dans lequel les responsables de la Banque confirment leur souhait de voir accepter une plus grande autonomie des ports autonomes, la reconstitution d'un conseil d'administration (totalement incompatible avec le statut d'EPN) et déclarent vouloir être tenus au courant de l'évolution de la situation et recevoir copie du texte statutaire définitif sur les ports. En dépit de ces pressions télexées les deux ports autonomes seront maintenus par le gouvernement dans la catégorie des EPIC. Seule concession, peu coûteuse il est vrai : les autorités des ports seront autorisées à tenir une comptabilité analytique (favorisant en principe une analyse financière plus fine) à côté du plan comptable public auquel elles restent soumises.

Si l'on examine à présent les options tactiques successives adoptées par la Banque dans ses négociations avec le gouvernement ivoirien on est conduit aux remarques suivantes. Elle s'est battue sur deux fronts. Sur le schéma général d'organisation et de fonctionnement du secteur parapublic : la Banque a tout d'abord tenté un retour pur et simple au régime antérieur, de type sociétaire et commercial, où prospéraient les sociétés d'État, à la vertu redécouverte *in fine* par elle (11) ; elle a ensuite espéré faire reconsidérer un certain nombre des mesures générales nouvelles ; elle a enfin tenté de vider de leur substance des schémas auquel elle prétendait ne plus vouloir toucher. Sur le plan individuel des entreprises et établissements elle a tout d'abord recherché des déclassements et reclassements, essayé d'obtenir un statut particulier pour les organismes intervenants dans le monde agricole, elle s'est enfin repliée sur le front des seules entreprises auxquelles elle apportait ou désirait apporter son concours financier. Mais, on l'a vu, même avec ce profil bas ses succés sont relativement rares.

---

(11) L'aspect fallacieux de certains arguments de la Banque n'a pas échappé aux négociateurs ivoiriens. Réclamait-elle le retour au régime des SODE censé s'identifier à l'esprit d'entreprise, au dynamisme commercial, à la maîtrise des

— *Les conditions de l'influence.* — A l'issue de cet examen il est permis de proposer un certain nombre de remarques en guise de conclusion provisoire. Même en Afrique, si tributaire des concours financiers extérieurs, même pendant la dernière décennie de crise profonde et d'intervention massive des bailleurs de fonds, il est interdit de réduire l'ensemble des politiques publiques, des programmes, des restructurations et réorganisations au « paquet » constitué par les plans d'ajustement structurel mis en place sous l'égide du FMI et de la Banque mondiale (12). On l'a vu, ici, sur un thème d'action précis et alors même qu'en d'autres domaines l'influence de ces bailleurs a pu être très nette. C'est par exemple le cas en Côte-d'Ivoire des nouvelles politiques d'incitations industrielles menées sous l'étroite orientation de la Banque mondiale (pour d'autres « succès » de la BIRD dans ce pays cf. particulièrement Duruflé 1986). D'autre part le contentieux BIRD-/Côte-d'Ivoire dans le domaine parapublic n'est pas un cas isolé. Des frictions et conflits jalonnent régulièrement les relations entre les deux parties. Citons deux ou trois exemples simples : le premier projet de financement soumis à la BIRD en matière de développement intégré autour de la CIDT a été rejeté par la Banque (cf. Frélastre 1980 p. 77) (13) ; le différentiel de prix producteur en matière de café et de cacao a été l'objet d'un incessant conflit, porté sur la place publique, avec les bailleurs de fonds, ceux-ci souhaitant une baisse des prix pour tenir compte de la chute des cours mondiaux et une plus grande incitation à la production de café dont les perspectives à moyen terme leur paraissaient plus favorables.

---

coûts et au contrôle de gestion ? Il était aisé de la renvoyer à ses propres expertises : dans les années 70 « peu d'entreprises publiques disposent d'une comptabilité analytique leur permettant de prévoir, d'analyser et de contrôler la formation des prix de revient de chaque produit, service ou activité. Les dirigeants ne peuvent pas identifier correctement les domaines dans lesquels des économies de coûts pourraient être réalisées et, partant, la productivité accrue ». (BIRD-CCCE 1982, p. 10). Elle concluait ses audits sur le constat de la faillite totale des systèmes comptables dans les 15 sociétés examinées.

(12) Ce qui, soit dit en passant, est le risque structurellement encouru par les études conduites à partir du seul système d'action de ces deux organismes.

(13) Il est arrivé de son côté à la CCCE d'interrompre des concours financiers à la suite de décisions de la partie ivoirienne : voir, s'agissant de la SODERIZ et du programme rizicole, RF, MINICOOP, CCCE 1984b.

Par ailleurs des restructurations opérées aux échelles nationales ont pu être conduites en dehors du FMI et de la Banque (14). Que dire alors de la force apparemment contraignante des prêts d'ajustement, des conditionnalités auxquelles ils sont en principe subordonnés et des contrôles prévus par les bailleurs dans le cours de la mise en œuvre des programmes de restructuration (par exemple le principe des déblocages de fonds par tranches) ? Une récente étude globale sur l'action de la BIRD prouve par mille faits l'ambivalence de ces verrouillages : ils sont aussi précis et nombreux qu'ils sont contournés, assouplis, négligés ou même parfois rejetés par les États emprunteurs (voir notamment Laïdi 1989). Avec ou sans la complicité de la banque elle-même. En la matière la règle serait plutôt une grande flexibilité. Le cas ivoirien de la réforme des entreprises publique le confirme abondamment : la fermeté locale en ce domaine n'a pas empêché l'obtention de nouveaux prêts alors même que la dernière tranche du prêt inscrit dans l'accord de facilité élargie signé en 1981 avec le FMI n'a pas été tirée, faute pour la Côte-d'Ivoire d'avoir respecté les critères de performance (amélioration des indicateurs macrofinanciers) (cf. Duruflé 1986, p. 45). Il est vrai, d'autre part, que les instruments utilisés par la Banque, ses méthodes de travail conduisent nécessairement à de profonds amendements de ses perspectives initiales : en particulier ses projections statistiques

(14) C'est le cas notamment des ensembles de mesures prises en Angola (cf. en particulier *Diario de Noticias*, sup. Economia, Lisboa, du 3 août 1987, pp. 1 et 3) ou encore au Cameroun (cf. en particulier *Marchés tropicaux* du 1er mai 1987 pp. 1087-1090). On dirait que la panoplie des décisions a été inspirée par les bailleurs de fonds si, justement, l'Angola ne s'était pas trouvé en dehors du FMI et si les Camerounais n'avait désiré mener dans un premier temps en dehors de la Banque mondiale des opérations d'ajustement. Plus fondamentalement on peut se demander si la vogue du néolibéralisme à l'échelle mondiale incarnée dans les deux figures du FMI et de la BIRD ne provient de ce qu'on a mis trop commodément sur le compte de cette « doctrine » un grand nombre de mesures dont certaines relèvent tout simplement des nécessités d'un minimum de « saine » gestion (réduire les déficits, ajuster consommation et production, etc.) quel que soit le système économique en place, sauf alors à renier aux sphères économiques d'État la possibilité de maîtriser les coûts, d'optimiser l'allocation des ressources, de corriger les trends, etc. En bref on dira que les impératifs des réajustements, inscrits dans l'histoire économique, sociale et politique de chaque unité étudiée, ne sauraient se résumer à la sourcilleuse conscience économique des bailleurs de fonds, même de ceux qui agissent à l'échelle mondiale.

souvent très optimistes ouvrent la porte à d'impératives et peu maîtrisées révisions d'objectifs et de résultats. Ce sont autant d'interstices de liberté qui se présentent à l'opportunité des acteurs nationaux.

Retenons cet autre exemple, s'agissant de la Côte-d'Ivoire. A la fin du programme de stabilisation 1981-1983 les experts du FMI ont constaté que le respect apparent des objectifs très stricts d'endettement extérieur avait masqué en réalité un dérapage du déficit du secteur public (15) assuré au prix d'une aggravation des arriérés de paiements intérieurs. Cette évolution, qui altérait profondément les prévisions de stabilisation, montrait bien que le FMI, malgré ses importants moyens matériels et humains (experts, outils comptables, etc.) et la centralisation de l'information économique et comptable à laquelle il avait tenté de procéder dès le début de son intervention, ne maîtrisait qu'imparfaitement le circuit ivoirien des finances publiques. Les experts du Fonds ont bien voulu mettre cette fâcheuse vicissitude sur le compte de « problèmes méthodologiques liés à l'enregistrement des dépenses d'équipement et des dépenses non budgétaires » (16). Dans l'examen que font les bailleurs de fonds du respect gouvernemental des conditionnalités il y a donc une marge d'appréciation dont les autorités du pays essaient de tirer partie. On peut, dans cette affaire précise, évaluer l'importance de cette zone d'incertitude : l'« erreur technique d'enregistrement » des dépenses publiques (c'est-à-dire, en langage plus clair, le montant des débours non budgétés) représentaient, en 1983, environ 14,5 % du déficit global du secteur public. Si le FMI s'est efforcé de remédier, sitôt connue, à cette situation, il reste que cette évaluation souligne le caractère aléatoire — sur ce point précis et non généralisable — de la contrainte exercée par les organismes prêteurs.

---

(15) Déficit provenant principalement des dépenses du Trésor public et de la Caisse de stabilisation, d'un montant global d'une quarantaine de milliards de F CFA, non inscrites au budget de l'État.

(16) Cf. en particulier le *Bulletin du FMI* du 3 décembre 1984, pp. 357-361 qui évoque cette affaire, confirmée par des entretiens réalisés sur place. Elle peut être interprétée, du point de vue de l'analyse politique, comme une des manifestations de la tension que la rationalisation financière et comptable aux sommets de l'État et induite par l'intervention du FMI crée sur les modes partiellement patrimonialistes de gestion des ressources publiques.

Il est permis de se demander également si la Banque n'est pas gênée, dans la poursuite de certains résultats, par ses orientations générales ouvertement économicistes où prédominent, c'est net à propos des secteurs parapublics, les conceptions financières sur les desseins institutionnels. On en trouve un exemple significatif dans le *Rapport* que la Banque consacre au développement en 1983 (BIRD 1983b) et dans lequel elle réalise une étude spéciale des entreprises publiques dans les pays du tiers monde : si elle a beaucoup à exposer de ses vues et recommandations en matière financière, elle se montre beaucoup plus discrète en abordant l'analyse « des rapports institutionnels entre les pouvoirs publics et les entreprises „ (*ibidem*, p. 85), alors même qu'elle tient pour un « gros problème les rapports entre les entreprises publiques et l'administration » (*ibidem*, p. 85). Ayant passé en revue quelques-uns des systèmes institutionnels en vigueur elle se contente d'en relever les avantages et les inconvénients, qu'elle estime globalement partagés, et en vient finalement à déclarer que la solution est à rechercher quelque part entre l'autonomie débridée et le contrôle paralysant ! A aucun moment elle n'esquisse le canevas de ce que pourrait être le contenu de ce système institutionnel, s'abritant derrière des formules mettant en avant l'extrême variété des situations, des approches du problème et des moyens d'action, et se contentant de vanter de nouveau les mérites des contrats-plans. Comme pour masquer l'indigence de ses conceptions et de ses propositions en matière d'organisation parapublique elle s'empresse d'aborder une batterie de mesures d'ordre pratique qui ne peuvent que susciter l'accord général des gouvernements, quelles que soient leurs orientations et la place qu'ils assignent aux entreprises publiques dans les économies nationales. Ce qui n'empêchera pas les représentants de la Banque, dans des conférences publiques, de se féliciter des réformes en cours et à en souhaiter la poursuite, avec son aide (voir par exemple le compte-rendu de la conférence du représentant-résident de la BIRD à Abidjan in *Fraternité-Matin* du 15 juillet 1987 p. 9).

Enfin signalons pour mémoire que les autorités ivoiriennes, bien que solliciteuses de concours financiers, n'étaient pas prêtes à accorder une confiance aveugle et constante aux propositions de la Banque. L'échec du programme CIMAO à Lomé, conçu et imposé par la Banque, était encore dans tous les esprits (17).

La théorie de l'influence externe devrait pouvoir être menée et testée cas par cas sans quoi elle court le risque de se réduire à un préjugé séduisant mais bien spéculatif. Bien que puissants, bien qu'admis aux conseils des ministres des États africains (Laïdi 1989), bien qu'engagés dans un vaste dessein d'orientation des politiques économiques nationales, de centralisation des informations et de décision à Washington, de standardisation des administrations économiques des pays « aidés » (Bayart 1984, pp. 91-93), les bailleurs de fonds ne deviennent pas nécessairement pour autant les nouveaux et exclusifs nomothètes des systèmes nationaux (18).

Avançons pour terminer une interprétation : la prise en compte de certaines des doléances de la Banque a été possible parce que celles-ci entraient en conjonction avec des volontés, décisions ou intérêts proprement ivoiriens. Examinons l'exemple des tableaux de bord (19) souvent présentés comme ayant été mis en place sur les instances du FMI et de la BIRD. De quoi s'agissait-il ? A la fin des années 70 certains responsables et assistants techniques du ministère de l'Économie et des Finances avaient décidé d'établir des situations de trésorerie

---

(17) Ce projet BIRD consistait dans la construction d'une très grande cimenterie à Lomé (Togo) avec vocation de couvrir le marché régional (Côte-d'Ivoire, Ghana, Togo). De trop gros investissements (on a parlé de 70 milliards de F CFA), une absence de maîtrise technique, une méconnaisance totale des habitudes et circuits commerciaux en vigueur jusque-là dans chacun de ces pays (aux économies nationales formelles très cloisonnées) ont donné des prix supérieurs au marché mondial et dissuadé les broyeurs de s'y approvisionner. Conçue (à cheval des décennies 70 et 80), imposée, portée à bout de bras par les experts de Banque mondiale, l'entreprise connut un échec rapide et complet. Sa fermeture s'imposa en 1983 et laissait l'amortissement à la charge des États entraînés malgré eux dans l'aventure.

(18) Et ceci en dépit même de la montée de leurs interventions financières. Ainsi la résistance décrite ici s'est manifestée dans le même temps où la part de la dette publique ivoirienne à l'égard des bailleurs de fonds multilatéraux passait, entre 1980 et 1985, de 17,5 % à 31,6 % tandis que la part de la dette extérieure à l'endroit des banques privées passait de 57 % à 30 % (source : *Rapports* de la CAA). Les indicateurs financiers, on l'aura constaté, peuvent être des pièges dans une démarche par trop objectiviste.

(19) Les informations qui suivent sont tirées des enquêtes et entretiens et de la consultation d'une abondante documentation d'origine diverse.

d'entreprises à participation financière publique. La première opération concerna l'exercice 1978. Ces collaborateurs du ministère chargés de suivre le secteur parapublic s'étaient en effet aperçus de l'ampleur (et du coût important) des découverts bancaires dans beaucoup d'entreprises publiques. Symétriquement ces responsables étaient surpris de constater que d'autres établissements étaient à la tête de très abondants excédents déposés auprès des banques de la place. Ainsi, par exemple, tel organisme à vocation sociale disposait, dans ces conditions dormantes, de plus de 40 milliards de F CFA. La situation était donc économiquement critiquable dans les deux sens. Les responsables du ministère firent donc procéder, sur la base des états de trésorerie, à des transferts, au grand dam des directeurs d'établissements excédentaires. La SOGEFIHA et PALMINDUSTRIE, entre autres, bénéficièrent de ces rééquilibrages. C'est sur la base de ce système d'information économique et financière parapublique naissant, impulsé depuis les institutions ivoiriennes que vinrent s'introduire le FMI (le grand intervenant multilatéral) puis la BIRD (20).

Le FMI estima qu'il fallait aller plus loin que ces exercices de trésorerie. Des tableaux de bord plus complets, plus nombreux furent alors mis au point en collaboration avec les responsables et assistants du ministère, principalement ceux de la Direction des participations créée sur les décombres de l'ex-SONAFI dissoute en 1980. Le FMI voulait en effet disposer, pour chacune de ses missions semestrielles abidjanaises, d'informations récentes et fiables. Les composantes techniques de ces instruments (21) et l'échantillon des 30 entreprises, arrêtés d'un commun accord, furent stabilisés entre 1981 et 1982. La Direction des participations, puis, à sa disparition à la mi 1984,

---

(20) La BIRD a admis cette antériorité des initiatives ivoiriennes dans la mise en place d'outils plus rationnels d'information économique, tout en dénonçant leur insuffisance notamment en matière de connaissance des exigibilités à court terme et des impayés à et de l'État (cf. BIRD/CCCE 1982, pp. 12-14).

(21) Ces 6 tableaux initiaux se décomposaient ainsi : un tableau mensuel de trésorerie ; un tableau trimestriel d'endettement à moyen et long terme ; un troisième et un quatrième tableaux des dettes et des créances à court terme non bancaires ; à quoi s'ajoutaient un tableau emplois/ressources à confectionner 3 fois par an et un compte d'exploitation sur 3 ans (n-1, n, n+1) permettant de vérifier à chaque consultation les capacités d'autofinancement (sources : enquêtes et entretiens).

la Direction du contrôle du secteur parapublic (DCSPP) pour les SODE et les SEM, la Direction de la comptabilité parapublique pour les EPN furent chargées de collecter et centraliser l'information. Les tableaux de bord étaient ensuite gérés par les services du Trésor public avec l'assistance épisodique d'experts du FMI et la collaboration permanente d'assistants détachés du Trésor public français. De son côté la BIRD, autour de l'année 1983, avait demandé à tous ces contributeurs la mise au point de tableaux de bord dits internes (compte de production, etc.) permettant de dégager des normes de gestion, des ratios, etc. Les premiers tableaux de ce type ont été élaborés en direction du secteur des transports (ANAM, SITRAM, SOTRA, RAN). L'objectif était d'en faire des modèles à étendre progressivement aux autres secteurs d'activité et de développer, sur cette base, les contrats de programme État/entreprises publiques. On sait qu'un seul a été réalisé avec la SOTRA. C'est d'ailleurs la seule entreprise qui joua réellement le jeu de la transparence.

On peut se demander si cette histoire des tableaux de bord ne résume pas la place, le rôle, l'action des bailleurs de fonds en général, de la Banque mondiale en particulier dans le processus de réforme des entreprises publiques en Côte-d'Ivoire. Il ne s'agirait pas tant d'interventions pionnières, fondatrices dans un secteur où tout aurait été à transformer mais, plus modestement, d'actions venant rejoindre, de manière plus ou moins conflictuelle, des opérations initiées par les responsables ivoiriens. L'intervention « réussie » des bailleurs sur certains points relevant du système parapublic semble provenir de ce que l'activité globale d'ajustement structurel qu'ils se proposaient de conduire en Côte-d'Ivoire est venue s'agréger à un mouvement de réorganisation induit de l'intérieur, engagé depuis un moment, et essentiel à la réaffirmation du leadership présidentiel sur les directions des organismes parapublics peuplées de « cadets » du régime. On aperçoit alors en quoi la restructuration est probablement le résultat majeur de l'activité gouvernementale interne, et pourquoi l'architecture du parapublic telle que redéfinie à partir de 1980 ne doit pas grand chose aux sommations ou recommandations des bailleurs de fonds. Si la dynamique de cette réforme ne vient pas de l'extérieur il reste alors à en examiner ses déterminations internes.

SODEFOR : L'HISTOIRE EXEMPLAIRE D'UNE NEGOCIATION

La direction de la Société d'État pour le développement des plantations forestières (SODEFOR), une des très rares directions d'entreprises publiques à avoir pressenti la nature et l'ampleur des transformations à venir, exprima, par une lettre du 25 juin 1979 à son ministère de tutelle (Eaux et Forêts), ses vives inquiétudes sur la paralysie de ses activités qu'entraînerait un éventuel reclassement de la société en établissement public. Un mois auparavant, le 11 mai, le Ministre chargé de la réforme des sociétés d'État avait fait entrevoir à son homologue des Eaux et Forêts que la SODEFOR serait probablement requalifiée en EPIC. Le ministère de tutelle attendit les décisions de 1980 (Conseil national de juin, lois de septembre sur les SODE et les EPN, décret de reclassement des EPN de novembre) complétées par le décret de février 1981 sur le régime financier et comptable des EPN.

La direction de la SODEFOR se montra fort déçue du reclassement finalement arrêté et qui érigeait en fait la société en EPA. Relancé par cette direction, le Ministre fit procéder, par les collaborateurs de son cabinet, au mois de mai 1981, à une analyse de la nouvelle réglementation, sous l'angle principal de ses implications dans le fonctionnement de la SODEFOR (RCI, MDEF 1981). L'analyste se montra très prudent, rappelant le principe juridico-financier de distinction entre les deux catégories d'EPN (ressources principales provenant des dotations de l'État s'agissant des EPA ou de la cession de travaux et prestations pour les EPIC) et concluait que, dès lors que le pouvoir politique n'avait pas cru devoir conserver à la SODEFOR son statut de société d'État, elle ne pouvait logiquement, au regard des nouveaux critères mis en œuvre, qu'être qualifiée d'EPA. Il ajoutait qu'aucune grande différence, ni d'organisation ni de fonctionnement ne séparait vraiment les EPA et les EPIC, la discrimination essentielle tenant au régime indemnitaire : inexistant dans les EPA, prévu mais limité dans les EPIC par le décret du 12 décembre 1980. Cette remarque n'était pas gratuite : elle révélait l'un des enjeux matériels des luttes en cours. En effet le décret transformant ultérieurement la SODEFOR d'EPA en EPIC (20 février 1985) faisait clairement apparaître dans l'organigramme (pourtant nettement allégé comme dans tous les EPN sur les instances présidentielles) 1 poste de directeur, 7 postes de chefs de services autonomes, 20 postes de sous-directeurs, soit 28 postes ouvrant droit à des indemnités (au titre du décret de décembre 1980, qui prévoyait 6 types d'indemnités différentes et cumulables entre elles et qui fut par la suite abrogé). Le rapporteur achevait son étude en suggérant de profiter au mieux des accommodements, des souplesses et dérogations prévus par les nouveaux textes.

Peu satisfaite par cette analyse, la direction se tourna alors vers son bailleur de fonds, la Banque mondiale, dont elle attendait qu'elle fasse pression sur les autorités en vue de leur faire reconsidérer le statut de l'entreprise. La Banque ne réagit pas immédiatement, tout occupée qu'elle était à procéder aux audits d'une quinzaine d'entreprises publiques et à préparer le premier programme d'ajustement structurel. Elle rouvrit le dossier SODEFOR en décembre 1982 et eut, sur ce sujet précis, en mars 1983, un certain nombre de réunions de concertation avec les ministères ivoiriens concernés. Un deuxième programme de reforestation était en effet en préparation dans lequel un important concours financier était attendu de la Banque : le montage financier de ce projet prévoyait que l'apport de la BIRD (complété par un prêt de la Commonwealth Development Corporation) serait de 42 millions de dollars US, celui de l'État ivoirien s'élevant à 9,8 millions.

La Banque saisit cette opportunité pour réclamer le retour de la SODEFOR à son ancien statut de SODE. Les responsables et experts du Ministère de l'Economie et des Finances marquèrent nettement la position de principe de leur département : la SODEFOR est une entreprise publique qui remplit exclusivement une mission de service public ; elle agit pour le compte de l'État et opère sur le patrimoine public, même lorsqu'elle se livre à des actes de commerce. Mais, pour ménager une nécessaire souplesse de fonctionnement et tenir compte de l'existence d'importantes ressources provenant de l'extérieur, les responsables ivoiriens étaient disposés au compromis sur le statut d'EPIC. Les négociations traînaient sans modification des positions respectives.

Par lettre du 6 février 1984 les directeurs de la BIRD à Washington enregistraient le projet ministériel de reclassement en EPIC mais voyaient « beaucoup d'inconvénients à ce statut ». Ils renouvellaient leur première proposition de faire revenir la SODEFOR à son ancienne qualité de société d'État. Les responsables de la Banque suggéraient aussi l'adoption d'un autre schéma bâti sur le démembrement de la SODEFOR : une société de patrimoine (propriétaire des plantations) ayant le statut d'EPA ; une société de transformation du bois et une autre de commercialisation, toutes deux sous forme de société d'économie mixte. Cette formule était présentée *in fine* comme ayant la préférence de la Banque *(ibidem)*. Mais les autorités ivoriennes n'étaient pas prêtes à assouplir davantage leur position et le Conseil des Ministres du 22 août 1984, saisi de la question, donnait son accord de principe au reclassement de la SODEFOR en EPIC.

Les discussions reprirent sans plus de résultat. Aussi, par télex du 5 février 1985, les services du siège de la Banque à Washington rappelèrent que l'acceptation du prêt passait par l'engagement du gouvernement à réorganiser la SODEFOR « d'une manière jugée acceptable par la Banque ». Constatant qu'ils ne pourraient obtenir une décision plus favorable au plan du statut de l'entreprise, les négociateurs de la Banque modifièrent alors les termes de leur combat : il était désormais question d'obtenir, dans le cadre du régime d'établissement industriel et commercial, un maximum de garanties de souplesse et de dérogations permettant à la SODEFOR, en dépit de sa qualité juridique, de fonctionner comme une structure à forme sociétaire et commerciale. Les experts de la Banque mettaient notamment l'accent sur l'« impératif », pour l'entreprise, de « conserver et accumuler sur plusieurs années tout ou partie des ressources provenant de la vente de bois ». C'était renvoyer au problème plus général de l'affectation des excédents de l'établissement public.

Pendant ce temps les services ivoiriens préparaient le décret de réorganisation de la SODEFOR en EPIC et celui-ci était adopté finalement par le gouvernement le 20 février 1985 (décret 85-132). Le rapport de présentation de ce texte en Conseil des Ministres faisait ouvertement état des « exigences » de la Banque mais voyait dans le statut d'EPIC la réponse aux problèmes évoqués. Le décret de réorganisation était assorti de nombreuses dérogations : la SODEFOR était autorisée à ouvrir plusieurs comptes bancaires ou postaux (art. 16 du décret), à effectuer des virements de chapitre à chapitre (art. 17), à recevoir des avances sur les projets financés de l'extérieur (art. 19), à utiliser les excédents de recettes pour les besoins de sa mission (art. 20). Le chef de mission de la Banque à Abidjan ne pouvait (par courrier du 25 mars) qu'accuser réception de la décision gouvernementale et qu'exprimer ses regrets et ses réserves. Il signalait avoir transmis le document ivoirien à Washington pour information. Les choses en restaient là.

Au plan des principes (et de leurs effets pratiques) le différend tournait à l'avantage des Ivoiriens : le retour à la

SODE avait été écarté et là résidait l'objectif essentiel car le gouvernement avait la profonde crainte de voir, un peu comme dans la théorie des dominos, des directeurs d'entreprises s'enhardir du succès de premières exigences pour enfler de nouvelles demandes d'exception et parvenir ainsi, progressivement, à démanteler la rigoureuse et cohérente architecture d'ensemble conçue autour de 1980. Au plan plus factuel les experts de la Banque, se résolvant à faire contre mauvaise fortune bon cœur, pouvaient finalement s'estimer satisfaits des concessions obtenues. Il est bien vrai que toutes les dérogations accordées par le décret de réorganisation de la SODEFOR, si elles étaient bien prévues dans l'arsenal réglementaire des EPN, ont été aussi rarement concentrées sur un seul et même établissement.

6
Le jeu et les enjeux internes de la réforme

La mise à l'écart relative des acteurs extérieurs ne saurait bien évidemment être tenue pour le seul résultat d'une doctrine d'action des gouvernants ivoiriens, qui serait constamment consciente et à tonalité exclusivement volontariste. Il n'en est rien. La logique interne, voire interniste, de la restructuration répond à la nature des problèmes auxquels les autorités d'Abidjan, parties prenantes aux décisions, ont été confrontées à partir de la fin des années 70. L'orientation de la politique réformatrice ainsi que ses formes et modalités de mise en œuvre ont répondu à la façon dont le pouvoir et « les décideurs » percevaient les difficultés du secteur parapublic, notamment à leur aspect social et politique.

Au-delà des dérèglements saisissables, comme on l'a fait jusqu'à présent, selon des grandeurs économiques, financières et comptables, ce qui était en jeu, pour les autorités, c'était la dimension personnelle et relationnelle des directions des entreprises et organismes publics, de même que la conception particulière, d'essence patrimonialiste, qui prévalait dans le pays en matière de gestion des ressources parapubliques. Le régime social propre à l'univers des entreprises publiques, le mode de recrutement de ses dirigeants, leur comportement, leurs positions et relations au sein de la classe dominante, etc. : c'était ce qui, entre autres, et au-delà des chiffres relatifs aux déficits publics et aux comptes extérieurs, faisait justement problème et devenait donc un élément essentiel de la définition de la situation par les réformateurs. Leur système d'action, entendu ici à la fois dans sa dimension représentationnelle (perception de la situation et conception de solutions) et dans sa dimension instrumentale (ensemble des moyens de tous ordres mobilisés en vue de parvenir à tel ou tel résultat) a été très largement conditionné par la nature et l'ampleur de ces problèmes internes. Par suite, la relative relégation des intervenants extérieurs doit beaucoup plus à ces ressorts problématiques internes qu'à la volonté globale, délibérée, abstraite de faire front aux influences externes.

Mais avant de détailler les conditions intérieures de la réforme du paysage parapublic ivoirien, d'en démonter les ressorts et d'en exposer les « raisons », il paraît utile de revenir, après l'avoir abordée dans le premier chapitre, sur la définition de la situation telle qu'elle se présente entre juillet 1977 où est créé le Ministère chargé de la réforme des sociétés d'État et juin 1980 où les principales décisions de restructuration sont présentées par le président ivoirien en Conseil national. La réforme, en tant qu'ensemble des décisions prises par les autorités pour engager et mettre en œuvre leur programme d'action, n'est, soulignons-le de nouveau, après avoir montré dans le premier chapitre les indécisions et les atermoiements, rien moins que certaine pendant ces trois années. Tout effort sérieux pour restituer les systèmes d'action et de croyance de cette période et sur ce thème réformateur ne devrait pas réduire le jeu des incertitudes, des hésitations, des neutralisations d'intérêts et de contraintes, de la diversité des scénarios possibles : déplacée de l'aval des réalités avérées vers l'amont des actions possibles, l'analyse, si elle est légitimement tentée par la mise au jour des déterminations d'une politique, doit prendre en considération la labilité des situations, sans quoi toute socio-économie de l'action se réduirait au simple enregistrement des résultats d'un ensemble de déterminants premiers, laissant de côté les échanges de coups, les interactions, les rapports de force et autres transactions entre individus et entre groupes, partiellement imprévisibles et instables.

Parmi les principaux dangers qui peuvent compromettre l'analyse il faut en effet relever l'illusion étiologique, attentivement démontée et formalisée par Michel Dobry, et qui consiste à focaliser l'essentiel du travail d'explication vers l'« amont » du phénomène à étudier (élucidation des origines, conditions d'émergence, causes et facteurs ayant « produit » le phénomène), détournant en conséquence l'attention du contenu même du phénomène, de la succession des évènements, de la série des « coups », de l'activité tactique des agents, du déroulement du processus qui sont autant, sinon plus au fondement des résultats atteints que les causes strictement premières (Dobry 1986, pp. 48 et s.). Pour autant que des contraintes aient été impérieuses, que des facteurs aient été « lourds », rien n'indique, comme on l'a vu rapidement dans le chapitre premier, que la résolution de juillet 1977 de réformer le secteur des societés d'État d'une part va se traduire dans la politique publique restructurante des années quatre-vingt et d'autre part prendre la coloration particulière qu'elle aura en définitive, c'est-à-dire la forme et le type des décisions qui alimenteront cette politique.

A partir de l'identification d'un ensemble de facteurs favorables à l'intervention réformatrice le biais à éviter est également celui du déterminisme. Entre 1977 et 1980 la montée des périls est évidente (leur traduction financière a été abondamment présentée dans le chapitre 3) et des « solutions » sont attendues. Mais l'incertitude, rappelons-le, est encore grande : on ne sait si le pouvoir va décider et agir, quand, dans quel sens, avec quelle ampleur, avec quelle force.

1. Un courant d'initiatives et de réformes

Sans doute, donc, doit-on prendre garde de sombrer dans une « nécessité » qui ne serait claire et évidente qu'après coup. Cependant, tout en respectant le flou de la mission initiale du ministère d'État II, tout en enregistrant les hésitations largement visibles dans le comportement des responsables (notamment dans les hauts rangs ministériels où sont virtuellement exercées les tutelles financières et techniques des organismes visés en principe par la mission de réforme), tout en notant l'absence d'un schéma identifiant des objectifs précis, définissant des moyens et pouvant de ce fait orienter l'action à entreprendre, cependant un certain nombre de faits et gestes, de décisions ponctuelles, de mesures partielles se sont multipliés çà et là qui, vers la fin de la décennie soixante-dix, visaient à modifier des comportements et des situations dans le secteur des entreprises publiques. Il s'agit là d'un ensemble de réformettes et d'initiatives pratiques, limitées, qui ne sont pas susceptibles, à elles seules, de tranformer le domaine parapublic, ses structures et ses modalités réelles de fonctionnement quotidien. Cependant leur inventaire, même partiel, même rapidement esquissé, prouve l'existence de lignes de fonds, internes au champ politique et institutionnel ivoirien, et atteste de la conscience que l'on a, au moins bien sûr en certains lieux de pouvoir, que tout ne peut continuer ainsi, dans le flou et l'anarchie, le spontanéisme et la gabégie. Ce sont ces multiples faits et gestes qui prépareront le terrain pour des réformes plus profondes et radicales. Et, s'il doit être entendu que la collation, ici, de ces actions diverses et éparses est le fruit d'une opération d'analyse régressive, il est possible de voir en elles l'écume d'une vague qui alimentera le courant réformateur des années quatre-vingt et dont l'origine est loin de se réduire à des forces extérieures au pays.

Les alertes des bailleurs de fonds

A plusieurs reprises dans le courant des années soixante-dix les organismes financiers internationaux, bien que n'intervenant alors que très peu dans le financement de l'économie ivoirienne, avaient manifesté leur préoccupation à l'égard de l'évolution économique et financière du pays. Certains documents avaient fini par être publiés — tel celui de Den Tuinder 1978, déjà évoqué dans le chapitre 3 — d'autres, jugés plus sensibles et donc plus intéressants, sont toujours demeurés confidentiels. On se contentera ici de rappeler deux rapports qui, bien que relatifs à l'analyse des structures productive et financière en termes macroscopiques, s'attardaient par endroits sur la situation des entreprises publiques ivoiriennes. Ils avaient eu alors droit à quelques échos dans la presse.

Dans un long compte rendu d'enquête intitulé « L'exemple et les vertiges de la Côte-d'Ivoire » (*Le Monde* des 18, 19 et 20 juillet 1973), Philippe Simmonot faisait état d'un premier « cri d'alarme » lancé par la Banque mondiale à la fin de l'année 1971. Il apparaissait qu'un certain nombre d'opérations de développement (barrage de Kossou dans le centre, port de San Pedro dans le sud-ouest) étaient jugés par la BIRD trop ambitieux, financièrement mal maîtrisés et douteux au regard de critères économiques. Or, ces opérations avaient été décidées dans le cadre des deux plus importantes sociétés d'État, fleurons du président : l'AVB (Autorité pour l'aménagement de la vallée du Bandama) et l'ARSO (Autorité pour l'aménagement de la région du sud-ouest). C'était donc, sans doute possible, et dans les limites du langage diplomatique, le procés du fonctionnement de ces organismes qui était instruit par la Banque et la critique, par elle, des mécanismes qui avaient conduit à des dépassements considérables de coûts par rapport aux évaluations prévisionnelles. Un autre point était déjà dénoncé par la BIRD : l'important accroissement de l'endettement extérieur du pays et l'altération de la balance des paiements qui en résultait mécaniquement. Bien qu'exprimée au plan macrofinancier, cette préoccupation n'en concernait pas moins les Sode puiqu'elles engageaient et conduisaient, pour une large part, les programmes d'investissement public.

A la même période le FMI exprimait un avertissement semblable et tout aussi confidentiel. G. Comte le présentait et le commentait dans un article intitulé « Un rapport du FMI remet en question le "miracle" ivoirien » (*Le Monde diplomatique* du 14 mars 1972). Soucieux de mesurer les écarts par rapport aux grands équilibres financiers, internes et externes, le FMI s'en prenait naturellement au programme débridé des investissements publics (égratignant au passage le projet immobilier et touristique d'une riviera en banlieue abidjanaise) et s'inquiétait de l'évolution du service de la dette propre à absorber 100 % de l'épargne ivoirienne si la tendance devait être maintenue. Le rapport du FMI était sans équivoque dans sa dénonciation des organismes parapublics, dispendieux et incontrôlés : « la prolifération d'entreprises et d'organismes publics autonomes soulève, par ailleurs, des problèmes. Au nombre d'environ 25 (1), l'État leur a assigné des tâches précises de développement. Il leur accorde des fonds sans que leur situation fasse l'objet d'un examen approfondi ; c'est ainsi qu'une grande partie des investissements publics ne répond pas à des critères d'investissements rationnels » *(ibidem).*

---

(1) On notera qu'en 1970 il y avait 26 sociétés d'État et on pourra en déduire que celles-ci sont particulièrement visées par le rapport du FMI.

Si le système parapublic est bien la cible des foudres du FMI et de la Banque mondiale, au-delà des entreprises publiques et de leurs dérapages financiers c'est bel et bien la politique présidentielle, dans ce qu'elle a désormais d'ostentation coûteuse, qui est mise en cause par ces deux rapports. Les journalistes qui présentent et commentent ces documents ne s'y trompent pas : ils relèvent avec justesse que si la politique d'investissement a été menée avec beaucoup de rigueur jusqu'en 1966, à partir de cette date le programme des grands travaux décidés et/ou imposés par le chef de l'État ivoirien a pour conséquence d'augmenter dangereusement la part de financement revenant aux concours attendus de l'extérieur, et principalement des établissements bancaires privés dont les conditions, on le sait, sont nettement plus coûteuses que lorsqu'il s'agit de flux relevant des « aides publiques » (2).

Et justement, c'est peut-être là, dans cette mise en cause des pratiques au premier rang de l'État qui fait figure de crime de lèse-majesté, qu'il faudra voir une des raisons de la suspicion, voire du mépris, dans lesquels seront reçus par le leader ivoirien en personne les propos des organismes internationaux et accueilli leurs premiers représentants venus négocier à partir de 1978 la première phase de redressement financier. En s'en prenant à la politique de prestige et de modernisation effrénée, ils s'étaient attaqués à ce qui faisait l'autorité de l'Autorité, à ce qui faisait que le président, dans le système social et politique ivoirien, était bien le chef. Les Sode étaient alors le bras séculier de l'ambition développante du président. Leur remise en cause était inconvenante. De fait, si quelques mesures d'économie ont été décidées à la suite de ces deux expertises (on parlait alors de « mesures d'austérité » : il sera judicieux de n'user de ce terme que pour des temps ultérieurs beaucoup plus draconiens), rien ne fut fait dans l'immédiat pour répondre de manière significative aux alertes extérieures (3). De plus, le redressement des cours des produits

---

(2) Cette part de financement extérieur ira croissante jusqu'au début des années quatre-vingts où elle atteindra 80 % des programmes publics d'investissement alors qu'au début des années soixante ce sont les ressources internes (fiscalité, Caisse de stabilisation, etc.) du pays qui couvraient immédiatement l'investissement dans cette même proportion.

(3) Les budgets (fonctionnement et dépenses en capital) de l'État furent stabilisés pendant un an (avant d'augmenter de nouveau très fortement), des

agricoles puis leur envolée à partir de 1975 persuadera les responsables ivoiriens que les altérations financières n'étaient que passagères. L'habitus de croissance pouvait alors reprendre ses droits et faire relativiser les avertissements des uns et des autres, partiellement suspectés de vouloir priver la Côte-d'Ivoire de légitimes Versailles (4). Peu entendues sur le moment, ces alertes n'en pèseront pas moins à terme : d'une manière ou d'une autre elles auront participé à l'information officielle sur le secteur des entreprises publiques et, en contribuant, parmi bien d'autres élements, à la prise de conscience d'une indispensable réforme des Sode, elles ne seront évidemment pas étrangères au coup de balai annoncé en 1977 et réalisé en 1980.

La dissolution de la Soderiz

A la même période où le président prépare le changement de gouvernement du 20 juillet 1977, trois importantes décisions sont prises à l'égard de trois sociétés d'État, prouvant par là que celles-ci ne sont pas à l'abri de transformations individuelles. La première Sode à être touchée est la SODEPALM (Société pour le développement du palmier). Celle-ci, chargée à l'origine d'assurer la production, la transformation et la commercialisation de l'huile de palme et de la noix de coco (fabrication du coprah) conformément au plan palmier lancé en 1963, se voit retirer, peu avant l'été 1977 la fonction commerciale, confiée à la Caisse de stabilisation. Cette mesure est officiellement présentée comme le fait d'une nouvelle politique de développement visant à séparer les programmes agricoles (ordonnés autour des tâches de production et d'encadrement) et les programmes industriels et commerciaux

---

bourses scolaires furent refusées aux enfants des dirigeants du pays, l'État devint plus sélectif sur les droits à voyager en 1ere classe dans les avions, le nombre des voitures de fonction fut un moment maintenu à l'identique, etc. : on s'attaqua, de manière purement éphémère, non à la source des coûts dénoncés mais au train de vie de l'État et de ses agents (qui commençait, il est vrai, à singulariser le pays dans la région). Sur ces mesures d'économie qui firent long feu, voir Simonnot 1973 et Comte 1972.

(4) Cet argument sera repris quinze ans plus tard pour repousser les critiques portant sur l'édification de la basilique de Yamoussoukro.

(Sawadogo 1977b). La conséquence de cette décision est l'éclatement de la société en trois structures qui (outre la fonction dévolue à la CSSPPA) se répartissent les missions originellement remplies par la seule SODEPALM : celle-ci se voit confier la conduite et l'encadrement des petites plantations du sud ; PALMINDUSTRIE (SEM devenue Sode) pilote les plantations industrielles et les huileries ; enfin les travaux d'études techniques sont conférés à la SI2T (Société ivoirienne de technologie tropicale) alors qu'ils étaient jusque-là assurés par une direction spécialisée de la SODEPALM. D'autres causes sont avancées, par des spécialistes, pour expliquer cette restructuration : en particulier G. Frélastre y a vu la marque des problèmes de gestion financière — le découvert bancaire de la SODEPALM aurait alors atteint 18 milliards de F CFA — et de la programmation de projets fort ambitieux supposant un important autofinancement. Or, une période de sècheresse et « un système de barême (d'achat des produits) qui la défavorisa » entraînèrent la chute de ses profits. Les dépassements de plans financiers et de malheureuses opérations faites à l'étranger (notamment au Liberia voisin) auraient alors condamné la société (Frélastre 1980, pp. 45-48).

Trois mois après les importants changements politiques, le 7 octobre 1977, c'est la SOCATCI (Société des caoutchoucs de Côte-d'Ivoire) qui est la cible de la sanction présidentielle : cette Sode est purement et simplement dissoute (5). On se rappelle alors qu'une précédente Sode, évoluant dans cette branche d'activité, la SODHEVEA, créée en 1970, avait été supprimée en 1972 et remplacée par la SOCATCI. La suppression de 1972 était expliquée en ces termes par le ministre de l'Agriculture : « la Côte-d'Ivoire n'a pas hésité à dissoudre la SODHEVEA lorsqu'il est apparu que, faute d'une gestion saine, elle était mal partie, et à la remplacer... » (Sawadogo 1977a, p. 108).

Le même jour où la SOCATCI fait les frais de la vindicte gouvernementale est également décidée la dissolution de la SODERIZ. Ce dernier cas mérite l'attention et les analyses précises auxquelles il a donné lieu mettent en évidence la

---

(5) Ses activités seront par la suite récupérées par une SEM, la SOGB (Société des caoutchoucs de Grand Bereby) dont l'État ivoirien détiendra 90 % des parts et le groupe Michelin 10 %.

richesse de sens que prend ce ponctuel et brutal arrêt (6). En prenant soin de ne pas ériger ce cas en « précédent » car la dissolution de la Soderiz n'implique nullement la grande remise en cause de 1980, il est néanmoins possible et intéressant de reconstituer les mécanismes qui ont conduit la SODERIZ à affronter de sérieuses difficultés et le pouvoir politique à décider finalement de sa disparition. La SODERIZ était le fruit d'un double volontarisme présidentiel : politique (une tournée de M. Houphouët-Boigny dans le nord du pays au début des années soixante-dix le convainc de la nécessité de rééquilibrer la croissance au profit des zones déshéritées de savanes) et financier (prix délibérément élevé aux producteurs, subventions persistantes accordées à la consommation urbaine). Elle s'est trouvée progressivement placée au centre de contradictions qu'elle n'a pas eu les moyens de surmonter ou plus précisément, selon l'interprétation de J.-P. Dozon, dont on s'est gardé de lui donner les moyens de les surmonter. Source grandissante de déséquilibres dans la balance des paiements, à la mesure de l'accroissement de la consommation dans les centres urbains, les importations de paddy ne cessaient d'augmenter (40 000 tonnes en 1960, 100 000 tonnes en 1971). Le développement de la production agricole a donc été perçu comme triplement légitime sur le plan des finances extérieures (réduction de la perte de devises), sur le plan idéologique (valorisation d'une politique nationale d'autosuffisance vivrière), sur le plan social (rééquilibrage au profit du nord, réduction de l'exode vers les villes de la côte, satisfaction d'une demande urbaine, etc.). La SODERIZ, créée en 1970, a été l'instrument institutionnel de cette ambitieuse opération. Un prix élevé d'achat aux producteurs (par rapport au prix du riz importé de l'extrême orient), des distributions de parcelles et quelques mesures d'encadrement technique ont constitué un système d'incitation efficace : la production nationale s'est immédiatement élevée et a fait chuter les importations.

A partir de cette réalité G. Frélastre signale que les banques ivoiriennes, dans les années 1975/1976, ont refusé à la Soderiz les moyens de se porter acquéreur de l'ensemble de la pro-

(6) L'étude qui suit repose pour beaucoup sur l'analyse de G. Frélastre, 1980 et sur les excellents articles de J.-P. Dozon 1978 et 1979.

duction (7). Il en est résulté la situation très délicate suivante : d'une part des stocks très importants ont été écoulés par les circuits privés traditionnels (dits circuits courts et maîtrisés par les commerçants Dioula et Libanais) mais à des prix d'achat nettement inférieurs aux prix officiels garantis, décourageant par la suite la production et asséchant le ravitaillement des usines dont la conception hautement technique les rendait demandeuses de très fortes quantités de paddy à transformer tout au long de l'année ; d'autre part le prix public à la consommation étant nettement subventionné (8) — le kilo de riz était mis en vente à un niveau en moyenne inférieur de 30 % au prix de revient comprenant prix d'achat, usinage, stockage et transport — la SODERIZ s'est alors trouvée dans l'incapacité structurelle d'équilibrer ses comptes d'exploitation, le différentiel entre le prix du riz importé et le prix de vente au public qu'elle encaissait traditionnellement ayant été considérablement réduit par l'impressionnante augmentation de la production locale (les importations atteignaient 150 000 tonnes en 1973 et seulement 2 500 tonnes en 1976). La société d'État a donc été financièrement étranglée. En outre elle a connu des difficultés de techniques (choix d'un mode de culture, etc.) et de stratégies d'encadrement (de quel type de producteurs ?).

J.-P. Dozon met en avant les contradictions d'intérêts que cet organisme a révélés au fur et à mesure de son fonctionnement : outil apparent et initial d'une certaine socialisation de la production et de la distribution de riz, la SODERIZ n'a pas été dotée des moyens de maîtriser l'ensemble du cycle ; les opérations de collecte dite « bord champ » qui ont été, en raison d'une différence de prix importante avec le prix « livré usine », une source d'enrichissement formidable de transporteurs entreprenants, ainsi que la pénurie artificiellement pro-

---

(7) Comment ne pas voir dans cette opposition des instructions ou à tout le moins une caution gouvernementale tant le système bancaire est soumis au pouvoir politique ?

(8) C'est un cas de figure assez général en Afrique où les consommations des couches urbaines sont relativement favorisées (soit sous forme de non paiement aux coûts réels, soit sous forme de surévaluation de la monnaie nationale — moyen utilisé hors de la zone franc — ce qui a pour effet de réduire les prix des importations). Ceci a souvent déclenché les foudres « néo-libérales » du FMI, de la Banque mondiale et de quelques économistes. Voir à ce sujet *Politique africaine* (Les paysans et la politique en Afrique noire), nº 14.

voquée sur les marchés urbains par les grossistes distributeurs et autres groupes organisés dans les Chambres de commerce marquent alors la victoire d'intérêts privés menacés par le processus de monopolisation du circuit de production-distribution en cours à travers l'action de la société d'État. Les effets conjugés de tous ces phénomènes ont conduit, en 1977, à la situation suivante :

— la SODERIZ avait un découvert bancaire estimé à 26 milliards de F CFA (Frélastre 1980, p. 50) soit un peu plus de 13 % du budget de fonctionnement de l'État pour la même année ;

— la production a été découragée, ce qui a eu une incidence directe sur la relance des importations (se situant de nouveau au niveau de 150 000 tonnes pour les années 1977 et 1978) et contribué de nouveau au déséquilibre de la balance extérieure ;

— les structures publiques d'usinage ont fonctionné en nette sous-capacité ;

— les circuits courts, d'une efficacité financière redoutable (paiement immédiat, avances aux paysans etc., contrairement à la SODERIZ obligée d'échelonner ses règlements) sont triomphalement réapparus ;

— les centres urbains et surtout la capitale (où vivaient alors déjà entre 18 et 20 % de la population totale de Côte-d'Ivoire) ont connu de très sérieux problèmes de ravitaillement alors que le riz y devenait l'aliment vivrier de base (contrairement aux zones rurales où demeuraient fortes les consommations traditionnelles — ignames, manioc, bananes plantain, etc.).

Le 7 octobre 1977, par décret présidentiel, la SODERIZ était dissoute. C'est une décision qu'on peut qualifier de rapide, voire de brutale, car d'autres solutions étaient envisageables — la Banque mondiale avait préconisé un abaissement des prix d'achat aux producteurs pour les mettre en harmonie avec les prix du riz importé, ce qui, entre autres choses, aurait permis de rééquilibrer les comptes de la société (Frélastre 1980, p. 54). Ce démantèlement institutionnel se doublait à l'évidence de l'abandon d'un projet éminemment politique : la couverture nationale de besoins dans une denrée vivrière de première importance. Une partie des activités sera prise en charge un moment par l'Office de commercialisation des produits agricoles — OCPA — plus tard lui aussi victime de l'influence des circuits traditionnels de commercialisation (Frélastre 1983,

p. 61), cette évolution confirmant *a posteriori* l'analyse de Dozon sur la puissance des intérêts privés ; l'aspect financier est confié aux soins de la Caisse de péréquation — CGPPPGC ; la disparition de cette Sode laissait la place à un double circuit, l'un officiel — chargé du riz produit localement et traité dans les grandes usines ainsi que du riz importé — l'autre privé et traditionnel.

Pourtant, loin de ces minutieuses expertises, la leçon, officiellement administrée, de cette disparition sera un banal (9) problème de commercialisation : la SODERIZ n'avait simplement pas su faire face aux défis de la distribution dès que la production eut dépassé les 100 000 tonnes de paddy (cf. Sawadogo, 1977b). Le diagnostic gouvernemental, on le voit, était le même que dans le cas de la SODEPALM, seule différait la solution retenue.

La nouvelle conception de l'interventionnisme agricole

Le 3e plan de développement portant sur la période 1976-1980 se faisait déjà l'écho de certaines critiques à l'endroit d'un développement agricole qualifié de « sectoriel » confié à l'exclusive responsabilité de grandes sociétés d'État. Il ne cachait pas le problème créé par le déficit du secteur vivrier et alimentaire (riz et viande notamment) et soulignait l'absence d'amélioration de la productivité dans le domaine agricole. Les spécialistes de l'économie rurale ivoirienne, de leur côté, (Frélastre 1980 et 1983 ; Chauveau 1983) ont noté que la période des changements politiques de l'été 1977, de la dissolution de la SODERIZ, de l'annonce d'une mission de réforme des Sode, a coïncidé sensiblement avec un changement d'orientation de la politique de développement rural.

S'étaient alors fait jour, en effet, des critiques de plus en plus ouvertes et concordantes à l'égard de l'approche sectorielle consistant à confier à une société d'État (10) le soin de

(9) Phénomène certes exact mais arbitrairement isolé des circonstances qui l'ont produit.

(10) La grande exception sera la CIDT (Compagnie ivoirienne des Textiles), société d'économie mixte où demeurent des capitaux de la Compagnie française des textiles.

développer, dans certaines zones du pays, la culture du produit sur lequel elle était spécialisée. En fait deux séries de reproches étaient exprimés (11) :

— les premiers mettaient en évidence l'absence de prise en compte, par les sociétés de développement, des intérêts, des équilibres, des rapports sociaux, bref du contexte social « traditionnel » de l'agriculture au bénéfice d'une vision technocratique du monde agricole conduisant implicitement à l'installation d'exploitants modernes par et autour des complexes agro-industriels ;

— les seconds relevaient les préjudices causés par l'action désordonnée et concurrente des Sode, en un même lieu, auprès du même paysannat déboussolé par la surenchère à laquelle se livraient ces sociétés (maints rapports techniques mentionnaient des actions soudaines de plantation suivies d'opération d'arrachage tout aussi intempestives).

Ces critiques ainsi que les plaintes paysannes remontèrent jusqu'au président qui y fit allusion à plusieurs reprises dans ses discours autour de 1977. La politique qui sera progressivement adoptée à partir de cette année sera qualifiée de « développement intégré ». Elle fut conceptualisée par le nouveau responsable de l'agriculture dans un article paru un an après sa nomination (Bra Kanon 1978). Il s'agissait désormais d'harmoniser et coordonner l'activité des Sode agricoles dans les espaces régionaux, de tempérer l'indépendance frondeuse de leurs directions à l'égard des ministères de tutelle. En outre la chute des cours du café et du cacao, à partir du second

(11) L'option pour une politique sectorielle relevait de toute une série de raisons dans lesquelles les motifs ethno-politiques avaient été déterminants. En effet au début des années soixante le jeune État ivoirien avait été confronté à un mouvement séparatiste dans le sud-est, en pays Sanwi, qui réclamait sa propre indépendance sur la base d'un vieux traité signé entre le colonisateur français et son monarque. Cet irrédentisme, même s'il a été exagéré par certains acteurs et auteurs, et à défaut d'avoir représenté une menace redoutable pour le pouvoir ivoirien, a néanmoins fait naître de profondes craintes des milieux dirigeants d'Abidjan à l'égard des intérêts, solidarités, revendications ethno-régionaux. C'est pourquoi le président n'a jamais retenu le niveau régional pour servir de cadre à l'organisation administrative du pays et aux actions politiques (représentation) et techniques (opérations de développement). La suspicion à l'égard de l'espace régional, lieu des interventions concurrentes de nombreuses structures, a été plus tard, au début des années 70, accentuée par des oppositions et soulèvements en pays bété.

semestre de 1978 attira l'attention sur les impasses auxquelles pouvait conduire la priorité donnée, depuis les années cinquante, aux cultures d'exportation. Progressivement le mot d'ordre sera de s'adonner aussi aux cultures vivrières.

Des modifications institutionnelles accompagneront ces réorientations programmatiques. Au plan de l'administration centrale une importante réorganisation des services interviendra dont on retiendra ici essentiellement l'important rôle qu'on entend désormais voir jouer à la nouvelle Direction de la programmation, de la budgétisation et du contrôle de gestion (DPBCG) à qui est confié le soin de lancer, superviser et coordonner l'ensemble des opérations de développement agricole. Cette centralisation doit s'analyser comme une tentative d'exercer enfin un réel contrôle technique sur l'ensemble des sociétés de production, d'encadrement et de distribution. En effet la fonction d'étude est alors en principe retirée aux Sode et déléguée au BETPA (Bureau d'études techniques des projets agricoles, cet EPN sera érigé en EPIC le 27-10-1982 et finalement dissous le 4-9-1985). On ne saurait mieux exprimer l'intention, alors, de réduire l'importance des sociétés d'État du secteur agricole dont l'autonomie opérationnelle grandissante, dénoncée entre 1977 et 1980, s'était bâtie à partir des phases de conception des programmes d'intervention. Sur le « terrain » cette nouvelle politique avait pour effet de réhabiliter l'échelon régional. Trois grands organismes (SODEPALM puis PALMINDUSTRIE sur le littoral, la SATMACI au centre, la CIDT en zone de savanes) se voyaient attribuer un rôle leader dans ces espaces.

Cette réorganisation, qui était la première à redéfinir l'ensemble de la politique agricole et à opérer d'importantes transformations sur les structures d'intervention, n'est donc pas sans lien avec la préparation des réformes qui seront annoncées en 1980. Ses résultats mitigés (dus notamment à la lenteur des exécutions) emporteront la conviction présidentielle qu'il faut aller plus loin dans les transformations et les sanctions (la plupart seront reclassées en EPN). Ce point mérite d'autant plus d'être souligné que 40 % environ des sociétés d'État en activité à la fin de la décennie soixante-dix évoluaient dans le monde agricole.

La critique interne des sociétés d'État

Dans la même décennie où elles prospèrent à l'ombre d'un État généreux et sous l'impulsion de dirigeants peu regardants sur les moyens de parvenir rapidement à la réussite sociale de leurs affaires, les sociétés d'État, fleuron des entreprises publiques, ont régulièrement suscité les critiques de responsables politiques et techniques dont quelques-uns se préoccupaient des dérapages financiers et dont d'autres s'inquiétaient de l'irrépressible montée de leur autonomie. Il serait fastidieux de faire état de toutes les traces attestant l'existence réelle de ces critiques internes, d'autant que, précisons-le avec force, soutenu par des taux de croissance économique très élevés, le climat général étant à l'optimisme voire à l'euphorie, il est évident que ces alarmes avaient peu de chance, en elles-mêmes, de modifier l'ordre si assuré des choses.

On se limitera à deux exemples qui montrent cependant que tous, dans le champ politico-administratif ivoirien, ne partagent pas la ferveur ambiante. Modérément exprimées et faiblement entendues, ces critiques participeront, à leur manière, à une prise de conscience dans la nécessité de revenir à plus de rigueur, non par leur vertu propre, mais dès lors qu'un certain nombre d'indicateurs économiques et financiers commenceront à clignoter à partir de la fin de l'année 1978.

Voyons tout d'abord certains des avertissements qui avaient été exprimés lors du VIe congrès du parti unique (PDCI-RDA) tenu en 1975 (ces assises ont lieu tous les cinq ans). Cette date paraît intéressante parce que se situant à mi-chemin entre le fameux séminaire de Yamoussoukro et la création du ministère d'État chargé de la réforme des Sode. L'appréciation qui est faite, lors de cette manifestation politique, du rôle et de la situation des sociétés d'État est tout à fait ambivalent. Beaucoup d'interventions saluent leur action, souhaitent leur renforcement, se félicitent de leur efficacité, louent la diversification des productions conduite sous leur égide (Rapport du secrétaire général, rapports de plusieurs commission in PDCI-RDA 1976, p. 78, p. 118, etc.).

D'autres discours et motions évoquent les problèmes rencontrés par certaines Sode mais ne s'alarment pas outre mesure. Ainsi, pour ne prendre que cet exemple, une commission salue-t-elle « l'effort exceptionnel de la SOGEFIHA... en dépit des graves difficultés financières que connaît cette entreprise »... (*ibidem*, p. 181). La commission de politique économique et financière souligne la nette croissance, ces dernières années, des emprunts extérieurs de l'État et des Sode (*ibidem*, p. 185), demande le « renforcement de la tutelle sur les sociétés à participation financière publique » (*ibidem*, p. 188), et recommande au gouvernement « de renforcer la rigueur dans la gestion des finances publiques et d'instituer à tous les niveaux le contrôle financier » (*ibidem*, p. 190).

Dans ce concert d'autosatisfaction et de critiques mesurées, une des résolutions de la commission des sous-sections du Centre prend *a posteriori* une résonnance particulière : elle invite le gouvernement à prendre toutes les mesures nécessaires « afin de ramener la Motoragri et toutes les sociétés d'État à caractère agricole à leurs objectifs initiaux, principalement celui de se mettre à la disposition du paysan » (*ibidem*, p. 145). Cette recommandation vise deux buts : éviter que la surenchère entre les Sode ne trouble davantage les agriculteurs. Ce vœu trouvera un début d'exécution dans la nouvelle politique rurale évoquée précédemment et qui sera mise en œuvre à partir de 1977. Le second but visé est de ramener les Sode, Motoragri en tête, au service de tous les paysans. Or, chacun sait que cette société s'était généreusement activée, dans les années soixante-dix, à la préparation des sols des vastes plantations que de hauts responsables du régime s'étaient taillées dans l'immense massif forestier au sud-ouest du pays.

Au début de l'année 1977, avec la publication de sa thèse récemment soutenue, l'agronome qui est en charge, pour quelques mois encore, du ministère de l'Agriculture, émet un certain nombre de critiques sur la situation et l'action des Sode de son secteur. Il relève que les Sode ont été initialement conçues pour échapper aux rigueurs des finances publiques jugées incompatibles avec les urgentes nécessités du développement. Les Sode ont été les heureux instruments mis au point dans les divers ministères pour contourner les règles budgétaires de l'État (Sawadogo 1977a, p. 305). De ce fait elles se sont naturellement éloignées des principes de saine gestion, leurs charges augmentant de manière injustifée. Le ministre se montre encore plus précis : « La crue des rémunérations et avantages en nature des personnels des Sode s'est déclenchée et s'est poursuivie si fort et si vite qu'elle menace d'emporter tout l'édifice érigé en dix ans, sous la poussée du mécontentement des jeunes fonctionnaires, professeurs, docteurs, ingénieurs, tout aussi utiles à la nation » (*ibidem*, p. 305).

Ce thème des rémunérations et avantages matériels libéralement accordés dans le secteur parapublic, et qui, on a pu le vérifier amplement, correspond à l'exacte réalité des faits, sera l'un des arguments avancés par certains dans le petit groupe de responsables qui souhaitent voir les sociétés d'État s'orienter vers des modes de gestion plus efficaces et plus conformes aux capacités économiques d'un pays en développement. Au-delà des inquiétudes relatives à la spirale inflationniste des masses salariales et charges de fonctionnement des organismes parapublics — et aux effets qu'elles induisent sur l'ensemble de l'économie nationale — plusieurs, dans ce petit groupe, enregistraient avec amertume les dissensions et frustrations que faisaient naître les générosités des sociétés d'État au sein des divers corps de la fonction publique *stricto sensu.* Il est tout à fait significatif, à cet égard, que le ministre de l'Agriculture ait alors répercuté ces préoccupations et ait fait état de cette situation dont certains pensaient qu'elle était un foyer potentiel de conflits entre « cadres de la nation ».

En réalité les tensions seront en grande partie désamorcées par le jeu de divers mécanismes : beaucoup de fonctionnaires parvenaient à se faire détacher dans les organismes parapublics et à y obtenir les avantages si convoités ; d'autre part les divers corps des enseignants feront l'objet d'une opération dite de décrochage des grilles de la fonction publique qui se traduira par des taux de rémunération beaucoup plus favorables que dans les autres services de l'État : le gouvernement avait vu dans cette mesure le moyen de réduire de flagrantes distorsions avec le secteur parapublic et d'attirer les diplômés vers les métiers de l'éducation. Il faudrait ajouter à ces mesures l'ensemble des dispositifs portant régimes particuliers (corps en uniforme, etc.) et des avantages grandissants consentis par l'État (développement des logements d'État sur la base d'un système de baux administratifs qui se révèlera très coûteux pour les finances publiques ; prêts et avances accordés par tous les ministères à leurs agents, généralisation des voitures de fonction, etc.). Au total on peut raisonnablement considérer que dans l'ensemble des agents des secteurs public et parapublic une large majorité d'entre eux avaient des revenus réels (rémunérations + avantages) qui débordaient sensiblement les grilles plus austères des salaires nominaux de la fonction publique. On notera au passage que la sortie de situations virtuellement confictuelles entre catégories d'organismes et d'agents avait été réalisée par l'amélioration générale des ressources de tous et donc dans le cadre d'un processus de surenchère particulièrement inflationniste (12).

Le ministre de l'Agriculture, qui sera remercié en juillet de la même année, va, dans son livre, jusqu'à émettre des propositions en totale contradiction avec cette évolution puisqu'il suggérait, ni plus ni moins, de ramener les gains des cadres des Sode à des niveaux minima, des gains additionnels leur étant accordés sur la base d'objectifs clairs de production et dans les limites strictes des coûts prévisionnels (*ibidem*, p. 306).

L'auteur suggérait également des mesures incitatives à une amélioration de la gestion des Sode, notamment en vue de leur faire dégager du cash flow ce qui aurait permis de mettre un terme aux transferts continuels et coûteux de l'État dont les concours seraient désormais réduits à l'apport en capital et autres dotations de démarrage (*ibidem*, p. 306). Au-delà de ces propositions, le ministre se montrait convaincu d'une nécessaire et globale réorganisation du secteur des sociétés d'État car les Sode, jusque-là, et selon son propos, avaient trop manifesté leur incapacité à créer des ressources nouvelles, à accumuler du capital, et s'étaient affranchies de toute tutelle technique et financière. Le ministre s'exprimait là en connaisseur.

Le révélateur informatique

Conformément aux attributions reçues au cours du grand remaniement gouvernemental du 20 juillet, le ministre d'État II avait commencé la réflexion sur la réforme des sociétés d'État en commandant plusieurs études et expertises (juridiques, économiques, etc.). Entre autres il avait demandé une

(12) Cette évolution contribuera sans nul doute à la décroissance tendancielle de l'efficacité économique de la dépense publique comme l'a analysée G. Duruflé (RF, MINICOOP 1986b).

analyse à un comité d'experts en informatique recrutés pour la circonstance en dehors des organismes et sociétés de la place (les sociétés de service et de conseil en informatique — SSCI). Ce groupe, composé de quatre personnes, effectua une mission durant l'été 1978 et remit au ministre d'État un substantiel rapport sur la situation informatique en Côte-d'Ivoire (B*B*K*P* 1978) (13).

L'inquiétude du ministre d'État à l'origine de cette expertise était que la mauvaise gestion des sociétés d'État ait pu avoir pour cause essentielle des difficultés à maîtriser l'outil informatique. Il demandait donc aux experts de vérifier cette hypothèse et de proposer des solutions (*ibidem*, p. 3). Or il s'est produit à cette occasion un véritable renversement de situation. Comme l'a justement noté dans sa thèse P. Pascual (qui a lui aussi analysé attentivement ce document) : « accusée, l'informatique devient accusatrice car elle révèle les défauts du système » (Pascual 1986). Soupçonnée en effet de créer des informations et de livrer des traitements de données peu fiables, l'informatique a été le miroir où venaient se refléter l'ensemble des blocages, des lourdeurs, des inefficacités caractérisant les services et entreprises de l'État. Les rigueurs et disciplines techniques imposées par l'outil informatique (alimentation régulière des données comptables, mouvements des stocks, etc.) n'étaient pas respectées. Mais ces manquements n'étaient qu'un élément d'une situation problématique plus générale.

Les experts n'ont pas caché l'ampleur et la gravité des problèmes qui, loin d'être produits par l'instrument informatique, hypothéquaient son utilisation et rendaient vain et dispendieux son fonctionnement. Du coup les problèmes d'informatisation, repérés en tant que tels initialement par le commanditaire de l'étude, étaient les révélateurs d'une situation de désordre et d'incontrôle. La solution ne résidait plus dans un aménagement technique mais dans la remise en ordre générale, juridique, sociale et politique : elle dépassait de loin la seule informatisation des entreprises et des services.

---

(13) C'est à la suite de ce rapport et en raison de l'ampleur politique et technique des problèmes soulevés à cette occasion que le ministre se verra confier, au début des années quatre-vingt, la maîtrise du dossier informatique par le chef de l'État.

Au gré de leurs investigations portant sur une quarantaine de services administratifs, d'établissements publics, de sociétés d'État et de sociétés d'économie mixte, les experts ont pu toucher du doigt quelques caractéristiques des secteurs public et parapublic. Sur le strict plan informatique ils notaient l'absence générale de « planification des actions de gestion » (*ibidem*, p. 17), le « surdimensionnement des équipements sans rapport avec les utilisations réelles » (p. 18), les coûts très élevés de fonctionnement et de remplacement des matériels, « le retard dans la fourniture des documents comptables » (p. 26), etc.

Les experts élargissaient leur diagnostic en n'hésitant pas à aborder des problèmes sociaux et politiques. Ils dénonçaient les modes de recrutement dans les services informatiques des différentes administrations et entreprises publiques visitées, de même qu'ils s'en prenaient aux sociétés (européennes) de services informatiques qui tendaient à affecter à leurs clients locaux du personnel incompétent (p. 30). Ils soulignaient que les recrutements ivoiriens de techniciens en informatique se déroulaient non pas sur une base de savoir-faire, mais selon des critères d'amitié et de solidarité présentées comme traditionnelles (p. 30). Ils notaient les problèmes de « management des équipes » (p. 3), relevant l'absence de contrôle et de sanction. « On ne contrôle pas pour ne pas être contrôlé », dans le cadre d'un accord tacite sur toute la chaîne de production (p. 30). Corollaire : « la compétence et la compétitivité ne sont pas récompensées » (p. 30). « On assiste ainsi à des niveaux de productivité désastreux et on constate en même temps que la prime de rendement maximum est attribuée à tous, comme dans cet établissement * » (p. 31). Les experts mettaient en évidence l'absence générale de notion de coûts : « le budget de *, établissement public, ne tient aucun compte des prix de revient de ses équipements et des services informatiques que rend cet organisme » (p. 35). Ils relevaient aussi que dans tel autre établisssement le conseil d'administration ne s'était pas réuni depuis deux ans » (p. 35), etc.

Pour conclure il est intéressant de noter que le ministère d'État II, commanditaire d'une étude sur les problèmes de l'informatisation des structures parapubliques, se voyait remettre une expertise dépassant de beaucoup le cadre strictement technique et émanant d'un groupe indépendant (14). Cet été 1978, un an après son installation, le MERSE avait en main un document extérieur à la réforme mais très précis sur le fonctionnement de nombre de sociétés d'État, d'établissements publics, de SEM et de services publics. C'est peut-être de ce texte-là que date l'élargissement de la conception de la réforme à venir sur les sociétés d'État aux établissements publics.

L'activité du ministère des Finances

Les problèmes des Sode se confondent avec l'histoire de celles-ci. Créées à la hâte, gérées sans contrôle, fonctionnant en dehors de dispositions réglementaires claires et précises, affranchies des tutelles et des sanctions, elles ne cesseront de prospérer grâce aux concours extérieurs et à la générosité de l'État. Leur vie sera aussi résistante que problématique. Il ne doit donc pas être surprenant de relever l'ancienneté des intentions, des projets et des actions en vue de réformer et d'améliorer la gestion de ces organismes conçus officiellement comme des outils de modernisation rapide de l'économie et de la société. Les tentatives de modifier leur cours datent en fait de leur création même. On sait à présent, avec le recul, le sort de ces volitions et décisions qui se heurteront aux effets aveuglants de l'expansion générale du pays, à l'autosatisfaction dominante, aux avantages que beaucoup, en réalité, retiraient de l'existence des Sode et aux blocages que réussiront à exercer leurs très influentes directions.

Avant comme après 1977, sous les responsabilités successives de l'ancien et du nouveau ministres, les services du ministère de l'Économie et des Finances ont développé, à l'adresse des entreprises publiques et des sociétés d'État en particulier, une activité orientée en deux sens. D'une part certains efforts ont

(14) L'indépendance d'esprit de cette expertise apparaît très nettement dans la manière extrêmement critique dont est présentée l'action des sociétés de conseil et de service informatiques sur la place d'Abidjan et leur mode de fonctionnement à l'égard des pouvoirs publics et administrations : elle parle de rackett, d'incompétence, etc. Certaines descriptions sont édifiantes sur l'attitude des sociétés étrangères en Côte-d'Ivoire : elles mènent le jeu à leur guise, faisant en sorte de maintenir des monopoles — de compétence, de marché — pour perpétuer leurs intérêts immédiats.

été réalisés en vue de constituer et d'améliorer les systèmes d'information économique et financière sur chaque organisme et sur la situation d'ensemble du secteur parapublic. D'autre part un certain nombre de mesures pratiques ont été arrêtées en vue de faire disparaître ou de réduire les situations les plus critiques des entreprises publiques. On se propose de dresser ci-dessous un rapide et incomplet recensement de ces actions entre 1972 et 1978 : il témoignera de l'existence ancienne d'un courant réformateur, insuffisamment fort (et désintéressé) cependant pour s'imposer à tous, en tout cas assez largement impuissant en période de forte croissance économique (15).

En 1972 fut mis au point un projet de réforme des rémunérations dans les Sode visant à mettre un terme à la générosité des organismes et à l'anarchie des traitements, chacun définissant sa politique salariale et ses modalités de recrutement. Le gouvernement était apparemment décidé à étalonner les salaires en fonction des diplômes, à lier leur augmentation à l'ancienneté des agents, à ajuster les grilles hiérarchiques à celle en vigueur dans l'administration centrale. Ces mesures, à peine annoncées, « ont provoqué de graves remous au sein des sociétés d'État » (Compagnie française d'organisation 1972, p. 16). Certaines dispositions de ce train de réformes feront l'objet de textes réglementaires (telle, par exemple, la diminution des salaires prévue par le décret n° 72-86). Mais, même énoncées dans ces formes-là, les décisions ne furent jamais mises en œuvre.

La même année le ministère des Finances avait commandité un bilan-diagnostic de la situation des Sode à la Compagnie française d'organisation. Le rapport — dit « Laugier » du nom de l'expert — fut remis au mois de décembre. Aprés avoir tenté de replacer le rôle des sociétés d'État dans les orientations du pays explicitées au début des années soixante, l'auteur décrivait un certain nombre de « maux » lui paraissant expliquer le très mauvais état du secteur : importantes pertes accumulées, non réalisation d'objectifs, multiplicité et disparité des influences politiques s'exerçant sur les Sode, quasi-absence de techniques

(15) Les développements qui suivent ont été confectionnés sur la base d'entretiens nombreux et approfondis avec les divers responsables et acteurs de cette période ainsi qu'à l'appui d'une importante documentation primaire non publiée.

de gestion financière à peine comblée par un bricolage au jour le jour. Il dénonçait « le faible niveau général de compétence des directeurs financiers » (*ibidem*, p. 10), « de graves négligences, une trésorerie non gérée, des chiffres erronés, des factures non faites, l'absence de relance des paiements » (p. 11), « d'importants découverts bancaires dont les agios sont supportés en définitive par l'État » (p. 11). Il ajoutait : « la programmation des investissements, les modes de calcul qui permettent d'établir la rentabilité du capital investi (...) sont, dans la majorité des cas, mal faits, voire même fantaisistes » (p. 11).

Ce document fut violemment attaqué par les directions générales des Sode lors des séminaires organisés durant l'hiver et le printemps 1973, notamment celui de Yamoussoukro (16). Si cette riposte s'expliquait essentiellement par la mise en cause des négligences et des indélicatesses — si répandues et si déniées à la fois —, il est vrai, par ailleurs, que ce rapport souffrait d'une sous-information évidente (aucun chiffre n'était cité au plan financier, aucun repérage statistique n'était effectué (17)). L'un de ses défauts majeurs, non relevé évidemment par les directions des Sode, était de se méprendre totalement sur le fonctionnement réel du secteur : il voyait la source essentielle des dérèglements dans la référence au modèle administratif français, assimilant mécaniquement, pour mieux en dénoncer les méfaits, les Sode aux services de l'État central. Assurément il n'en allait pas ainsi et les Sode fonctionnaient de façon totalement étrangère aux rigueurs et rigidités de l'idéal-type des bureaucraties publiques. Un seul point du rapport trouvera une application ultérieure : la société holding souhaitée pour centraliser et gérer le portefeuille d'actions de l'État sera concrétisée, à la fin de la décennie, par la création de la Direction des participations.

En 1973 les entreprises du secteur moderne installées dans le pays furent soumises à un nouveau plan comptable et aux

(16) Échaudés par les premières réactions, les responsables du ministère n'étaient pas très favorables à l'organisation du séminaire de Yamoussoukro au mois de mai 1973. Celui-ci eut lieu à la suite d'un ultimatum présidentiel.

(17) Au sein du cabinet ministériel il fut combattu avec force par des assistants techniques détachés de sociétés d'études françaises, inquiets de l'arrivée d'un concurrent potentiel, l'expertise ayant initialement vocation à déboucher sur un service continu de conseil.

obligations de dépôt des documents d'exploitation et de bilan, en plus de la direction générale des impôts, auprès d'un service nouvellement créé au sein du ministère : la Banque des données financières dont la mission était de centraliser et d'exploiter l'information économique des entreprises et d'en publier annuellement les résultats dans la *Centrale de bilans.* Les sociétés d'État et établissements publics, au même titre que les entreprises privées et d'économie mixte, devaient en principe remplir et déposer ces documents. La lecture des *Centrales* éditées depuis 1973 montre que l'observance de ces nouvelles dispositions n'a été ni générale ni constante dans le secteur des entreprises publiques.

Au printemps 1973 le cabinet du ministre met en chantier un projet d'amélioration des connaissances et de l'efficacité du corps des contrôleurs d'État affectés, entre autres, au suivi des Sode. On songe alors à redéfinir le rôle de ces représentants de l'État dans les divers conseils d'administration de même qu'on envisage un accroissement du rôle des commissaires aux comptes, dans les sociétés à participation financière publique, en matière d'information et d'investigation. L'été suivant les proches collaborateurs du ministre mettent au point un questionnaire-diagnostic que devraient désormais utiliser les contrôleurs d'État dans leur approche des entreprises publiques. Une meilleure collecte et analyse des informations économiques et financières est attendue de cette initiative.

En septembre 1973 une longue note du cabinet, à l'appui des résultats des gestions 1970, 1971 et 1972 des Sode, propose « la mise au point des instruments en vue d'une meilleure gestion et d'une amélioration des systèmes d'information ». Elle articule la réflexion autour de plusieurs groupes d'entreprises. S'agissant des « quasi-administrations » (ARSO, AVB, SODEMI, SETU, etc.) qui dépendent à 100 % des finances publiques pour leur équipement et leur exploitation et qui n'évoluent pas dans le secteur concurrentiel, il est fait état « de frais de personnel en vertigineuse augmentation — 150 % en deux ans —, de l'absence totale de contrôle et de respect des règles administratives, d'un taux d'inflation des effectifs employés très nettement supérieur à celui de l'administration ». La note suggère que ces organismes devraient recouvrer le statut de services directs de l'État. S'agissant de « quasi-administrations » dépendant de recettes fiscales affectées

(CICE, OSHE, SODEFOR, etc.) qui sont sous la coupe de l'État et non du marché, il est dit que leurs ressources affectées sont nettement plus importantes que leurs besoins, qu'elles ont des trésoreries surabondantes et non rentabilisées, qu'enfin elles devraient devenir de véritables établissements publics. Concernant les Sode à caractère financier et marchand (CCI, LONACI, SOGEFIHA, SONAFI — la CSSPPA fait partie de ce groupe mais, faute d'informations financières, ne participe pas au diagnostic) il est signalé une abondance de fonds de roulement, une évolution saine « si l'on s'en tient à l'augmentation des chiffres d'affaires », sauf à la SOGEFIHA dont la situation est jugée très critique. Relativement au groupe des Sode à caractère marchand produisant des biens et services (BNETD, CEIB, MOTORAGRI, SODEPALM, etc.), il est remarqué des situations d'équilibre financier sans qu'apparaissent pour autant des indices d'amélioration des gestions. Loin des illusions formalistes et autres juridismes, ce document opérait, pour les besoins de l'analyse, des reclassements sur la base des fonctions réellement remplies et des types de comportement quotidiennement observés. Il proposait le redécoupage en deux grandes catégories d'entreprises : d'une part les établissements publics, agents directs de l'État, non orientés vers la rentabilité, d'autre part les Sode et les SEM agissant en situation de concurrence, dont l'objectif est la rentabilité et qui, à long terme, devraient être comparables aux entreprises du secteur privé. Enfin était suggérée l'idée d'une centralisation de toutes les participations jusque-là éparses de l'État entre les mains d'un service unique. On retrouvera la trace de ces deux derniers points dans les réformes postérieures à 1977 et à 1980.

Le ministère est mis en possession d'un autre rapport, long et détaillé, réalisé par des experts et daté du 20 mai 1974, relatif à « l'assainissement du secteur des entreprises publiques ». Le chapitre Ier de ce document comprend une batterie de mesures de réorganisation de la gestion et du contrôle des sociétés à participation financière publique. Plusieurs des mesures préconisées trouveront une application dans les phases décisives du cycle de réformes, entre autres : la réduction du nombre des membres des conseils d'administration, la création d'une direction des participations, le contrôle d'État replacé dans les mains des magistrats jugés plus compétents de la Chambre des comptes, l'annulation des rémunérations et avantages les plus excessifs ; le chapitre II est consacré à l'examen des modalités de liquidation et de fusion des entreprises, prouvant ainsi que la question des dissolutions est bel et bien posée désormais en termes généraux (le document tempère cependant cette perspective en mettant l'accent sur les tensions sociales qui résulteraient de décisions trop brutales). Le chapitre III aborde le problème des rémunérations dans les établissements industriels et commerciaux, rappelle l'intention inscrite dans le décret 72-86, propose le retour à ses dispositions en y ajoutant l'interdiction du cumul des fonctions de président de conseil d'administration dans toutes les sociétés à participation financière publique ainsi que la gratuité des fonctions d'administrateur. Le chapitre IV enfin fait l'esquisse d'une doctrine des conditions de création et du régime juridique à donner désormais aux entreprises publiques.

Une nouvelle note émanant du cabinet ministériel est confectionnée en octobre 1974 sur le thème : « La réforme des sociétés à participation financière publique — SPFP ». Quatre principaux objectifs sont visés par le projet : doter l'État d'un instrument de gestion de ses entreprises à la mesure des importantes dotations qu'elles ont reçues de lui, favoriser la souplesse de ses moyens d'intervention dans l'économie nationale, coordonner leurs objectifs et moyens financiers, accroître le rôle des professionnels dans l'administration et la gestion de ces sociétés.

L'ensemble de ces notes, études, expertises et réflexions (dont seulement quelques-unes sont présentées ici), trouvera une traduction juridique dans plusieurs décrets préparés par le ministère des Finances, approuvés par le gouvernement et signés par le président ivoirien au mois de mars 1975 : le décret 75-148 portant organisation de la tutelle des SPFP (où le capital d'État est supérieur à la minorité de blocage — 33,3 %), le décret 75-149 fixant les règles de gestion et de contrôle des SPFP, le décret 75-150 portant statut du personnel de ces sociétés. Ces trois décrets datent du 11 mars 1975. Ces réglementations ont vocation à mettre un terme aux « errements » des entreprises publiques supposés être générés par le vide juridique : aucun texte d'application n'a suivi la grande loi 70-631 du 5 novembre 1970 fixant le régime des SPFP, si ce n'est le décret 72-08 du 11 janvier 1972 arrêtant leurs règles de gestion et de contrôle. Mais ce dernier assurément était très flou et n'avait reçu, de fait, aucun début d'application. Le décret 75-149 l'abroge officiellement. Mais, comme les trois textes du 11 mars ne sont, à part quelques points de détail, jamais entrés en vigueur eux non plus, après comme avant 1975 c'est une situation de quasi non droit qui prévaut dans le domaine de l'organisation et du fonctionnement des entreprises publiques. La jurisprudence tentera, à l'occasion de contentieux particuliers, de combler ce qu'elle estime être un « vide juridique », au prix de grandes difficultés d'interprétation et d'un certain nombre de contradictions (sur ces aspects juridiques et juridictionnels cf. Dutheil de la Rochère 1976 et Djé-Bi-Djé 1986).

Les trois dispositifs arrêtés en mars 1975 visaient, entre autres, à clarifier et ordonner les modalités de recrutement, de promotion et de rémunération des agents de ces sociétés en mettant fin, en outre, aux plus graves « anomalies et distorsions ». Est également poursuivie l'amélioration du contrôle de ces entreprises à travers la mise en place de comités interministériels de tutelle. Le décret 75-149 prévoit aussi en ce sens l'installation d'une Direction des participations au sein du ministère des Finances. Les très fortes résistances suscitées par ces textes (ce sont elles qui sont évoquées, on l'a vu dans le chapitre 4, par Zartman et Delgado 1984) au sein des entreprises publiques conduites par de grandes figures civiles et politiques auront raison de ces velléités réformatrices qui ne se trouveront aucunement appliquées. Les ministres de tutelle, le gouvernement, le président — à supposer qu'ils aient été disposés à agir fermement sur le secteur parapublic et/ou qu'ils aient été suffisamment détachés du sort des entreprises concernées — se montraient de nouveau impuissants à obtenir la moindre soumission à l'ordre réglementaire projeté.

Incapable de réorienter la vie des entreprises et des établissements à participation publique réduits progressivement à l'état de prébendes et conquérant une autonomie grandissante, le ministère de l'Économie et des Finances n'en continuait pas moins à produire ou susciter analyses de la situation et projets de réforme. Ainsi disposa-t-il, en juin 1975, d'un texte proposant une « Réflexion pour une tentative de formalisation d'une doctrine des participations publiques », en septembre de la même année d'un autre document relatif à « L'organisation du contrôle de l'État dans les SPFP ; enseignement à tirer d'un rapprochement avec la grande entreprise privée », ainsi que, le même mois, d'une très longue étude (55 pages) portant sur le thème « Pilotage, ivoirisation de l'économie : propositions d'action ». Le souci commun de ces travaux est de rationaliser l'action économique de l'État, d'améliorer l'efficacité des exploitations des entreprises publiques. La dernière étude revient en outre longuement, dans son tome I, sur les maux dont souffre le secteur : les participations de l'État sont mal gérées et non coordonnées, les conseils d'administration des Sode sont des chambres d'enregistrement de décisions prises par des directions autonomes, les contrôleurs d'État manquent d'expérience et font preuve de peu de garanties professionnelles, etc.

En 1976 est arrêté un projet de création du premier secteur économique selon le schéma prévu par les décrets de 1975. Ce premier secteur, à l'intérieur duquel devait désormais s'exercer la tutelle interministérielle, est celui de l'agriculture. Les autres secteurs envisagés en 1975 ne feront même pas l'objet d'un projet de création...

Une nouvelle phase de réflexion et d'initiatives au sein du département de l'Économie et des Finances est amorcée à partir du mois de janvier 1977. Les collaborateurs du ministre font alors le point sur le nouveau système d'information qu'ils ont établi l'année précédente et essaient de le prolonger par des instruments supplémentaires. Depuis 1976 en effet un répertoire des établissements publics et des SPFP a été confectionné. Ce répertoire enregistre les caractéristiques essentielles des entreprises ainsi que l'évolution de certains indicateurs sur les trois derniers exercices. Il est prévu une collecte annuelle des données organisée à l'initiative et sous la responsabilité du cabinet du ministre. Cette composante initiale du système d'information doit, en 1977, être étendue à la totalité des 220 établissements identifiés par le ministère, et la centralisation des informations doit s'effectuer selon un échéancier précis (collecte des informations avant le 15 février, exploitation avant le 15 mai, diffusion restreinte au mois d'avril). En outre il est prévu l'établissement de tableaux de bord de contrôle financier des sociétés et établissements jugés sensibles et mis en conséquence sous surveillance. Dans ce cas le but est d'affiner l'analyse financière et d'élaborer des diagnostics détaillés (investissement, cash flow, capacité d'endettement, etc.). Il est envisagé d'élargir ce contrôle particulier à une dizaine d'entreprises nouvelles chaque année. Ce schéma, mis au point par le cabinet du ministre entre janvier et mars 1977, est soumis à l'approbation du président de la République le 18 mars. Les services financiers n'en sont pas restés, cette fois, à la pétition de principe d'action : ils ont réellement élaboré des fiches annuelles principalement orientées sur la structure financière des organismes et notamment sur leur situation de trésorerie (18). A la veille du changement de gouvernement de juillet 1977 et du lancement officiel de la réforme des sociétés d'État, les fiches techniques comportaient des informations sur 85 entreprises (34 Sode, 20 établissements publics, 31 sociétés d'économie mixte, cf. RCI, MEF 1977). Ces fiches faisaient clairement apparaître à la fois de nombreuses situations de découvert bancaire et un certain nombre de situation de trésorerie pléthorique, elles montraient une majorité de structures financières fortement déséquilibrées (surendettement, etc.) et attestaient de l'importance des transferts de l'État central pour la survie de bon nombre d'organismes.

Ce système d'information était complété par une série d'audits externes, décidés à partir de 1977 et réalisés par plusieurs cabinets privés de la place. Au 15 juin 1977, soit un mois avant les grandes décisions que l'on sait, 17 entreprises avaient fait l'objet d'un rapport d'audit remis au ministère, 17 autres entreprises étaient en cours de vérification. Progressivement les opérations devaient être confiées au corps des auditeurs d'État dont la création avait été décidée dans le même mouvement et dont les premiers recrutés se trouvaient alors en phase de formation (19).

Peu avant le changement de gouvernement de juillet 1977 le ministère des Finances disposait également d'une « note-réflexion sur le problème des sociétés d'État » qui faisait la synthèse des innombrables études sur les difficultés observées

---

(18) Ces fiches-répertoires seront à l'origine de la confection des tableaux de bord repris et systématisés par la suite, dans le cadre de l'ajustement structurel, sous l'impulsion du FMI et de la BIRD (cf. chapitre 5).

(19) Le corps des auditeurs d'État n'a jamais joué de rôle majeur dans le cadre des réformes de 1977 et surtout de 1980 : une fois formés les auditeurs ont été attirés par les cabinets privés de la place qui proposaient des rémunérations beaucoup plus favorables.

dans le secteur, des non moins nombreux schémas de réforme, notamment ceux des décrets de 1975, et proposait un énième « système de pilotage central des entreprises publiques ».

On peut aisément le constater à travers cet inventaire partiel : avant juillet 1977 le ministère n'avait pas ménagé ses efforts pour faire avancer réflexions, projets de réforme et décisions ponctuelles. Avec, il est vrai, une très faible efficacité : peu d'amélioration de la gestion et de l'information économique des entreprises publiques avait été enregistrée, peu de modifications avaient été acceptées par leurs directions. Cette activité, finalement assez abstraite, continua avec l'arrivée de la nouvelle équipe politique : les nouvelles directions et les nouveaux conseillers du cabinet du ministère alimentaient le nouveau responsable du département des finances de notes et rapports sur le secteur parapublic.

Telle cette « note du 28 novembre 1977 concernant le contrôle de la gestion des établissements publics et des sociétés à participation financière publique » de 18 pages qui remarquait : « depuis plusieurs années l'État a laissé se créer un certain nombre d'établissements, voire de sociétés d'État, dont la vocation industrielle et commerciale n'est généralement pas établie mais à l'origine desquels on trouve toujours la même motivation : refus de tout contrôle administratif, débudgétisation des ressources par affectation directe de produits fiscaux, liberté des rémunérations. Il s'en est logiquement suivi une dégénérescence des statuts pour les établissements les plus récemment créés, lesquels ne retiennent même plus les formes de contrôle antérieures sous prétexte qu'elles ne sont plus appliquées ». Cette note, qui soulignait l'inadaptation de la législation ivoirienne à ce secteur en pleine évolution, préconisait un reclassement complet des établissements et une refonte de leur statut avec l'aide de la Chambre des comptes. Elle prévoyait également une redéfinition du régime de la tutelle technique et financière, la généralisation des nominations des directeurs généraux d'organismes parapublics par décret présidentiel après délibération en conseil des ministres (mesure jugée susceptible de ramener ces agents à la loyauté administrative), l'installation d'agences comptables dépendant directement du Trésor public, la séparation organique des ordonnateurs et des comptables, des pouvoirs de contrôle accrus de la Chambre des comptes, la poursuite du plan de formation des auditeurs d'État, le développement du recours aux audits externes. Enfin le document faisait de la volonté politique du gouvernement le meilleur garant d'une réorganisation réussie du secteur parapublic. Reprenant une partie des anciennes réflexions et initiatives, s'engageant aussi dans des directions nouvelles, ce document qui date, rappelons-le, du 28 novembre 1977, préfigurait largement le schéma institutionnel qui servira de cadre aux grandes réformes de 1980, tout en étant muet sur le sort qui sera réservé à chaque organisme en particulier et qui relèvera, ainsi qu'on l'a vu au chapitre premier, de l'initiative présidentielle.

L'activité du ministère n'allait pas se limiter à la seule conceptualisation des axes d'une réforme à venir. Elle se réalisait aussi dans des décisions pratiques qui allaient avoir des conséquences directes sur l'ensemble des entreprises publiques : une direction des participations était officiellement installée dans le nouvel organigramme ministériel, d'importants mouvements de trésorerie étaient organisés sur la base des fiches techniques et tableaux de bord précédemment évoqués ; en juin 1978 était décidée l'interdiction générale faite aux organismes parapublics de recourir directement aux emprunts extérieurs, ceux-ci devant dorénavant être centralisés et contrôlés par les services du ministère et gérés par la Caisse autonome d'amortissement (CAA). De même un net effort était fait visant à incorporer les importantes disponibilités bancaires de certains établissements dans les écritures de la CAA-dépôts et du Trésor public. Ce dernier point était réalisé sur les instances d'un acteur renaissant : la Chambre des comptes.

La réactivation de la Chambre des comptes

Juridiction partie prenante à la Cour suprême installée dès l'indépendance du pays, la Chambre des comptes avait déployé une certaine activité au début des années soixante-dix dans le contrôle des finances des entreprises publiques (sur le traditionnel double plan de la vérification non contentieuse et du travail juridictionnel), puis, faute de moyens et d'intérêt renouvelés, avait sombré dans une léthargie certaine. Dans le prolongement des changements opérés en juillet 1977 le chef de l'État conçut de donner un nouvel élan à la juridiction financière dont il pensait qu'elle pouvait être l'un des instruments du redressement attendu dans la gestion des fonds publics. On verra, dans les pages suivantes, que la réanimation de cette institution allait être un facteur décisif des transformations imposées aux entreprises publiques après 1980. Contentons-nous, ici et pour l'heure, de signaler très brièvement quelques-unes des initiatives que prit la Chambre des comptes réorganisée par une loi du 5 août 1978 et qui concoururent à donner une certaine substance au programme de réforme annoncé en 1977 (20).

Sur la base des compétences reconnues et/ou élargies en matière de vérification permanente des comptes des entreprises publiques, la Chambre relança dès l'automne 1978 tous les organismes figurant dans un arrêté du 15 octobre 1971 fixant la liste des établissements industriels et commerciaux, des Sode et des SEM soumis à son contrôle. Dans les nombreux courriers qu'elle adressa aux directeurs des établissements elle réclamait la production des documents de comptabilité et de gestion des deux derniers exercices. Elle renouvela désormais chaque année cette démarche avec quelque succès, même si elle put souvent se plaindre de retards à répondre à ses injonctions, de graves lacunes et d'inexactitudes dans la tenue des comptes, de détournements et de gestions de fait dans les organismes contrôlés (la partie contentieuse du travail de cette juridiction ne donne qu'une faible idée de tous ces aléas constatés dans la phase de vérification simple). En novembre 1977, en juillet 1978, en juin 1979 la Chambre s'efforça d'obtenir des services du ministère des Finances les listes exhaustives des agents comptables (dûment investis ou faisant fonction). Elle s'adressa ensuite directement à ces agents afin qu'ils déposent auprès d'elle les pièces comptables à vérifier. Les magistrats entendirent également jouer — et y parvinrent partiellement — un rôle de formation : ils assortissaient les documents comptables examinés ainsi que les nombreuses demandes d'informations complémentaires de commentaires et de précisions sur les règles à respecter en matière d'enre-

---

(20) Sur les sources des développements qui suivent, voir la note 15 de ce même chapitre.

gistrement et de manipulation des fonds, de gestion financière et de tenue des comptes.

En juillet 1980, en concertation avec le ministère de l'Economie et des Finances, la Chambre fit solder quelques-uns des comptes bancaires utilisés par les établissements pour le dépôt de leurs fonds et le réglement de leurs opérations marchandes en infraction totale avec les textes officiels : en vertu de la loi organique des finances du 31 décembre 1959 les établissements publics étaient tenus de déposer toutes leurs disponibilités au Trésor public. Elle se plut à rappeler ce principe et à l'inscrire à l'ordre du jour des établissements. Elle s'efforça d'intégrer ces fonds dans les écritures du Trésor ou, à défaut, dans les livres de la CAA (dont une des deux fonctions était de recevoir et gérer les fonds publics) dont les services étaient jugés plus rapides et plus souples. Elle obtint aussi du même ministère d'abandonner la pratique de versement des dotations de l'État en une seule fois en début d'exercice et de la remplacer par un système d'allocations fractionnées tout au long de l'année, au fur et à mesure des besoins de financement et des entrées de recettes (21).

En janvier de la même année elle avait proposé et mis au point avec le ministère des Finances un ensemble de mesures visant à instaurer un véritable contrôle de tutelle sur les établissements publics. Elle constatait en effet que si la nouvelle Direction des participations avait vocation à superviser les entreprises à structure sociétaire, la direction générale de la comptabilité publique et du trésor (DGCPT) n'était pas outillée pour exercer un contrôle sérieux sur les établissements publics alors même que, selon les propos de son président, la Chambre notait que « dans l'ensemble la gestion des établissements laisse beaucoup à désirer lorsqu'elle ne relève pas, pour certains d'entre eux, de la plus haute fantaisie » : elle prépara à cet égard de nouveaux textes définissant clairement la réglementation financière et comptable de ces organismes, aidant à la préparation de leur budget et instaurant le contrôle de gestion.

En mars 1980 elle avait également pris l'initiative, auprès

(21) Cette nouvelle pratique financière trouva par la suite dans l'ajustement structurel et les crises de trésorerie de l'État de nouvelles raisons d'être systématisée.

du même ministère, de dresser l'état des effectifs employés par les établissements en vue de les intégrer aux lois de finances votées par l'Assemblée nationale.

Parallèlement à ces démarches visant toutes un meilleur contrôle de la gestion des fonds publics, la Chambre développait une intense activité de réflexion et de conseil : elle multiplia notes, rapports, vademecum précisant les modalités de son contrôle et les régles à respecter en matière de comptabilité publique (par exemple cet *« Aide-mémoire relatif aux modalités de contrôle assuré par la Chambre des comptes à l'égard des établissements administratifs »* en date du 23 octobre 1979). Elle offrit ses services au ministère des Finances et proposa des textes de référence en vue notamment :

— de restructurer les services financiers de l'État et des établissements à participation publique ;

— de réorganiser les services du Trésor (recrutement de personnel compétent, amélioration des procédures et régles de production des comptes, etc.) ;

— de réorganiser et renforcer la tutelle financière des établissements et d'assurer un contrôle hiérarchique strict des agents comptables détachés auprès de ces établissements ;

— de pourvoir en agents comptables les nombreux établissements qui n'en avaient pas (22).

L'ensemble des initiatives de la Chambre et des mesures conjointes Chambre/ministère des Finances de la période 1978-1980 furent consacrées après la réunion du Conseil national de juin 1980 et l'annonce des décisions individuelles de dissolution, transformation et reclassement des sociétés d'État et des établissements publics. Elles s'inscrivirent dans des textes règlementaires et furent progressivement mises en application dans la période 1980 et 1983. C'est dire que les efforts déployés par la Chambre des comptes et le ministère

---

(22) Il y avait en effet, dans la décennie soixante-dix, pénurie de comptables publics. A tel point que beaucoup d'organismes, en infraction avec la réglementation, étaient totalement dépourvus d'un tel fonctionnaire spécialisé et que fort souvent son rôle était dévolu à des agents contractuellement et discrétionnairement recrutés par les directeurs d'établissements. Il s'en suivait de graves lacunes dans la tenue des comptes à la mesure de la soumission intéressée des agents financiers à l'endroit de leur chef d'entreprise. S'agissant des rares comptables publics installés dans les établissements, ils étaient appelés à de

des Finances à partir de l'automne 1978, cette fois-ci, ne furent pas vains. Tout s'est donc passé comme si le coup de colère présidentiel de juin 1980 et les brutales mesures individuelles subséquentes qui ont ébranlé la quasi totalité des Sode et des établissements publics avaient été le préalable indispensable à une politique nouvelle et efficace de réalignement, de clarification, de reclassement, d'assainissement et de soumission des entités du secteur parapublic jusqu'ici si sûres d'elles, fières de leur autonomie et confiantes dans leur pérennité.

UN EXEMPLE D'ANCIENNE TENTATIVE DE RÉFORME : LA SOGEFIHA

Contraint par la prospérité économique du pays, son urbanisation accélérée, le gonflement important et rapide des emplois du secteur moderne (public, parapublic, privé), l'État ivoirien était devenu, vers la fin des années soixante-dix, un très gros opérateur en matière de contruction de logements dits « sociaux » (le terme « économiques » serait plus approprié, comme le fait justement remarquer Philippe Haeringer, dans la mesure où le cercle des bénéficiaires s'est arrêté aux membres de la classe moyenne). Peu à peu depuis l'indépendance l'État s'était doté des structures d'intervention (SETU, SOGEFIHA, SICOGI, etc.), des instruments financiers (Office de soutien à l'habitat économique — OSHE — remplacé par la suite par le Fonds de soutien à l'habitat — FSH — dont la gestion, jusqu'en 1980, avait été confiée à la BNEC — Banque à capital mixte) et mis au point des actions

multiples et contradictoires tâches de sorte que les résultats n'étaient guère plus rigoureux. Il arrivait fréquemment qu'un même agent comptable fasse un travail géographiquement très dispersé tel celui-ci, signalé dans un document de la Chambre, « résidant à 400 km de la capitale, réunissant dans ses mains les fonctions d'agent comptable d'un organisme parapublic, de percepteur de la ville de cet établissement et de comptable d'un organisme dont le siège est dans la capitale ». Ce phénomène de pénurie de personnel compétent en comptabilité publique, dûment formé et installé, est au cœur de la situation du secteur parapublic telle qu'elle apparaît dans cette décennie : produit des circonstances (qui faisaient que personne n'avait intérêt à accentuer la rigueur des gestions) et contribuant en retour à perpétuer ces circonstances (l'absence d'activités spécifiques, professionnelles dans la gestion publique ne pouvant que rendre approximatifs les modes de gestion des fonds). Les « dérèglements », du secteur parapublic renvoyaient donc très nettement aux systèmes d'intérêts des acteurs et relevaient d'une logique autoentretenue.

indirectes de soutien (exonération de TVA, etc.). Bref, la puissance publique avait eu une politique importante et très active dans le secteur du logement économique au point que les spécialistes ont pu évaluer à plus de 50 % du coût total des nombreuses opérations immobilières le taux de subvention à la charge de l'État (cf. sur ce point Haeringer 1985). Cette politique s'est révélée extrêmement coûteuse pour les finances publiques. Créée en 1963, la SOGEFIHA a présenté, dès le début, une structure financière elle-même très déséquilibrée. Des audits menés sous l'égide de la Banque mondiale faisaient apparaître, dans le courant des années soixante-dix, de nombreuses défaillances : importantes pertes cumulées, très faible taux de recouvrement des loyers, absence de maîtrise des conditions financières des constructions (négociées directement par l'État et non par la Sode), mauvaises performances financières des programmes d'habitat rural, techniques de construction coûteuses et inadaptées, etc. Les découverts bancaires s'élevaient à 22 milliards de F CFA en 1980 (source BIRD* 1981a) et, selon Haeringer *(op. cit.)*, la dette de la société d'État, au détour de cette année, s'élevait, pour le court terme, à 42 milliards de F CFA et 72 milliards pour le long terme, alors que la SOGEFIHA ne disposait, pour un exercice donné, que de 7 milliards de ressources. Cette situation catastrophique ne s'explique pas par la seule incurie de la Sode : le gouvernement y a sa part importante. En effet les loyers n'ont jamais été augmentés à partir de 1970 (année où ils avaient été abaissés de 20 % sur ordre présidentiel). Une tentative de relèvement a eu lieu en 1976 mais les autorités politiques y ont renoncé en raison de « considérations sociales ». Une étude du ministère des Finances conduite en janvier 1977 évoquait des causes complémentaires de faillite : « dictées impérativement par le gouvernement, les grandes opérations immobilières n'ont jamais donné lieu à des études préalables d'équilibre financier. Elles ont ainsi conduit au déficit d'exploitation et au manque de financement à long terme étant donné le refus des bailleurs de fonds d'investir dans ce secteur (la CCCE un moment intéressée s'était par la suite rétractée) ». Un premier plan de redressement fut mis au point en 1976. Il consistait, pour l'essentiel, à mettre sous contrôle du ministère des Finances toutes les opérations nouvelles de la Sode et à injecter de nouvelles dotations pour résorber l'énorme passif. Sans résultat apparent, l'État, entre autres, cumulant des arriérés importants à l'égard de la société pour des « prolongements sociaux » de programmes de construction. Ne pouvant porter sur le relèvement des loyers, un deuxième effort d'assainissement a conduit le 17 novembre 1978 le ministère de l'Économie et des Finances à interdire à la SOGEFIHA d'entreprendre toute nouvelle construction et de contracter de nouveaux emprunts. Elle devait en outre domicilier ses revenus à la Caisse autonome d'amortissement qui avait la charge de gérer son service de la dette. Le résultat fut de geler les déséquilibres mais non de redresser les comptes de la société. La situation s'aggrava même lorsqu'en 1979 le gouvernement suspendit les financements provenant du FSH : tout le secteur de la construction fut touché. Après 1980 la transformation de la Sode en EPIC accompagna la redéfinition de sa mission : elle devait désormais se contenter de gérer le parc immobilier existant. Les besoins de financement de l'État, ses crises de trésorerie à partir de 1983 ont suggéré une nouvelle solution : la vente des milliers d'appartements de la SOGEFIHA aux occupants. Cette opération fut conduite sur décision présidentielle par la Direction du contrôle des grands travaux (DCGTX) qui court-circuita les procédures administratives et financières publiques dans la phase de commercialisation du parc. Finalement la dissolution de la SOGEFIHA le 22 mai 1986 mettait un terme à plus de vingt ans d'intervention de l'État dans le domaine de la construction, à plus de vingt temps de difficultés financières de la société (devenue entretemps EPN), à plus de dix ans de tentatives diverses pour la réformer et la réhabiliter.

2. Crise et restructuration patrimonialistes

Les circonstances et les initiatives favorables aux réformes présentées sélectivement ci-dessus (23) montrent clairement que les préoccupations sur la situation du secteur parapublic

(23) Les développements ci-dessus ne peuvent prétendre à l'exhaustivité. D'autres facteurs que ceux présentés ont sans doute contribué aux réorientations profondes de 1980. Ainsi on sait, par exemple, que le patronat européen, principalement français, avait, à plusieurs reprises, manifesté ses inquiétudes devant ce qu'il considérait être une étatisation rampante de l'économie ivoirienne qui menacait ses positions et avantages. On trouve un net écho à ces préoccupations et un souci d'apaiser les craintes de ce patronat dans le discours que le président prononça à l'occasion du 18e anniversaire de l'indépendance du pays (cf. *Fraternité-Matin* du 8 décembre 1978). Il réaffirmait les « options

en général et des Sode en particulier sont anciennes et régulièrement ravivées. Elles ne se réduisent pas au sous-produit d'avertissements extérieurs, même si ceux-ci, avec les premiers signes d'essouflement de la croissance manifestés à la fin de 1978, ont pu, c'est évident, peser d'un poids particulier dans le déclenchement, autour de 1980, des grandes réformes finalement mises en œuvre.

Il reste alors à essayer de comprendre pourquoi tant d'inquiétudes, de vélléités modificatrices, de notes réalistes et détaillées, de projets précis de transformation n'ont longtemps eu que peu d'effet et pourquoi, à partir de 1980, une réforme a été possible et rendue effective. Certes, les conditions macroéconomiques ont, entretemps, basculé : la croissance a laissé la place à la stagnation puis à la récession. La chute des recettes d'exportation, la désinflation à l'échelle mondiale, l'augmentation des taux d'intérêt, etc., ont alourdi considérablement le service de la dette, accentué les déséquilibres extérieurs, accru les déficits publics. Les circonstances de crise se prêtaient naturellement à un assainissement du secteur parapublic qui avait tant contribué aux coûteuses hémorragies. Mais, outre le fait que la crise, en 1980, n'en est qu'à ses premières manifestations et que les autorités ne sont pas encore enclines à la penser profonde et durable (cf. Fauré 1989), on peut faire valoir qu'à s'en tenir à cette vision strictement économique et financière des choses, on néglige d'autres pistes, qui mènent à la nature du jeu politique et social, et qui peuvent contribuer à éclairer les évolutions réformatrices qui se dessinent enfin en 1980.

Aussi fines et nuancées soient-elles, les analyses économiques de la crise ivoirienne ne peuvent en effet donner pleine satisfaction quand on veut comprendre dans leur complexité et dans leur richesse les ressorts de l'évolution du système social dans son ensemble ainsi que le passage d'une situation de croissance à une situation de récession. Certes, construites sur des grandeurs économiques et financières, ces analyses inté-

---

libérales » de son gouvernement et consentait à remettre en cause « l'Etat entrepreneur » qui, à travers les nombreux organismes parapublics, avait eu pour effet, incontestablement, de grignoter peu à peu certaines des positions outrancièrement dominantes détenues jusque-là par des entreprises privées à capital européen.

grent par conséquent les effets comptables de l'ensemble des comportements et des décisions qui ont provoqué et/ou accompagné le basculement de conjoncture. Mais l'identification et le traitement des variables socio-politiques, jugées exogènes au champ économique, seraient dès lors rejetés hors de l'univers bien délimité de l'expertise économique et financière et proposés aux investigations spécifiques du sociologue ou du politiste conformément au principe de la division intellectuelle du travail en disciplines juxtaposées et fortement cloisonnées. Or, à pousser ainsi hors du champ de compréhension de l'économique « pur » les considérations sociales et politiques liées à la montée en crise du pays, il est possible qu'on se prive d'une occasion de mieux connaître les causes et les mécanismes de cette crise.

On a vu, dans le chapitre 3, que si les déséquilibres de l'économie ivoirienne sont anciens et repérables trés tôt dans certaines composantes de la balance des paiements et dans les conditions de la croissance, la période qui va grosso modo de 1975 à 1980 est caractérisée par une profonde accentuation de ces déséquilibres : la dette augmente de façon exponentielle (elle sera multipliée par 4 entre ces deux années), les masses budgétaires de l'État grossissent fortement, les investissements publics s'envolent vers des sommets, les besoins de financement s'accroissent nettement, la part des ressources intérieures dans le financement des opérations de développement au titre du budget spécial d'investissement et d'équipement (BSIE) tend à chuter au bénéfice de concours extérieurs, etc. C'est exactement la période où, comme l'ont noté plusieurs analystes (24) les autorités ivoiriennes, délaissant les principaux projets industriels du 3e plan (couvrant la période 1976-1980), se sont lancées dans des opérations hors-programme portant sur des équipements de prestige ou ayant pour conséquence de développer le secteur des services à rentabilité très incertaine ou dont les effets financiers directs ont été de creuser le déficit de la balance des paiements courants en raison du fort contenu en import de la croissance de ce secteur (25).

---

(24) Et en particulier Foirry 1986, p. 75.

(25) Foirry 1986, p. 75 montre, par exemple que si, en 1973, 91,7 % des achats du secteur des services avaient eu lieu en Côte-d'Ivoire, en 1978 ces mêmes achats, réalisés à l'intérieur du pays ne représentaient plus que 38,1 %

Cette importante réorientation hors-plan de l'investissement public, cette explosion dépensière tous azimuts, évidemment suscitées par les liquidités grandissantes tirées de la hausse des cours de café et de cacao et de la facilité du recours au crédit extérieur, ne peuvent cependant se comprendre sans faire référence aux conditions politiques internes précises qui prévalaient dans cette période. On est alors en droit de faire l'hypothèse que les résultats économiques et financiers de la Côte-d'Ivoire peuvent être difficilement appréhendés indépendamment des modèles de conduite qui prévalaient au sommet de l'État et qui se reproduisaient de proche en proche jusqu'à se diffuser dans l'ensemble de la structure politico-administrative. De même, les énormes investissements et programmes décidés sous le régime des sociétés d'État, dont on sait les multiples « raisons », notamment sociales et politiques (rééquilibrage régional de la croissance, meilleure répartition des équipements et des revenus, etc.), et qui ont débouché sur d'imposantes « ardoises » (SODESUCRE, SODERIZ, AGRIPAC, SOGEFIHA, les barrages hydroélectriques, etc.) apparues progressivement à la fin de la décennie, ont fortement contribué à la crise et renvoient évidemment aux orientations économiques fondamentales constitutives du « système ivoirien ». Mais cette évolution était-elle inéluctable et les grands et coûteux programmes sont-ils réductibles au modèle économique de base ? Car il faut, entre autres, convenir que les engagements financiers correspondants sont surtout remarquables par leur soudaineté et leur ampleur. Or, celles-ci ne paraissent pas nécessairement liées au modèle de croissance dans sa seule dimension économique : elles renvoient, pour beaucoup, au climat politique régnant dans les années d'expansion, aux comportements alors valorisés dans l'espace public ivoirien, aux relations sociales qui s'y développent, aux modes de représentation de la réussite sociale et professionnelle qui y prévalent.

C'est assez dire que l'évolution examinée ici comporte une dimension politique (rapports et culture de pouvoir) qui vient surdéterminer ou infléchir très sensiblement les orientations du

des achats totaux du secteur. L'analyse de ce phénomène d'accroissement du contenu import de la production est aussi minutieusement menée par G. Duruflé in RF, MINICOOP 1986b.

modèle ivoirien jusqu'alors strictement entendu sur le plan économique. En d'autres termes les paramètres sociaux et politiques ne se réduisent pas à de simples variables exogènes trop commodément écartées, ils ne constituent pas une simple « toile de fond », le paysage devant lequel se serait déroulée, seule, importante et digne d'intérêt, la crise économique et financière. Les grandeurs comptables saisies par les expertises sont le résultat, économiquement construit, de pratiques sociales (systèmes d'action et systèmes de croyance), en elles-mêmes multidimensionnelles, et dont elles sont indissociables. C'est pourquoi l'évocation de ce qui s'est passé, dans les années soixante-dix, sur le plan des comportements politico-administratifs et des rapports de pouvoir permettra de compléter le jeu des déterminations internes de la crise ainsi que la logique non moins interne qui a prévalu à la restructuration du secteur des entreprises publiques.

La formule patrimonialiste et ses transformations

Pendant longtemps et pour beaucoup d'analystes la Côte-d'Ivoire paraissait être l'exception africaine ayant échappé aux ravages du patrimonialisme. Certes on y observait comme ailleurs la corruption, la façon très privative de concevoir et gérer les ressources publiques, les ponctions parallèles opérées sur les flux financiers de l'État, le marchandage des rapports aux services publics, les délivrances de documents, tampons officiels, visas, licences et autres autorisations moyennant espèces sonnantes, l'allocation à la faveur des postes, des droits ou des avantages, etc. Mais ces faits et ces tendances ne paraissaient pas hypothéquer la marche efficace des services, elles ne semblaient pas s'être étendues à l'ensemble des structures sociales du pays. Ainsi les travaux de Richard Crook, ceux de Richard Sandbrook — sans doute édifiés par le profond délabrement qu'ils avaient observé dans d'autres pays africains — insistaient comparativement sur la relative faiblesse de l'orientation patrimonialiste de la Côte-d'Ivoire.

Il convient sans doute de nuancer cette interprétation. Les efficacités relevées dans nombre de secteurs d'activité (le dynamisme des marchés et des entreprises, l'organisation et le fonctionnement opérationnels d'appareils administratifs, l'efficience des modalités d'encadrement et de commercialisation dans le monde agricole, etc.) — et qu'on pourrait synthétiser dans les taux d'expansion réalisée par le pays pendant plus de vingt ans — ont certes montré la prégnance des logiques de fonctionnement non patrimonialistes : ici les règles du marché, là la légal-rationalité des bureaucraties publiques, etc. Mais la croissance générale, la modernisation très rapide du pays ne peuvent faire oublier que le système social et politique ivoirien s'est aussi abreuvé aux sources d'autres modes de régulation et de domination.

En vérité le patrimonialisme a toujours été à l'œuvre en Côte-d'Ivoire. Il faut l'appréhender sans doute dans sa double dimension : le clientélisme (caractéristique de rapports de dépendance générant un échange entre personnes ou groupes contrôlant des ressources inégales mais complémentaires) et un mode de gestion des ressources collectives ou publiques qui tend à rendre indistinctes les frontières entre bien public et bien privé, entre domaine de la fonction et domaine personnel. Les premiers travaux ivoirisants de Zolberg 1964, de Cohen 1974 poursuivis par ceux de Médard 1983 ont été confirmés depuis par ceux de Sylla 1985 et de Terray 1986. Ce dernier a pu ainsi noter : « L'État (ivoirien) apparaît comme un conglomérat de positions de pouvoir dont les occupants sont, comme tels, en mesure à la fois de s'assurer à eux-mêmes de substantiels revenus et de répandre autour d'eux places, prébendes, gratifications et services » (Terray 1986, pp. 38 et 39). L'ensemble de la société est encadrée dans la structure des réseaux de clientèle et les appropriations à des fins privées des ressources publiques, sans résumer pour autant le fonctionnement du système social, y sont néanmoins fréquentes.

Si de larges pans de l'État ont échappé à la logique d'intérêts particularistes, le secteur parapublic a été indiscutablement le terrain d'élection des pratiques patrimonialistes. C'est une évidence, longtemps cachée par les flux financiers qui se déversaient sur ce secteur du fait de l'expansion générale, de la générosité des subventions d'État et de l'ampleur de concours extérieurs en mal de placement, notamment dans la décennie soixante-dix où les pétro-dollars cherchaient preneurs. A côté du respect apparent de conditions formelles abstraites (titres scolaires par exemple, et encore avec beaucoup d'exceptions) les recrutements et les positions professionnelles s'y décidaient plus nettement à la faveur, à l'influence, à la recommandation, à la pression de solidarités primaires (famille, lignage, village d'origine, ethnie, communauté de génération sociale ou scolaire et universitaire, etc.). La montée vertigineuse des déséquilibres économiques et financiers de l'important groupe des entreprises publiques (on peut raisonnablement évaluer à 60 % de l'ensemble des effectifs publics et parapublics ceux qui y avaient un emploi) et, partant, l'analyse sociale et politique de la crise sont donc largement redevables d'une explication en terme de patrimonialisme. Mais, en tant que mode de régulation et de domination, celui-ci n'obéit pas à un modèle figé.

La formule patrimonialiste a subi, en Côte-d'Ivoire, de profonds bouleversements entre les années soixante et les années soixante-dix. C'est dans ces transformations que s'éclaire l'évolution du secteur parapublic et que se loge sans doute l'enjeu politique le plus important de sa réforme longtemps avortée puis mise en œuvre à partir de 1980. Un rapide schéma peut être ainsi formulé (26) : pendant la première décennie d'indépendance le leadership présidentiel, c'est-à-dire l'ordre patronal dans notre paradigme, s'est exercé sans partage ; y contribuaient plusieurs facteurs solidement articulés : le contrôle des aspirants aux positions élevées de l'État de même que le monopole détenu par le président sur les agences publiques accumulant d'importantes trésoreries (la Caisse de stabilisation n'a été, dans ce sens, que le plus efficace parmi ces multiples instruments). Ces atouts garantissaient, entre les mains du leader, la régulation centrale du jeu patrimonial. Peu à peu à cette structure centralisée s'est substituée une structure éclatée, segmentaire.

L'accumulation rapide et assez considérable des disponibilités financières, sous le double effet de la valorisation des recettes d'exportation et de l'abondance des crédits extérieurs (auxquels, notamment, parviendront à avoir directement accés les dirigeants des organismes parapublics) va modifier assez

(26) Pour une présentation plus théorique et plus complète de l'évolution de la formule patrimonialiste ivoirienne on renvoie le lecteur à Fauré 1989. Sur le clientélisme et le (néo)patrimonialisme appliqués à l'analyse politique de l'Afrique noire, on se référera à Médard 1983 qui signale de nombreux travaux sur le sujet.

nettement la configuration initiale. En outre les effectifs de prétendants aux postes publics et parapublics se sont considérablement épaissis, corrélativement aux flux grandissants dans le domaine de la scolarisation et de la formation. De grands travaux sont lancés à partir du début des années soixante-dix, l'investissement public, de même que la dépense publique connaissent une formidable croissance, des organismes parapublics (Sode, établissements publics, SEM) sont créés en tous domaines. Sous l'effet de tous ces facteurs la structure pyramidale du patrimonialisme s'est transformée peu à peu en structure segmentaire. Par là, aux sommets de l'État, chaque agent capable de contrôler des réseaux de clientèle ainsi que, à la tête des organismes parapublics, chaque titulaire d'une dépouille attribuée dans le cadre du patronage, se sont arrogés des autonomies croissantes. Cette évolution est elle-même indiscutablement corrélée à la période de fort emballement de l'économie ivoirienne gagnée par une inflation généralisée : des dépenses, de l'investissement, de l'endettement, de la consommation intérieure, des importations, des déficits, etc. L'évolution fébrile des indicateurs comptables peut aisément se comprendre à partir des modifications de la formule patrimonialiste. Mais alors, la crise de la Côte-d'Ivoire, telle que décrite jusqu'à présent dans cette étude est aussi, en un certain sens, une crise du système patrimonial dans les deux dimensions que celui-ci comporte : crise de l'autorité patronale mais aussi crise de l'économie patrimoniale.

— *La crise de l'autorité patronale.* Le système des relations de pouvoir et d'autorité dans l'espace des positions dirigeantes du secteur parapublic a été assez profondément modifié dans le courant des années soixante-dix. L'ancienne configuration du patronage (entendu comme la distribution de ressources publiques en vue de fabriquer de l'allégeance), caractérisée par un lien de subordination étroit entre le patron et le bénéficiaire d'une dépouille, est très largement remise en cause par l'autonomie que conquièrent les agents dotés, pas seulement par le fait, ainsi qu'on le verra plus loin, qu'ils sont placés en situation de se constituer de faciles et rapides puissances financières, mais aussi grâce aux efficaces stratégies d'accumulation des positions qu'ils développent, favorisées bien évidemment par l'expansion générale et importante du pays.

Ainsi, pour l'année 1977, au moment du lancement de la réforme des sociétés d'État, une analyse des positions détenues par les seuls présidents de 27 Sode pour lesquels les données biographiques sont précises fait apparaître les résultats suivants : 12 présidents sur les 27 étaient membres du Bureau politique (organe de direction du parti unique) ; 9 sur 27 étaient ou avaient été membres du gouvernement ; 19 sur 27 étaient membres du Comité directeur du parti ; 12 étaient députés ; 4 étaient maire ou conseillers municipaux de la ville d'Abidjan (seule ville avant la loi de décentralisation à bénéficier du régime dit de plein exercice) ; 3 étaient membres du Conseil économique et social ; 2 appartenaient à des cabinets ministériels ; 10 avaient des fonctions dans la haute administration publique (ambassadeurs, préfets, directeurs d'administration centrale, directeurs régionaux) ; 7 étaient présidents d'une seconde Sode ; 1 était président de trois Sode ; 5 étaient présidents d'un établissement public ; 10 étaient présidents-directeurs généraux de sociétés d'économie mixte (d'une ou de deux) ; 5 étaient présidents du conseil d'administration de sociétés privées ; enfin 3 présidaient des banques de la place. Cette simple liste (27) atteste l'imposante activité d'accumulation des positions politiques et économiques réalisée par les dirigeants des Sode ; bien que trahissant des disparités réelles, l'indicateur de moyenne donne la pleine mesure de cette « réussite » : les présidents des Sode concentraient entre leurs mains 5 importantes fonctions politiques et professionnelles. Nous négligeons ici les multiples autres « responsabilités » qu'ils détenaient aussi : administration de sociétés privées, direction d'organismes associatifs, professionnels, syndicaux, que ce soit à l'échelle nationale, régionale ou panafricaine. Le résultat n'en serait que plus net encore si l'analyse prenait également en compte les capitaux sociaux, politiques et économiques détenus par les directeurs généraux des Sode. L'effet d'accumulation serait sans conteste encore plus marqué.

On le voit déjà à la lumière de ce bref exercice de mesure :

---

(27) Pour reconstituer les positions nous avons utilisé les sources documentaires suivantes : les outils du type « who's who », telles les séries *Les élites ivoiriennes* et *Les élites africaines* (Paris, Ediafric, plusieurs années), les coupures de la presse nationale, les documents du parti dont notamment les *Annuaires du PDCI-RDA*.

les directions des organismes parapublics ivoiriens concentraient de considérables forces sociales, économiques et politiques ; non seulement on y rencontrait des membres éminents de la classe dirigeante mais surtout des membres d'autant plus importants qu'ils étaient « cumulards ». Si les Sode, prises individuellement, comptaient peu pour ces « personnalités », ces mêmes « personnalités » comptaient beaucoup dans l'État, dans l'économie, dans la société. On ne doit donc plus s'étonner que tant de projets de réforme parapublique aient avorté, que tant de décrets et règlements ne soient jamais entrés en application, qu'une farouche résistance ait été opposée aux dispositifs de 1972, de 1973, de 1975, etc. Les ministères, dont les sommets étaient d'ailleurs eux-mêmes intéressés à l'existence et au fonctionnement des Sode, n'avaient pas en face d'eux, dans l'exercice de leur prétendue tutelle, des « techniciens », des agents isolés, peu dotés en capitaux de toutes espèces et versés dans l'accomplissement exclusif d'une fonction parapublique ; les ministères, le gouvernement, la présidence de la République devaient donc composer avec la fraction politico-économique sans doute la mieux dotée de la classe dominante. On comprend aussi pourquoi les parlementaires (fraction législatrice de cette même classe, cooptée par les dirigeants du pays et formellement élue sur une liste nationale) n'ont jamais manifesté d'empressement à organiser et clarifier les « règles du jeu » du secteur parapublic : ils étaient intéressés aux « flous » juridiques et comptables comme autant d'opportunités.

Bref, le secteur parapublic, et le sous-ensemble particulier des Sode, en 1977, était conduit par des gens d'importance et d'influence. Les avantages étaient acquis, les positions bien installées, la situation politique — l'ordre des rapports de force — bloquée. Toute perspective réformatrice était interdite si elle devait remettre en cause la prospérité et l'autonomie de ces structures et de leurs dirigeants. Hâtée elle-même par le risque d'imminente catastrophe financière, la condition politique préalable à la réussite d'un programme d'action tranformatrice — le recul du temps ayant éclairé ce réquisit — était donc la révolution ou plus exactement la réaction patronale qui donnerait au leader les moyens de remettre au pas les « barons » et autres « cadets du régime », de définir et d'exercer son autorité sur un mode renouvelé.

— *La crise de l'économie patrimonialiste.* Les perspectives d'accumulation privée dans le secteur parapublic, si elles n'ont pas, naturellement, été les seules à être exploitées (28), ont cependant été très importantes et fort séduisantes dans la décennie soixante-dix, à la mesure exacte de l'accroissement considérable des masses budgétaires de l'État et des investissements publics. Il n'est un secret pour personne, ni maintenant après la réforme ni avant qu'elle n'intervienne, que les postes de direction dans les entreprises à capital public et dans les organismes d'État ont toujours été des occasions de formidables et rapides « réussites » financières, donc sociales. Et comme tous les agents de ces structures émargeaient à cette généreuse comptabilité, les organismes parapublics, les Sode en particulier, ont été durant une vingtaine d'années d'extraordinaires gisements d'opportunités. En premier lieu parce que le régime salarial (rémunérations et avantages de toutes sortes) y était des plus satisfaisant, calqué, pour les hauts revenus, sur celui des entreprises privées employant des expatriés européens, alors que la plupart des entreprises publiques survivaient par la grâce d'importantes et continues subventions de l'État, celles-ci, dûment assurées année après année, les affranchissant de tout critère de performance. En second lieu parce que, dans le fonctionnement quotidien de ces structures, appropriations non déclarées, encaissements parallèles, détournements, etc., n'ont jamais manqué. Il ne faudrait certainement pas résumer la vie de ces établissements à ce régime : ils furent autre chose (d'importants instruments d'intervention modernisatrice), et firent d'autres choses (par exemple des essais de diversification des productions). Mais l'ampleur de l'économie prédatrice a été telle qu'elle est une cause essentielle de la très mauvaise situation comptable des Sode et, plus généralement, une cause importante de la mauvaise posture des finances publiques à la fin des années soixante-dix.

Là encore, il n'est pas nécessaire de multiplier les canaux d'information et les exemples pratiques pour donner une idée de la fréquence routinière et de l'ampleur des accumulations

(28) Les marchés de l'État, les procédures douanières et fiscales, les allocations de titres fonciers, les crédits bancaires non remboursés, les octrois de licences et d'autorisations, etc., figurent parmi les moyens les plus sûrs d'enrichissement des individus et des familles.

privées réalisées par le truchement des organismes parapublics. On pourra se contenter de rappeler certaines dénonciations officielles portées en 1980 sur les pratiques en vigueur dans ce secteur, complétées par quelques descriptions contenues dans des documents émanant de plusieurs administrations en étant assuré de ceci : toutes les sources non publiées et consultées (notes ministérielles et documents juridictionnels, rapports d'audit et de liquidation, etc.) non seulement confirment les déclarations gouvernementales exprimées au détour du Conseil national de juin 1980 mais apportent même tant de précisions et révèlent tant d'ancienneté dans ces pratiques que les propos officiellement et publiquement tenus apparaissent, comparativement, bien modestes par rapport aux réalités du quotidien.

Reproduisons tout d'abord tels quels quelques passages du rapport de présentation des décisions de réforme des Sode rédigé et lu par le ministre d'État Mathieu Ekra lors du Conseil national du 12 juin 1980 (RCI, MERSE 1980) : « La pratique qui s'est instituée a engendré tellement de sociétés d'État en quelques années que, en les examinant une à une dans leur situation d'origine et leur évolution, on est bien obligé de convenir que ces créations étaient trop souvent dictées par le souci de placer des amis désireux d'échapper à la hiérarchie et de bénéficier de privilèges exceptionnels » (p. 3)... « Au plan économique et social le directeur de société a donc pratiqué une conception personnelle de son management. Généralement issu de la fonction publique, c'est lui-même qui s'est fixé son salaire et tous les avantages de sa nouvelle charge, naturellement aussi confortables que possible. Et comme il a quand même besoin de soutien ou de solidarité autour de lui, il a organisé pour les uns et les autres la même chaîne de privilèges financiers et matériels. C'est ainsi qu'on a trouvé dans les sociétés d'État des salaires 2 à 4 fois plus élevés que ceux des directeurs de services administratifs centraux, non compris logement, mobilier, eau, électricité, voitures, domesticité et autres frais de réception ou de représentation pris en charge par la société et dont le montant est encore plus important que les salaires eux-mêmes » (p. 6)... « Des conventions de travaux ou de fournitures ont été souscrites à des prix et à des conditions ahurissantes, des emprunts contractés pour des projets non autorisés, des voyages organisés à des fins fantaisistes, des achats d'avion et des constructions d'immeubles effectués sans nécessité réelle. Quant à la tenue des comptes d'exploitation, certains dirigeants ne s'en souciaient même pas, seuls les carnets de chèques dont ils disposaient librement en tant que seuls signataires pouvaient les préoccuper lorsqu'ils avaient dépassé leurs plafonds de découverts en banque » (pp. 6 et 7).

Rapports d'audit, de liquididation, documents juridictionnels apportent des précisions. On peut en proposer un très bref aperçu : « un certain nombre d'agents comptables détachés auprès des entreprises publiques ne présentent aucune position administrative régulière ; de nombreux établissements publics sont dépourvus de comptables publics ; on note une totale absence de respect des formes comptables réglementaires » ; « dans tel organisme * on a constaté une trop grande liberté et une certaine libéralité dans la gestion des fonds et dans l'attribution des avantages, traitements, primes, gratifications, prélèvements opérés sur les fonds de réserve... » ; « dans l'établissement * les imputations comptables sont totalement irrégulières ; on y pratique des doubles paiements de loyers depuis 8 ans ». « Depuis sa création cet organisme * n'est pas pourvu d'agent comptable et aucune tutelle financière n'a été exercée. Les comptes produits, en conséquence, ne présentent aucune fiabilité et sont, en leur forme, pratiquement inexploitables. » « En dépit de l'incompétence notoire de l'agent comptable affecté à *, il a été maintenu en fonction jusqu'à son départ à la retraite. L'entreprise n'a jamais été capable de produire les moindres documents de gestion. » « A * comme dans beaucoup d'entreprises publiques les chèques étaient détenus par le directeur et exclusivement émis par lui, en dépit de la présence d'un agent comptable et en totale infraction avec la réglementation. »

Appropriations privées et clientélisme animaient la vie quotidienne des organismes parapublics. Ainsi que devaient le reconnaître plusieurs dirigeants d'entreprises publiques quelques années après la réforme lors d'une table ronde qui leur était exclusivement réservée : « Avant la réforme des sociétés d'État, l'État actionnaire avait un comportement plutôt laxiste... La compétence n'est pas le critère de nomination des responsables d'entreprises publiques, mais souvent le critère d'appartenance à la même ethnie ou à la même région que l'autorité de tutelle » (CIGE 1987, p. 25)... « Je dis que le critère de compétence n'est pas toujours pris en considération et que c'est l'appartenance à la même ethnie qui peut être la motivation essentielle, il ne faut pas cacher cette tare. On utilise l'entreprise publique nationale à des fins personnelles. Cela amène à proposer des ressortissants, des alliés à des postes de responsabilité... : c'est cela le népotisme » (*ibidem*, p. 29). « J'insiste pour dire que dans la plupart des Sode qui ont été supprimées, il y a eu des alliances (ethniques et népotiques) qui ont pu jouer. Certaines personnes n'ont pas été nommées selon leur compétence » (p. 29). « Vous savez que l'un de nos maux est de confondre l'entreprise et le dirigeant ce qui fait que si l'entreprise marche mal ou plutôt si l'entreprise est mal gérée, on la dissout » (p. 27). Cet intervenant donnait là une des clefs de la réforme apparemment brutale de 1980 : le leader s'en prenait aux structures, non aux individus. Il n'y aura d'ailleurs, malgré ce flot d'irrégularités observées dans quantité de rapports officiels et d'actes juridictionnels, aucune poursuite particulière à l'encontre de tel ou tel dirigeant à l'occasion de cette réforme et au détour des années 1980. La nature même des relations à l'intérieur de la classe dominante (d'étroites solidarités politiques et économiques se doublent de nombreuses alliances matrimoniales), la solidité des positions détenues par les dirigeants d'entreprises publiques interdisaient cette solution pénalisante (au double sens du terme).

Les gabégies, les inorganisations, les distractions de fonds étaient tels et si répandus que la grande majorité des entreprises ayant fait l'objet d'un audit ne pouvaient obtenir de certification des comptes par les cabinets spécialisés. C'est ainsi que la formule suivante était inscrite dans nombre de rapports d'audit : « vu les problèmes rencontrés dans certains domaines, nous n'avons pas été en mesure de mener à bien un programme de révision conforme aux normes généralement admises en la matière permettant d'aboutir à la certification des comptes annuels précités ».

Il n'est point besoin d'allonger ce florilège de pratiques patrimonialistes : enrichissements privés, clientélisme, gestion au jour le jour caractérisaient nettement le secteur parapublic. Celui-ci, au demeurant, ne se distinguait pas tant par la nature de ses pratiques que par leur foisonnement et leur ampleur. Car le fonctionnement réel des organismes d'État et des entreprises publiques ne trahissaient pas, sur le fond, les pratiques et les représentations prévalant au plan général de l'État, de l'économie, de la société. La période de flambée des cours mondiaux du café et du cacao et, par voie de conséquence, de l'augmentation considérable des recettes d'exportation, la période de grandes facilités à obtenir des crédits extérieurs et de l'accroissement des dépenses publiques a été aussi, sans doute possible, celle de la baisse générale des contrôles, des disciplines comptables et gestionnaires, du développement d'un laisser-aller aux effets un moment masqués par l'abondance des disponibilités financières et l'apparente prospérité ambiante. En tous domaines, en tous secteurs ce phénomène anomique est observable. N'en relenons ici que deux exemples. En 1977 le ministère de l'Économie et des Finances pouvait constater, sur la foi des fiches techniques centralisées par son cabinet, qu'un client sur deux n'avait pas honoré entièrement ses engagements en 1976 à l'égard de la banque * (RCI, MEF, 1977). Il était devenu courant de ne pas s'acquitter de telle ou telle dette. Se développera dans cette décennie l'idée d'une puissance publique thaumaturge, d'un *welfare state* sans nom. Autre exemple : l'extrême rapidité de mise en œuvre du programme sucrier (dont le montant global s'élevait déjà à 269 milliards de F CFA en 1979 et pour lequel cinq contrats venaient d'être signés d'août 1976 à avril 1977) « a conduit la Côte-d'Ivoire à accepter ces contrats de réalisation et de gestion très favorables pour les opérateurs. Ainsi une expertise récente effectuée sur trois complexes (parmi les 12 projetés) à la demande du gouvernement ivoirien faisait état d'une surfacturation de 36 milliards de F CFA. D'autre part la participation de l'État via le budget d'investissement financé par la caisse de stabilisation (BSIE-CSSPPA) n'a atteint que 24 % du financement de l'investissement total mettant en péril l'équilibre financier du projet » (BIRD* 1981a).

En résumé, si, comme le rappelait l'ancien ministre de l'agriculture, le mot d'ordre présidentiel avait été de « défonctionnariser la fonction publique » (Sawadogo 1977a, p. 238), le succès allait au-delà des espoirs initiaux : ce n'était pas à une simple défonctionnarisation qu'on était parvenu mais, bel et bien, à une privatisation de la conduite des organismes demeurés par ailleurs dans un cadre non concurrentiel. On voit tout le confort que beaucoup pouvaient tirer d'une telle situation.

La réaction patronale

C'est justement parce que les premiers effets politiques de l'autonomie croissante des agents se développaient (luttes factionnelles au sein du parti et de l'État, « guerre de succession » entre barons, garanties de privilèges et d'impunité de députés inamovibles, etc., cf. Fauré 1989) et que lui parvenaient les échos grandissants d'une telle économie dispendieuse, orientée vers l'emploi des ressources plutôt que vers leur production, que le président était intervenu sur le sujet. Déjà lors du 6e congrès du parti en 1975, il avait eu l'occasion de menacer de sanctions les comportements indélicats, les enrichissements sans cause et les profits fort rapides qu'il avait observés çà et là. Aussi parla-t-il, dans son rapport, « d'une dénaturation inquiétante du sens du service public (...) et de la corruption qui gagne peu à peu tous les secteurs » (RCI, PDCI-RDA 1976, pp. 116-117).

— *L'« esprit de juillet »*. En juillet 1977 il passait aux premiers actes en remaniant profondément le gouvernement et en confiant au ministre d'État II la charge de conduire une réforme des Sode. Ces changements politiques étaient présentés comme la marque décisive de « l'esprit de juillet » qui devait désormais animer la gestion plus responsable des affaires publiques et parapubliques. Outre le plus important changement de gouvernement opéré depuis l'indépendance, plusieurs séries de mesures étaient arrêtées visant à assainir les pratiques dans plusieurs secteurs d'activité. Elles étaient présentées par le Bureau politique du PDCI lors d'une réunion du 26 juillet consacrée à « instaurer l'austérité et combattre la corruption » (*Le Monde*, 29-7-1977). Ainsi une loi du 29 juin 1977 portant répression de la corruption précisait l'arsenal des qualifications pénales tombant sous le coup de sanctions accentuées. Une ordonnance du 27 août 1977 et un décret du 29 novembre suivant transformaient la réglementation des permis de construire et devaient en principe concourir à moraliser les mouvements d'appropriation foncière, qui étaient au cœur des processus d'accumulation privée. L'assainissement des circuits de commercialisation du café et du cacao était visé par un décret du 5 mai 1978 définissant plus clairement les conditions d'octroi de l'agrément en qualité d'acheteur de produits, autre position clef pour des enrichissements importants et rapides. Le 8 octobre 1977 le Conseil des ministres annonçait un train de mesures portant « sur la redistribution de plantations indûment attribuées (à des citadins influents), sur l'installation de salariés à faibles revenus dans les logements économiques illégalement occupés par des locataires aux revenus élevés et sur le remboursement à l'État de baux administratifs fictifs » (*Marchés tropicaux* 14-10-1977). En 1978 les contrôleurs financiers installés dans chaque ministère furent rattachés directement à la présidence (29). La moralisation des affaires ne devait pas épargner un secteur particulièrement florissant : celui des marchés administratifs et des travaux publics qui toléraient commissions occultes, pots de vin et surfacturations opportunes. Une circulaire présidentielle du 6 décembre 1977 rappelait à tous les responsables les procédures à respecter dans les marchés de l'État. Dans le même temps était créée la fameuse Direction du contrôle des grands travaux (DCGTX), seul établissement public qui dépendra directement du président. Par ailleurs le leader ivoirien tenait à donner l'exemple de la nouvelle moralité en faisant don à l'État et aux anciens travailleurs de son domaine de plus de 3 000 hectares de caféiers, de cacaoyers et de rizières, le 22 juillet 1977, le lendemain même du changement gouvernemental.

L'annonce de la réforme des Sode n'était donc pas un acte isolé, un projet spécifiquement sectoriel : elle prenait place dans un ensemble de préoccupations d'assainissement des affaires et des relations dans et autour de l'État de Côte-d'Ivoire.

— *Le rapport de la Chambre des comptes, déclic de la réforme*. Pour autant qu'elles furent longuement, fréquemment observées et dénoncées à partir de 1977, ces coûteuses évolutions n'en continuèrent pas moins, toujours légitimées par un climat de grande confiance dans la croissance irréversible du pays, l'accroissement assuré de ses recettes d'exportation, la

(29) Cette innovation ne sera formellement régularisée qu'avec le décret 81-823 du 26-9-1981.

persévérante générosité de l'État... jusqu'au 12 juin 1980 où les mesures de liquidation et de transformation furent présentées par le président et le ministre d'État II en Conseil national. Que s'était-il passé entretemps pour conduire les autorités de la menace bonhomme à la sanction brutale ? Certes les indicateurs économiques et financiers avaient viré au rouge et les alertes des bailleurs de fonds s'étaient faites plus pressantes. Mais le revirement doit aussi, surtout, aux évolutions internes, il renvoie en propre au champ politique et social ivoirien et à l'état du jeu patrimonialiste.

Par lettre adressée à l'ensemble des ministres le 26 juin 1980 dans laquelle il rappelait fermement les décisions annoncées le 12 juin précédent, le président évoquait la raison pour laquelle après ces longs atermoiements il était enfin passé aux actes. Il signalait en substance qu'il avait pris connaissance du rapport de la Chambre des Comptes de la Cour suprême, que les pratiques en vigueur dans maintes entreprises publiques et révélées par ce rapport étaient totalement inadmissibles et qu'il fallait désormais mettre fin, définitivement, à ces abus, gaspillages, détournements et irrégularités de toutes sortes. Ce document est important : il confirme l'impulsion interne du mouvement de réforme des organismes parapublics. Mais pourquoi alors cette réaction en 1980, trois ans après l'annonce de la réforme des Sode ? Parce que la Chambre des comptes venait tout juste d'être réactivée.

Certes elle existait formellement depuis le 3 novembre 1960 sur la base d'une loi instituant la Cour suprême et divisant celle-ci en quatre chambres. Une autre loi du 2 juin 1961 avait bien fixé l'organisation et le fonctionnement de la juridiction financière. Mais sa vie était largement hypothéquée par l'indigence de ses moyens humains et matériels. Un exemple parmi d'autres : jusqu'en 1978 la Chambre n'avait fonctionné qu'avec son président, deux conseillers et deux assistants techniques (sources : enquêtes et entretiens et Djé-bi-Djé 1986 pp. 17 et s.). Les deux assistants repartis dans leur pays d'origine, un conseiller affecté dans une autre structure : au milieu des années soixante-dix la Chambre, de fait, était en sommeil. Le contrôle des comptes publics lui était totalement interdit. On a vu précédemment qu'une loi du 5 août 1978 avait redonné vie à cette institution. Ce texte, en réalité, ne bouleversait pas les données juridiques. Pourtant, au détour d'articles apparemment banals et, faut-il le préciser, de nouvelles dotations en personnel, le système de vérification non contentieuse et de contrôle juridictionnel des fonds publics put être véritablement lancé et les effets se firent immédiatement sentir dans certains aspects de la gestion des deniers de l'État. Surtout, la loi d'août 1978 réorganisant la Chambre avait prévu, en un article *a priori* fort anodin (art. 187, alinéa 5) que « tous les ans la Chambre examine les observations faites à l'occasion des diverses vérifications effectuées pendant l'année précédente et forme avec celles qu'elle retient un rapport qui est remis au président de la République et au président de l'Assemblée nationale... ». Ceci était en fait une grande innovation. Jusque-là le pouvoir d'information dont disposait juridiquement la Chambre se limitait pour l'essentiel à la simple production d'un rapport sur l'exécution des lois de finances... qui ne fut jamais réellement rédigé. Désormais la magistrature financière était invitée à développer amplement ses observations sur l'ensemble des finances de l'État et notamment sur l'utilisation qui en était faite dans les entreprises à participation publique.

La Chambre des comptes confectionna le premier rapport annuel portant sur l'année 1979. Il fut adopté le 27 mars 1980 (34 p. + annexes). Un rapport spécial (devant avoir en principe une fréquence biannuelle) sur les entreprises publiques fut également remis au président au printemps 1980. Celui-ci, mis au fait des pratiques indélicates qui continuaient à prospérer dans les organismes publics donna ordre au secrétaire général du gouvernement (dont l'une des fonctions était de suivre, pour la présidence, les dossiers financiers) de procéder à la diffusion, en une centaine d'exemplaires, du second document auprès « des responsables des administrations dont certains errements et carences ont été stigmatisés par la juridiction financière ».

Ce sont donc ces deux documents, le rapport général et le rapport spécial, qui déclenchèrent l'ire présidentielle et dont il fait état dans sa lettre du 26 juin 1980 adressée aux ministres. L'ampleur des pratiques dénoncées par la Chambre parut d'autant plus l'étonner que, depuis 1977, avec le profond remaniement gouvernemental, la nomination d'un ministre chargé d'introduire la réforme des Sode, l'ensemble des mesures visant à lutter contre la corruption, il pensait avoir trouvé les moyens d'enrayer gaspillages et détournements. Les documents de la Chambre révélaient que non seulement il n'en était rien mais qu'en outre de tels comportements s'amplifiaient pour concerner l'ensemble de la sphère publique et parapublique. C'est bien pourquoi il réunit précipitemment le Conseil national le 12 juin pour évoquer tous les errements portés à sa connaissance et annoncer brutalement le train des liquidations et des transformations d'entreprises publiques. Ministres et directeurs d'établissements étaient pris de court. La réforme prenait son véritable envol sur ce coup de colère présidentielle. C'est ce qui explique la précipitation des mesures annoncées (qui ne furent pas toujours mises en œuvre exactement dans le sens prévu), la surprise des divers responsables (dont plus d'un, la veille encore, étalaient les perspectives d'avenir et les projets de leurs Sode...) et la soudaine et abondante production normative (lois de septembre sur les Sode et les EPN, décrets de reclassement de novembre, décret de décembre sur les avantages et indemnités des personnels, etc.).

Le rapport de la Chambre des comptes n'a certes pas été l'unique ressort déclenchant la réforme. Mais, parmi un ensemble de causes déjà exposées, il a été l'indiscutable facteur précipitant. Le paysage parapublic ivoirien, tel qu'il peut être dressé dix ans après, n'est qu'imparfaitement conforme aux mots d'ordre présidentiels de 1980. Mais c'est sur la base de ce rapport-évènement que le mouvement général de réforme est donné et que, pour les Sode particulièrement, fleurons du secteur parapublic, l'essentiel est décidé.

L'activité de la Chambre ne s'arrêtera pas à la rédaction de ces rapports : après 1980, en collaboration avec les services du ministère de l'Economie et des Finances elle prendra une part décisive à toutes les réglementations nouvelles et à toutes les clarifications portant sur la gestion des deniers publics et sur l'organisation et le fonctionnement des agences comptables centrales ou détachées. Non seulement la Chambre aura créé le phénomène-déclic de la réforme de 1980 mais, dans toutes les années suivantes, elle aura été un acteur essentiel du processus réformateur.

— *Logique interne, logique politique.* La reprise en main patronale ne s'est pas exercée dans le seul domaine des activités parapubliques. La restructuration générale du jeu patrimonialiste s'est opérée à la fois dans sa dimension économique et dans sa dimension politique et s'est inscrite dans de nombreuses transformations et innovations à partir de 1980 en dehors de la réforme strictement comprise des entreprises publiques : la suppression des baux administratifs, les procès pour détournements de fonds faits à d'importantes personnalités, l'allègement très sensible des organigrammes de tous les ministères, les incompatibilités imposées entre les fonctions de mandataire politique et d'administrateur d'organismes économiques à participation publique, la centralisation progressive d'abord des travaux publics, puis de l'ensemble des importants marchés de l'État, enfin de la plupart des opérations d'investissement entre les mains de la DCGTX, la réforme administrative et le recensement des fonctionnaires, le nouveau code des marchés publics, la réforme électorale de 1980 consacrant l'abandon de la liste nationale unique pour les législatives et entrouvrant les portes du scrutin semi-compétitif, les disgrâces de quelques grands personnages, etc. (30) participent du même cours.

Le tarissement des sources parallèles d'enrichissement et l'ébranlement d'une fraction importante du personnel politique devaient concourir au même but : recentraliser le système patrimonialiste au bénéfice du leader à l'autorité reconstituée, mettre fin aux effets les plus segmentaires du clientélisme, mieux assurer la domestication des principaux acteurs. Les luttes factionnelles qui s'étaient ouvertement exprimées jusque-là (et communément décrites comme « la lutte des barons ») témoignaient de cette autonomisation et de cette accélération clientéliste et patrimonialiste (les deux dimensions s'engendrant réciproquement) et la logique concurrentielle qui commandait cette effervescence menaçait d'emporter le grand patron en minant le cœur de son institution : de « grands hommes » émergeaient qui contrôlaient de puissants réseaux et régnaient sur des fortunes les rendant capables de s'attacher bien des moyens et bien des fidélités. Les importantes réformes opérées dans le secteur parapublic à partir de l'été 1980 peuvent se comprendre comme une réponse à la crise d'au-

(30) Sur tous ces points et leur liaison dans la perspective patrimonialiste, cf. Fauré 1989.

Tableau 6.1

INVENTAIRE DES MESURES GÉNÉRALES A FORME JURIDIQUE ADOPTÉES A L'OCCASION DE LA RESTRUCTURATION DES SECTEURS PUBLIC ET PARAPUBLIC

Mesures générales relatives au secteur parapublic	Mesures générales intéressant la sphère publique
20-07-77 : création du ministère d'État (II) chargé de la réforme des sociétés d'État (MERSE)	29-06-77 : loi portant répression de la corruption
09-02-78 : décret portant attributions et organ. du MERSE	20-07-77 : décret consacrant la nomination d'un nouveau gouvernement engagé par le président à assainir les pratiques dans la sphère publique
25-10-78 : loi prescrivant la forme nominative des actions émises par les stés. à part. financ. publique	17-08-78 : décret portant organisation du Trésor public
13-09-80 : loi fixant les règles des EPN et créant les catégories d'EPN	04-08-78 : loi créant la Direction du contrôle des grands travaux (DCGTX) visant à maîtriser les dépenses d'investissement de l'État dans les infrastructures
13-09-80 : loi définissant et organisant les sociétés d'État	28-07-78 : loi rétablissant les conditions de la concurrence et réprim. les infrac. à la législ. économique
28-11-80 : décret portant classement dans les catégories d'EPN	05-08-78 : loi portant organisation, attrib. et fonctions de la Cour suprême (dont la Chambre des comptes)
12-12-80 : décret fixant les avantages matér. et les indemn. spécifiques à des personnels d'EPN	04-08-80 : loi modifiant le statut de la fonct. pub. (notam. précisant la discipline et les cond. de licen.)
12-12-80 : décret fixant les avantages matér. et les indemn. à des personnels des sociétés d'État	16-02-81 : décret créant le Comité de coord. finan. et de contr. des invest. (= tableaux de bord sur compt. État)
18-02-81 : décret portant régime financier et compt. des EPN	18-02-81 : décret mod. organ. du Trésor (services du TPG)
01-07-81 : arrêt. organisant la direction des EPN du ministère de l'Econ. et des Finan.	25-09-81 : décret rattachant. à la présid. la direct. du contrôle financier
12-12-81 : instruction d'application du décret sur régime financier et comptable des EPN	

d'avance de l'État et des EPN

13-04-82 : décrets fixant les conditions d'accès aux emplois de contrôleur budgétaire et d'agents compt. des EPN (+ indemn. représ.)

21-04-82 : décret sur l'organisation administrative des EPN

12-08-82 : arrêt, précisant les fonctions de la D.G. de l'Économie (MEF) sur gestion des EPN, des SODE et des SPFP (notam. sur pouvoir de nomination du D.G.)

02-08-83 : loi modifiant la loi du 13-09-80 sur les stés d'État (notam. sur pouvoir de nomination du D.G.)

25-01-84 : décret réglementant la gestion et la compta. des biens et matières des EPN

07-03-84 : décret abrogeant le décret du 12-12-80 sur les avant. matér. et indemn. des personnels d'EPN

12-12-84 : décret fixant les attrib. du ministre Fonction pub. (dont impuls., coord, et suivi réformes EPN et SODE)

29-07-85 : loi susp. applic. aux SPFP à forme de S.A. la loi du 02-08-83 sur direct. et admin. des S.A.

16-10-85 : décret sur la situation des person. des EPN (mettant fin aux détachements dans les EPN)

28-07-87 : loi modifiant la loi du 2 août 1983 et autorisant le fonctionnement des sociétés d'État sans Conseil de surveillance

28-07-87 : loi modifiant la loi du 02-08-83 relative à la Direction et à l'administration des sociétés anonymes

[illegible]-11-82 : décret précisant l'organ. de la Direction générale de la comptab. pub. et du Trésor (DGCPT)

02-06-83 : décret réglem. octroi et gest. des avals de l'État

07-11-84 : décret sur organ. attrib. et fonct. du contr. finan.

19-01-85 : décret fixant attrib. organ. et fonct. de l'Inspection génér. des serv. pub. (IGSP) et ratt. cette inspection à la présidence

12-09-85 : décret portant Code des marchés publics

24-01-86 : décret instituant des primes et indemnités aux personnels des corps de l'informatique

Sources : cf. tableau n° 1.2.

torité et aux débordements financiers que la segmentation patrimonialiste avait engendrés. L'évolution de ce secteur est un témoignage vivant des métamorphoses du système patrimonialiste ivoirien dans son ensemble. Dispositif essentiel de la transformation de ce système, la restructuration du secteur parapublic comportait une dimension interne que ne pouvaient saisir les bailleurs de fonds et les observateurs trop éloignés des réalités sociales et historiques de la Côte-d'Ivoire. La BIRD, notamment, était frappée d'une irréductible cécité : elle ne pouvait, on l'a noté, s'expliquer l'obstination présidentielle à imposer les fameux alignements de rémunérations et d'indemnités. C'est en vain qu'elle faisait état de la part très relative des masses salariales dans les déficits d'exploitation ; ce n'était sûrement plus une affaire seulement financière : l'enjeu en était la capacité du patron à mettre au pas les cadres du secteur parapublic. La mise en évidence de ces enjeux internes éclaire certaines orientations de la réforme des Sode et des EPN et permet d'expliquer les obstinations du pouvoir et sa résistance aux assauts indignés des bailleurs de fonds qui ne savaient pas ou feignaient d'ignorer qu'avec les entreprises publiques à forme sociétaire disparaissait une des sources majeures de la crise d'autorité qui avait secoué le système de domination patrimoniale.

De même, c'est en raison de ces enjeux propres à l'univers patrimonialiste que les verrouillages financiers ont été mis en place immédiatement, avec une hâte qui étonnait les observateurs étrangers. Ainsi, par exemple, dès le 18 septembre 1980, soit cinq jours après que l'Assemblée nationale ait adopté les deux grandes lois sur les Sode et les EPN, le ministère d'État II était en mesure de présenter en Conseil des ministres des projets de décrets « fixant les avantages matériels et les indemnités spécifiques accordés à des personnels des Sode et des EPN ». La réduction des masses salariales, les alignements de salaires des EPN sur les grilles de la fonction publique, si elles étaient justifiées naturellement par la montée des périls financiers menaçant le pays, s'expliquaient aussi (surtout ?) par ce souci de mettre au pas les « cadres » nationaux et, au-dessus d'eux, d'exercer de nouveau une pleine autorité politique sur leurs dirigeants. On ne saurait mieux comprendre cette liaison entre finances et politique qu'en replaçant les évolutions observées dans le paradigme patrimonialiste qui montre que de la richesse peut dépendre l'autorité, que les processus d'accumulation économique et politique sont coalescents. Des problèmes définis de manière éminemment interne et politique, renvoyant à l'ordre des rapports au sein du groupe de domination, ne pouvaient tout à fait se résoudre par la seule grâce d'interventions extérieures et trop simplement « techniques ».

7

Agents, finances, État : ajustements et résistances

La connexion des enjeux sociaux, politiques, culturels, financiers et économiques est à présent une évidence qui suggère la relative complexité du problème qu'une énonciation technique ramène à « la réforme des entreprises publiques ». La richesse de cet objet provient aussi de l'imbrication étroite de ce que, pour faire court, on peut appeler les systèmes de référence qui orientent l'action réformatrice : celle-ci s'éclaire tout autant par les rationalisations qu'imposent l'aggravation des déséquilibres et déficits des finances publiques et des échanges extérieurs (la « politique d'ajustement ») que par les modifications propres au champ patrimonialiste. Le recentrage ainsi opéré dans la définition de la situation (l'accent mis notamment sur les dimensions internes et politiques des transformations observées) ne doit cependant pas donner à penser que cette souveraineté s'accompagne d'un allègement des contraintes, d'une plus grande facilité à manipuler le secteur cible, d'une plus grande rapidité à produire et appliquer des décisions, à introduire et imposer des novations. Les difficultés et obstacles sont tout aussi redoutables dans l'un et l'autre systèmes de référence. C'est bien pourquoi si le nouveau schéma institutionnel de l'univers parapublic est livré dès l'automne 1980, les mesures qui bouleverseront le fonctionnement quotidien et pratique des structures en question et réorienteront les comportements de leurs agents feront l'objet d'incessantes transactions et d'une lente et parfois partielle observance (1). On en fera l'analyse dans le présent chapitre en prenant bien soin d'écarter le piège des fictions juridiques pour s'en tenir aux réalités pratiques avérées.

1. Les verrous : cadrages budgétaires et systèmes d'information

On retiendra deux des principales directions dans lesquelles s'est exercée, avec des bonheurs inégaux, l'urgence réformatrice.

Les disciplines financières

On a vu que parmi les causes essentielles qui incitèrent la présidence à intervenir à la fin des années soixante-dix dans le secteur parapublic figurent le gonflement considérable des emprunts extérieurs contractés par leurs directions, l'envolée des rémunérations, indemnités et avantages matériels, l'accentuation des dépassements budgétaires, l'amplification de pratiques gestionnaires interdisant tout contrôle, etc. Aussi n'est-il pas surprenant de constater qu'à côté de la clarification juridique relative à l'organisation administrative des entreprises publiques, tout un axe de la restructuration a visé à mettre en place un certain nombre de verrouillages financiers. Dans son intervention au Conseil national de juin 1980 le leader ivoirien avait déclaré : « L'hémorragie financière, du fait de la mauvaise gestion des sociétés d'État, était telle qu'il fallait d'urgence prendre des mesures d'assainissement » (RCI, MERSE 1980). Il évoquera de nouveau cet objectif, lors de son fameux (car il y faisait état de sa fortune personnelle) discours du 26 avril 1983, en pleine grève des enseignants : il s'agissait (en 1980) « d'arrêter l'hémorragie au plan de l'État

(1) Les informations factuelles ayant nourri les développements de ce chapitre ont été collectées à partir d'une importance documentation écrite et ont été complétées et vérifiées à l'occasion de nombreux entretiens.

ivoirien provoquée par des emprunts inconsidérés des dirigeants des sociétés d'État » et, poursuivait-il, de mettre un terme au niveau très élevé des rémunérations (PDCI-RDA 1984). Un grand nombre de décisions prises précocement dans le long processus de réforme et qui suggèrent un souci d'en finir avec les dérapages financiers des entreprises publiques opèrent dans deux dimensions tout à fait complémentaires : la consolidation financière de l'État et la mise au pas des acteurs du jeu patrimonialiste.

— *La consolidation des finances publiques.* Les organismes parapublics n'étaient pas seulement prodigues de leurs ressources et dotations, ils empêchaient, par leur inorganisation comptable, une information même approximative de leur situation financière et, par voie de conséquence, interdisaient les rares efforts (il y en a eu dans la décennie soixante-dix) de reconstituer l'ensemble des comptes de la puissance publique. A tel point que les bailleurs de fonds, FMI et BIRD, s'empresseront, dès les premiers programmes d'ajustement structurel, de mettre en place leurs propres instruments de collecte et d'exploitation des données relatives aux opérations financières de l'État ivoirien et de ses nombreux satellites. A tel point encore que nombre de liquidateurs de sociétés d'État dissoutes en 1980 auront besoin de plusieurs années avant d'établir une situation comptable des entreprises concernées (PAC, SONAFI, etc.).

La reconstitution d'un minimum d'unité des finances publiques correspond à la fois à la nécessaire rationalisation des outils comptables exigée par les bailleurs de fonds et rendue impérieuse par la crise elle-même, ainsi qu'au souci de mettre un terme ou tout au moins de réduire les multiples sources d'enrichissement peu académique. Ainsi par exemple — parmi de très nombreuses nouvelles dispositions, largement appliquées — doit-on citer l'obligation dans laquelle se trouvent les établissements publics nationaux de déposer leurs disponibilités au Trésor public ou, à tout le moins, à la Caisse autonome d'amortissement. De la même façon les excédents de ressources doivent en principe (car quelques dérogations, on le verra, existent sur ce point) être versés à un compte spécial ouvert dans les écritures du Trésor. Dans cette veine de répression financière signalons encore la proscription générale des découverts bancaires ainsi que l'interdiction — sauf rares exceptions — faite aux EPN de recourir à l'emprunt extérieur : ceux-ci, lorsqu'ils sont nécessaires au montage d'un programme, doivent être soumis aux travaux de prévision et aux circuits budgétaires, inscrits au BSIE, sollicités et gérés par la CAA. Dès 1978 le FMI, dans le cadre du premier plan d'assainissement financier, avait obtenu l'interdiction d'emprunts extérieurs inférieurs à 5 ans et la limitation de ceux allant jusqu'à 10 ans. Le nouveau régime financier des EPN ne fait donc que traduire, à leur endroit spécifique, une contrainte générale pesant sur l'ensemble des finances publiques de la période des ajustements structurels.

— *Des budgets limitatifs.* L'un des premiers moyens imaginés pour mieux contrôler l'ensemble des établissements publics « nouvelle manière » a consisté à donner à l'Assemblée nationale le pouvoir de voter leur budget. Cette mesure a été imposée par la présidence qui en a vérifié l'effectivité dès le début de la réforme. Cette innovation ne s'analyse pas comme une redécouverte des vertus parlementaires au sein du système politique ivoirien : il s'est bien évidemment moins agi de conforter les compétences budgétaires des députés (s'il n'en allait pas ainsi on ne comprendrait pas pourquoi elles ne se prolongent pas dans le vote de lois de règlement, la dernière adoptée étant relative à la gestion 1977...) que de mettre en place des contraintes à l'effet de contenir les masses budgétaires des EPN provenant des dotations de l'État central.

Sur ce terrain précis prévalaient jusqu'ici l'inorganisation, l'improvisation, la prodigalité et l'incontrôle : schématiquement les organismes parapublics, sans autre intervention d'institutions tierces, obtenaient directement du Trésor public, et généralement en début d'exercice, une dotation globale, de fonctionnement et d'investissement, dont le montant et l'opportunité n'étaient pas discutées. En cas de besoin — c'est-à-dire assez souvent — des appels de fonds étaient faits par les présidents et directeurs en cours d'exercice. Avec le nouveau dispositif, mis au point sous la tâtillonne férule du leader ivoirien, le projet de budget est établi par le directeur de l'établissement, soumis aux ministères de tutelle technique puis au ministère des Finances. Après approbations (et discussions et vérifications), le projet est transmis à l'Assemblée nationale qui le vote dans un instrument annexé aux budgets (BGF et BSIE) de l'État (2). Cette révolution de procédure — qui n'est elle-même que le résultat d'un rapport de forces fortement modifié entre acteurs —, et dans la mesure où elle a été réellement et généralement appliquée, a produit deux conséquences essentielles au regard des objectifs de rationalisation financière et patrimonialiste poursuivis par le pouvoir politique.

En premier lieu on a pu vérifier un effet d'intangibilité budgétaire. Celui-ci se manifeste tout d'abord par le fait que les masses financières en jeu ne peuvent qu'exceptionnellement donner lieu à dépassement : les services, réactivés, du Trésor savent parfaitement désormais s'abriter derrière la compétence parlementaire pour refuser des appels de fonds des directeurs d'établissements. Il est vrai qu'ils ont été aidés dans leur rigueur par la crise financière de l'État. Non seulement la masse mais aussi la structure des budgets des EPN ne peuvent être, et ne sont généralement, remises en cause : les transferts de titre (titre I : fonctionnement ; titre II : investissement) de même que les virements entre chapitres (personnel, équipement, etc.) ne sont qu'exceptionnellement acceptés sur la base d'un arrêté du ministre de l'Economie et des Finances. Il faut bien voir que la rupture avec la situation antérieure à la réforme est nette : jusqu'en 1980 la quasi certitude d'obtenir des subventions et des dotations en provenance du budget de l'État, ou le recours aux découverts bancaires, ou encore l'appel aux crédits extérieurs avaient fini par convaincre les directeurs de Sode et d'EPN d'une couverture automatique de leurs engagements. Ces pratiques, inévitablement, avaient empêché que soit posé le problème de la qualité des gestions, avaient reconduit en permanence des structures financières extrêmement déséquilibrées (insuffisance des fonds propres, surendettement, etc.) et imposé à l'État de considérables transferts. Désormais le budget circonscrit l'horizon des moyens financiers des activités des EPN. L'application réelle de ce nouveau régime, et la surveillance relativement étroite

---

(2) Le budget annexé des EPN ne doit pas être confondu avec les budgets annexes à la Loi de finances et relatifs à certains services non dotés de la personnalité morale mais bénéficiant de l'autonomie financière (RTI, DMTP, Imprimerie nationale, etc.).

de sa mise en œuvre (par le Trésor, par la Chambre des comptes, etc.), cadenassent assez efficacement le jeu des dirigeants d'entreprises et d'organismes.

L'intangibilité des masses budgétaires des EPN soulève un problème particulier. Globalement il est confirmé qu'il n'y a pas de dépassements, à la fois sous l'effet des contrôles mis en place mais aussi sous l'effet de la crise financière de l'État. Prenons l'exemple des excédents. Il peut en exister de deux sortes : soit des excédents budgétaires, et dans ce cas on distingue les excédents du titre I « fonctionnement » et les excédents du titre II « investissement ». Si l'excédent concerne le titre I il génére automatiquement du ministère une annulation de crédit équivalente. S'il s'agit d'un excédent d'investissement il peut y avoir report de crédit sur l'exercice suivant. A côté de cela il existe des excédents de trésorerie. En principe, d'après un décret de 1985 ces excédents sont automatiquement reversés à l'État (sur une ligne spéciale dans les écritures du Trésor public). En fait depuis 1985 il n'y a pratiquement pas d'excédents de cette nature : la balance générale définitive du Trésor en fait foi. Pour autant cela ne signifie nullement que les excédents disparaissent subrepticement des écritures comptables : en réalité la pénurie de liquidités du Trésor conduit à la situation suivante. Contrairement aux pratiques antérieures les dotations ne sont pas versées globalement en début d'exercice. Elles ne le sont que par tranches parcimonieuses sur justificatif de pièces produites par les agents comptables des EPN. Celles-ci sont contrôlées minutieusement par les services du ministère des Finances (DCSPP, sous-direction des EPN, services centraux du Trésor). Un des résultats de ces rigueurs comptables et de cette crise financière est que les excédents de trésorerie sont, par hypothèse, éliminés en amont car s'il y a excédent dans un EPN à un moment donné l'agent comptable ne peut plus faire d'appel de fonds budgétaire au Trésor pour un montant équivalent. Il y a donc en place un mécanisme immédiat de régulation. Par voie de conséquence les gabégies et détournements persistants ne s'appuient pas ou ne débouchent pas sur des dépassements des masses budgétaires. Ils se situent à l'intérieur de celles-ci. Car les agents comptables ne peuvent et ne sont en mesure d'exercer qu'un contrôle de régularité. Il s'ensuit que les usages réels, les consommations réelles de crédits ne sont pas nécessairement toujours conformes aux affectations budgétaires. Il peut donc y avoir un décalage entre la situation budgétaire de l'EPN d'une part et sa situation financière réelle. Le respect des prévisions, des affectations, des montants, des équilibres ressources/emplois peut cacher des faits ou des déséquilibres peu satisfaisants au regard des nouveaux principes comptables affichés. Ainsi quelques EPN, faute d'obtenir, dans des délais rapides, des fonds de l'État dont la trésorerie est mal en point grossissent les arriérés de paiement auprès des fournisseurs : ils résolvent de manière condamnable un problème de trésorerie dans le cadre d'un budget en apparence parfait et respecté. Ces pratiques ne sont d'ailleurs pas sans rappeler ce qui se produit au plan de l'État central : son équilibre budgétaire est une fiction juridique qui masque de réels et profonds déficits. On en conclut que l'analyse budgétaire des EPN donne une idée des masses en jeu mais est insuffisante pour rendre compte de la gestion financière de ces mêmes EPN.

Un autre effet de ce dispositif budgétaire est d'avoir introduit une minimale mais inévitable programmation de la gestion financière des EPN : ceux-ci doivent être en mesure désormais de préparer un an à l'avance leurs opérations financières en présentant un projet de budget aux divers services de tutelle au printemps de l'année précédente. Si cette procédure, après une période de surprise et de résistance, est largement respectée, elle ne va pas sans poser, on le verra, un certain nombre de problèmes pratiques.

L'outil et la procédure budgétaires ont été le terrain des ultimes résistances des ex-Sode agricoles reclassées en EPN. Fort mécontentes d'un reclassement assimilé à une sanction, plaçant leurs espoirs sur l'entregent des bailleurs de fonds, les EPN à vocation agricole ont longtemps tardé à présenter leur budget prévisionnel. Pour la gestion 1989 leurs directions se sont résolues à remettre, avec retard, cet instrument (qui a fait l'objet d'un addendum). Elles se sont finalement soumises lorsque la Direction générale de la comptabilité publique les a menacées de respecter les compétences budgétaires en les privant des dotations de l'État si leurs budgets ne figuraient pas dans l'annexe votée par l'Assemblée nationale.

— *La nouvelle organisation comptable.* En ce domaine les novations et les bouleversements ont été profonds, non seulement sur le plan technique des structures et des circuits mis en place, mais aussi, surtout, sur le plan de la culture financière jusque-là prégnante dans l'univers parapublic. Les mesures qui ont concouru à la construction de la nouvelle organisation comptable peuvent être regroupées sous deux principales rubriques : l'indiscutable tendance à la transparence comptable — qui n'est pas allée, il est vrai, sans difficulté — s'est doublée d'une professionnalisation des activités financières dans les établissements publics.

L'innovation fondamentale touchant à la gestion quotidienne des entreprises publiques a consisté à imposer un mode d'organisation et de fonctionnement conçu sur le principe d'une nette séparation de l'activité des ordonnateurs et de l'activité des agents comptables. A s'en tenir aux seuls textes, on s'interdirait de bien percevoir la portée véritablement révolutionnaire de ce dispositif : la séparation ordonnateur-comptable est en effet un des piliers du régime de la comptabilité publique d'inspiration française. Le système administratif ivoirien, avant 1980, y faisait formellement référence. Mais dans la réalité quotidienne des entreprises il en allait tout autrement : les chefs d'établissement ou de Sode avaient toujours confondu et concentré à leur profit ces deux fonctions. Nommé à la discrétion du directeur, le comptable de l'organisme était, dans les faits, devenu totalement dépendant de celui-ci. Chacun, évidemment, tirait profit de cette situation. Dans cet affranchissement de contraintes finalement toutes théoriques, les directeurs trouvaient matière à dépenses somptuaires pour l'entreprise, à engagements financiers fragiles, à revenus de haut niveau et à train de vie personnel fastueux ; les comptables en tant que cadres de ces organismes bénéficiaient de ces largesses salariales et des retombées de la prodigalité de l'entreprise en avantages de toutes sortes.

Les modifications introduites réellement dans l'organisation et les procédures comptables des EPN ont été très profondément ressenties par les directeurs d'établissement comme une atteinte portée à leur autorité patronale. De fait, l'ensemble du dispositif tendant à établir une nette séparation entre ordonnateurs et comptables et impulsé à l'initiative vigilante et constante du ministre de l'Économie et des Finances et de la Chambre des comptes touchait le nerf éminemment sensible du pouvoir directorial des EPN. Cela signifiait en clair — c'est sur ce mode qu'a été pratiquement vécu ce bouleversement — que les directeurs ne disposaient plus désormais des carnets de chèques des établissements, qu'ils ne pourraient plus également les utiliser dans leur vie intramondaine. Ces mesures ont provoqué de très sérieux remous dans les EPN, beaucoup de dirigeants ne se résolvant pas à renoncer désormais à la libre disposition des crédits et de la trésorerie de l'entreprise. Leur longue résistance n'entama pas la détermination des services du ministère des Finances et des magistrats de la Chambre des comptes et, après maints incidents, moultes plaintes et revendications, l'institution d'un agent comptable, placé à côté du directeur reconnu comme ordonnateur principal de l'EPN est probablement un des « acquis » les plus décisifs et les plus solides de la réforme parapublique.

L'organisation et le fonctionnement comptables des établissements répondent désormais au schéma suivant : c'est le directeur, en tant qu'ordonnateur, qui dispose du pouvoir d'engager les dépenses de l'entreprise, mais c'est un autre fonctionnaire, l'agent comptable, qui régle les dépenses, recouvre les recettes, tient la comptabilité de l'établissement et réalise, en fin d'exercice, le compte financier remis, entre autres services, au ministère des Finances et à la juridiction financière. L'agent comptable exerce un strict contrôle de régularité des opérations d'encaissement et de débours et s'attache notamment à vérifier l'existence de crédits appropriés et la réalisation des services faits ou des fournitures livrées. Pour sauvegarder cette séparation des fonctions et assurer au comptable l'autonomie opérationnelle, gage d'une gestion conforme à la comptabilité publique, l'agent comptable échappe hiérarchiquement à l'autorité du directeur d'EPN : il relève directement du ministère des Finances, et plus précisément a le statut de fonctionnaire rattaché à la Direction générale de la comptabilité publique et du Trésor de ce département. L'installation dans les EPN, par le Trésor public, d'agents comptables frais émoulus de l'Ecole d'administration ou des services financiers centraux de l'État n'a pas posé de problèmes insurmontables. La situation a été beaucoup plus délicate dans le cas où le Trésor a nommé dans les fonctions d'agent comptable un ancien cadre financier en place dans l'établissement : l'allégeance antérieure à son « patron » a rendu plus difficile l'affirmation du rôle désormais séparé du comptable. Les services du Trésor ont été sensiblement plus vigilants dans ce type de situation et ont fini par imposer la séparation opérationnelle.

Cette nouvelle organisation des EPN qui doit s'analyser, répétons-le, comme une transformation radicale de leur mode de gestion financière, a été confortée par la mise en place d'un nouveau plan comptable, inspiré du plan comptable général mais adapté aux contraintes et exigences de service public imposées désormais aux EPN, (notamment en vue de faciliter les contrôles). La mise au point et la mise en place de cet instrument ont occupé des fonctionnaires et experts pendant près d'un an (ministères des Finances, de la Fonction publique, Chambre des comptes, etc.). Le résultat de leur travail se présente, formellement, comme une très longue instruction (plusieurs centaines de pages) précisant et clarifiant les règles de conduite en matière de comptabilité publique et n'occupant pas moins de quatre fascicules, du fait d'une description fort détaillée de l'ensemble des cas pratiques et du recours à de nombreux exemples. Elle a été progressivement mise en application et est globalement observée par l'ensemble des services depuis les années 1983/1984.

L'institution d'un contrôleur budgétaire — qui n'existait pas dans le système de gestion précédent (seuls existaient des contrôleurs d'État dont l'impéritie a été unanimement dénoncée) — a été une autre occasion pour les directions d'EPN de pousser un formidable tollé et de trouver auprès des bailleurs de fonds, Banque mondiale en tête, des relais actifs. Cette innovation, il est vrai, n'a pas fait l'unanimité au sein du ministère des Finances et de la Chambre des comptes : manifestant une volonté de contrôle allant bien au-delà du « modèle » administratif français, elle était par beaucoup jugée trop lourde et contraignante.

Dépendant lui aussi directement du ministère des Finances, le contrôleur budgétaire a un double rôle : d'une part il est censé devenir le conseiller et le contrôleur de gestion de l'entreprise, d'autre part il a pour tâche de vérifier en permanence la conformité aux prévisions de l'exécution du budget. A ce dernier titre, puisque l'autre rôle n'est que très partiellement rempli, il double l'action de l'agent comptable en exerçant un contrôle *a priori*, concomitant et *a posteriori* (délivrance d'un visa) dans les cas, non limitatifs, suivants : les dépenses de personnel relatives à des mesures nouvelles (entre autres dans les cas de recrutement), les autres dépenses du titre I (fonctionnement) supérieures à un million de F CFA, toutes les dépenses du titre II (investissement), les projets de marché et de convention, les demandes d'avances de trésorerie par l'ordonnateur, l'ouverture exceptionnelle d'un compte bancaire etc. Dans de nombreux autres cas intéressant la vie quotidienne des établissements, c'est son accord formel ou son avis favorable qui est requis. En outre le contrôleur budgétaire assure la liaison entre l'EPN et le ministère des Finances et était initialement placé sous l'autorité de la Direction du contrôle du secteur parapublic (DCSPP). Les contrôleurs, lorsqu'ils ont été progressivement installés, se sont trouvés en bute à l'hostilité ouverte des dirigeants d'établissements et certains d'entre eux furent molestés et même séquestrés. Ils ont été accusés d'être des « commissaires » gouvernementaux doublant les directions, d'avoir pour mission essentielle de contrôler les masses salariales et les avantages matériels (ce qui, à l'origine, était parfaitement exact) et, enfin, de paralyser l'activité des établissements en exerçant un contrôle d'opportunité des dépenses. En fait les contrôleurs paraissent limiter leur action à un examen de régularité qui consiste à vérifier que des crédits correspondants sont prévus dans le budget et sont encore disponibles. Mais il est tout aussi vrai que, par rapport aux pratiques antérieures particulièrement relâchées, l'institution et l'intervention des contrôleurs budgétaires ont pu paraître tout à fait scandaleuses et choquantes aux yeux des directeurs, grandes victimes des rigueurs nouvelles.

L'institution réelle de ces nouveaux agents et circuits financiers et comptables a exigé du temps et des disponibilités en moyens humains. Formalisé dès 1981 le régime financier et comptable n'a été que progressivement appliqué à partir de 1982. Trois ans plus tard il faisait l'objet d'une mise en œuvre effective générale. Il supposait un important personnel compétent et qui, jusque-là, faisait défaut. C'est pourquoi un plan de formation spécialisée fut mis en place par le ministère des Finances (organisation de séminaires réguliers, etc.), il fut demandé à l'École nationale d'administration (ENA) de créer une filière particulière dans la section de finances publiques sur le contrôle budgétaire et de gestion. Un vaste mouvement de sélection et de nomination de candidats aux fonctions d'agents comptables et de contrôleurs budgétaires fut lancé à partir de 1982 : on recruta en hâte des administrateurs des services financiers, dans certains établissements on intégra à la fonction publique des directeurs ou comptables déjà en place, on délégua d'autres fonctionnaires intéressés par ces métiers dans les fonctions comptables et budgétaires. Au total les besoins s'élevaient à quelques 130 ou 140 agents. On doit apprécier l'importance de ces activités de recrutement, de formation et de nomination relativement au fait que jusqu'en 1980 n'existaient que très peu d'agents comptables publics (demeurés d'ailleurs dans les services du ministère) et, évidemment, aucun contrôleur budgétaire. Si l'essentiel de l'effort a porté, pour des raisons compréhensibles d'urgence, sur le recrutement et la formation des agents comptables, autour de 1985 tous les établissements étaient pourvus de ces deux agents financiers de nationalité ivoirienne alors qu'un pointage de 1982 montre que 2 agents comptables sur 59 et 19 contrôleurs budgétaires sur 53 étaient des assistants techniques français auxquels il avait été hâtivement et provisoirement fait appel pour mettre en œuvre le nouveau dispositif financier et comptable.

A la fin de la décennie quatre-vingt la spécialisation est très avancée. Pour prendre l'exemple des agents comptables : 95 % d'entre eux proviennent désormais des services du Trésor, ont été formés à l'ENA et ont un statut d'administrateur des services financiers, d'inspecteur du Trésor ou, plus rarement, de contrôleur du Trésor ou d'attaché des finances. Tous ont suivi, en plus des cycles de l'ENA, des séries de stages de formation pratique en comptabilité publique et privée. Et la Direction générale de la comptabilité publique et du trésor n'hésite plus à se séparer des très rares agents comptables qui ne remplissent pas correctement leur mission.

L'incontestable professionnalisation des corps d'agent comptable et de contrôleur budgétaire s'est accompagnée d'une autonomie fonctionnelle qui leur a été, entre autres choses, assurée par le versement d'indemnités représentatives de frais qui leur permettent, en moyenne, de doubler le salaire nominal de base et, en principe, d'accomplir leur tâche sans subir la pression et les tentations des ordonnateurs-directeurs d'établissements. En outre la totalité des agents comptables et la grande majorité des contrôleurs budgétaires exercent désormais leur activité à plein temps au sein des EPN.

Par rapport à l'idéal réformateur, si d'incontestables améliorations de la gestion financière et comptable ont été observées au sein des EPN, un certain nombre de difficultés et de défaillances demeurent après dix ans de mise en œuvre du nouveau schéma. Signalons-en brièvement quelques-uns : aucune liaison n'existe entre les agents comptables (qui en réfèrent directement au Trésor) et les contrôleurs budgétaires (dont le rattachement hiérarchique a lui-même évolué) ; les ordonnateurs ont tendance à éviter le seuil de déclenchement du visa obligatoire des contrôleurs en fractionnant les opérations d'achat — il est vrai, et le Trésor admet ce point, que ce seuil est la plupart du temps trop bas (1 million de F CFA). En certains cas il a été constaté, de la part des directeurs d'EPN, des actions visant à circonvenir les contrôleurs (mise à disposition d'un véhicule, etc.). Le corps des contrôleurs budgétaires subit un affaiblissement de son niveau de compétence : ceux d'entre eux qui ont une solide formation comptable sont attirés dans les cabinets privés aux rémunérations beaucoup plus avantageuses.

Les procédures comptables, conformes à l'*Instruction d'application du décret de 1981 sur le régime financier et comptable des EPN*, n'ont pas été exemptes de reproches techniques. Un toilettage en a été réalisé dans le courant de l'année 1989. Deux innovations principales ont été décidées : un meilleur rapprochement encore du plan comptable des EPN avec la comptabilité commerciale afin de faciliter les analyses financières. Dans cette perspective le nouveau plan décomposera mieux les rubriques. Sous couvert de rationalisation comptable, c'est aussi le contrôle des usages financiers qui sera facilité. Un exemple : la rubrique « frais de mission » jusqu'alors indifférenciée sera désormais ventilée en « mission en Côte-d'Ivoire » et « mission à l'étranger » ouvrant droit à des barêmes différents et sur l'imprécision desquelles jouaient encore les dirigeants d'EPN. Autre innovation en cours, l'organisation règlementaire d'une comptabilité dite hors budget des EPN. Elle sera applicable par les EPN massivement aidés par des bailleurs de fonds extérieurs : leurs prêts seront gérés séparément mais feront l'objet d'une régularisation en fin d'exercice par leur intégration dans les écritures comptables publiques de l'EPN. Cette souplesse a été réclamée par les EPN à vocation agricole dont les concours externes sont incertains, fluctuants et difficilement prévisibles longtemps à l'avance. Cette innovation satisfait par ailleurs les bailleurs qui pourront vérifier que leurs concours n'alimentent pas les finances publiques ivoiriennes dans leur ensemble.

— *Tutelle, aval, marchés : contrôle et parcimonie.* La contention des masses budgétaires, la clarification obtenue dans la gestion et la tenue des comptabilités ne sont certes pas les seuls instruments des nouvelles disciplines financières imposées aux organismes paraétatiques. En réalité c'est un ensemble très foisonnant et, par endroit, très complexe — trop long à présenter dans les limites de cette étude — de mesures nouvelles ou transformées qui, mises bout à bout, et en majeure partie appliquées à partir de 1982, ont contribué à imposer des rigueurs inédites dans l'utilisation des deniers publics. Dans ce riche ensemble relevons trois dispositifs qui ont été créés, ou modifiés, ou renforcés et qui, inscrits réellement dans les pratiques, ont été des facteurs décisifs du relatif assainissement du secteur parapublic (DCSPP).

En premier lieu un effort organisationnel a été réalisé pour rendre les systèmes de tutelle plus effectifs, plus efficaces : si l'ensemble des EPN, EPA en particulier, sont sous l'étroite dépendance de la Direction générale de la comptabilité publique et du trésor (sous-direction des EPN) du ministère des Finances, dans ce même département la création, en juillet 1982 d'une Direction du contrôle du secteur parapublic, prenant la suite de la Direction des participations, a été l'outil d'un meilleur contrôle exercé par l'État sur les EPIC, les Sode maintenues et les sociétés d'économie mixte à participation publique majoritaire. Il convient de noter que les instances interministérielles prévues par les lois du 13 septembre pour exercer la tutelle (Conseils de surveillance dans le cas des Sode maintenues, Commissions consultatives de gestion dans le cas des EPN) ont été abrogées ou rendues facultatives en 1987 (par la loi du 28 juillet de cette année). Sept ans après le démarrage de la réforme ces comités — en principe constitués notamment de plusieurs ministres — ne s'étaient pas réunis, essentiellement pour des raisons de calendrier. Le gouvernement a enregistré ces difficultés et a relancé les circuits classiques de tutelle :

ministère des Finances et ministères techniques indépendamment. Quant aux sociétés d'économie mixte : la DCSPP s'est trouvée confrontée à des problèmes de nomination de représentants de l'État au sein des conseils d'administration. Les besoins en effectif de représentants s'élevaient autour de 200 personnes. Un effort de rationalisation a été entrepris jusque dans les années 1984/1985 : les représentants n'étaient plus, comme naguère, des hommes politiques ou des individus influents mais des agents administratifs de catégorie A nommés par arrêtés interministériels et exerçant désormais gratuitement leur fonction. Les liaisons qu'ils ont vocation d'assurer entre le ministère des Finances et les SEM se sont passablement relâchées après 1985 qui a vu la disparition de la cellule juridique de la DCSPP.

En second lieu il convient de noter l'importante réforme du régime d'octroi de l'aval de l'État en matière d'emprunt : le décret du 2 juin 1983 a modifié les conditions de l'engagement de l'État dans un sens beaucoup plus rigoureux. Ce sont les sociétés à participation financière publique (Sode et SEM) qui sont évidemment concernées par ces restrictions. Quant on sait qu'une part importante de la dette publique extérieure provient de la mise en jeu de l'aval de l'État à la suite de la défaillance de nombreuses entreprises, c'est un élément de premier plan de l'assainissement qui a été conçu avec le décret du 2 juin 1983.

Enfin on ne saurait oublier l'essentielle réforme des conditions et des procédures des marchés publics réalisée par le décret du 13 septembre 1985 : le nouveau régime est beaucoup plus rigoureux et beaucoup plus clair que le précédent. L'ensemble des organismes parapublics et des sociétés à participation majoritaire de l'État sont soumis à cette nouvelle réglementation. Schématiquement la procédure de marché est rendue obligatoire pour toutes les opérations supérieures à 3 millions de F CFA. C'est un montant que les praticiens et spécialistes trouvent extrêmement faible et qui indique la volonté de rendre les pratiques plus rigoureuses dans un secteur où régnait jusque-là, pour le plus grand profit de beaucoup, la procédure de gré à gré, mère de toutes les opportunités possibles. Même si elle n'est pas totalement appliquée (les Sode maintenues paraissent par moments échapper à cette procédure), même si les directeurs d'entreprises tentent de contourner ces contraignants dispositifs (en essayant, par exemple, de fractionner les montants en jeu), cette nouvelle réglementation à laquelle se soumettent, bon gré mal gré les EPN et les SEM majoritaires, a eu un indéniable parfum de révolution par rapport aux réalités antérieures.

Couronnant ces partiels mais indiscutables assainissements, il faut aussi signaler les effets du contrôle accru et approfondi exercé par la Chambre des comptes qui n'hésite pas, dans le cadre de ses vérifications régulières, à exiger la production par les directeurs de tous documents comptables nécessaires à sa bonne information, à émettre des arrêts de débets ou à transférer un certain nombre de dossier au plan contentieux. Les activités renaissantes de cette institution ont mécaniquement encouragé à son tour le Trésor public à être lui-même plus appliqué et plus constant dans sa tutelle financière des organismes paraétatiques.

Les systèmes d'information

S'ils ont été, pour les raisons qu'on a vues, rondement mis en place, les verrouillages financiers n'ont pas été les seuls outils d'une reprise en main du secteur parapublic. De nombreuses améliorations — même si elles sont encore loin d'être parfaites et parfaitement appliquées — ont été observées dans la collecte et l'exploitation des informations financières et économiques des entreprises publiques. Relevons très rapidement quelques-uns de ces moyens d'information.

On a déjà présenté, en fin de chapitre 5, les tableaux de bord, conçus avant la réforme de 1980 et relancés par la suite sous la pression de la Banque mondiale et du FMI. L'influence du Fonds, notamment, a été puissante dans l'amélioration et l'affinement des outils statistiques : ses missions, chaque fois qu'elles venaient à Abidjan, voulaient disposer d'informations récentes et les plus proches des réalités. Une trentaine d'entreprises et de services avaient été retenus pour constituer un échantillon (3). Celui-ci ne fut jamais constant, des entreprises

(3) Les organismes suivants devaient entrer dans le tableau de bord intéressant le FMI et confectionné par le Trésor public et la Direction du contrôle du secteur parapublic : AIR-IVOIRE, CIDT, EECI, I 2 T, MOTO-

entrant et d'autres sortant du tableau par suite de liquidation, de fusion ou même de refus d'adresser des pièces comptables.

Confectionnés par le Trésor public et la Direction du contrôle du secteur parapublic, centralisés et gérés par le Trésor, exploités par le FMI et la BIRD, ces tableaux permirent une très nette amélioration dans la connaissance des situations financières des organismes paraétatiques. L'année 1984 marque le point de stabilisation de ce système d'information : aucun autre progrès ne sera réalisé ultérieurement et la tendance sera plutôt la prise de liberté progressive à l'égard de cet instrument. Les tableaux étaient (et sont encore) confectionnés sur la base du modèle comptable public d'inspiration française. Le FMI a des schémas financiers différents et a tenté d'infléchir et le système comptable et la structure des tableaux de bord. Il n'est pas parvenu à modifier quoi que ce soit sur le plan comptable en raison d'une forte résistance du Trésor public ivoirien — où exercent il est vrai un certain nombre d'assistants techniques français. Le FMI a donc dû se résoudre à prendre ce que lui donnait le Trésor public et devait recomposer les masses selon ses propres schémas. Un seul tableau a été spécialement confectionné pour le FMI mais il tient en 3 pages.

A la fin de la décennie quatre-vingt la situation réelle des tableaux de bord se présente ainsi : le Trésor public gère toujours cet outil mais les soins essentiels se sont portés sur le tableau des finances publiques de l'État central, c'est-à-dire hors entreprises publiques, hors CAA, hors EPN, hors SEM. Il existe bien un tableau de bord du secteur parapublic mais celui-ci ne repose plus que sur un échantillon de 6 entreprises ou organismes particulièrement importants du strict point de vue financier et de trésorerie (CGRAE, CNPS, Caisse générale de péréquation, etc.). Et ce tableau parapublic est découplé de celui du Trésor. Les problèmes financiers de l'État ont incité le Trésor public à porter tous ses efforts sur l'amélioration du système d'information des services directs de l'État (établissement d'une balance mensuelle, etc.). Du fait de l'autonomie

RAGRI, ONT, PAA, PALMINDUSTRIE, PETROCI, PASP, RAN, SAPH, SATMACI, SETU, SICOGI, SIR, SITRAM, SIVENG, SMB, SODEFEL, SODEFOR, SODEMI, SODEPALM, SODEPRA, SODESUCRE, SOGB, SOGEFIBA, SOTRA, SDPC.

de la CAA, de la Caisse de stabilisation et des EPN, il n'y a donc pas ou plus de tableaux des comptes consolidés de l'État. Un nouveau cycle de recentralisation de l'information semble cependant se dessiner à la faveur du programme d'ajustement de la période juillet 1989/décembre 1990. Cela aura de nouveau pour effet de concurrencer les services du FMI qui, progressivement, étaient parvenus à se constituer une connaisance générale, à peu près consolidée, des finances publiques ivoiriennes, sous les importantes exceptions, cependant, de la Caisse de stabilisation, d'une partie de la CAA et de plusieurs grandes entreprises publiques.

Initiés dès 1977 mais conduits alors sur une faible échelle, des audits portant sur la gestion économique, financière et comptable des entreprises publiques ont été réalisés régulièrement et assez massivement dans le cours de la réforme. Le MEF mène quelques opérations annuelles mais ne dispose que de quelques auditeurs d'État. La plupart des missions d'audit sont donc réalisées par des cabinets spécialisés, coordonnés par la DCSPP. D'après un rapport établi par cette direction (RCI, MEF, DCSPP 1985), en décembre 1985, une soixantaine d'organismes à participation financière publique (Sode, EPIC, SEM majoritaires) faisaient l'objet d'un audit régulier : 6 Sode, 24 EPN, 25 SEM et 2 organismes à statut particulier. Le cadre des audits a été détaillé par une instruction du ministère des Finances en date du 14-6-84 qui en précise les objectifs, les conditions et la fréquence. Les audits sont financés sur budget de l'État et commandités par la DCSPP ; d'après une note du ministère des Finances rédigée en juillet 1985 leur coût annuel est important : il s'élevait alors à 900 millions. Mais comme ces audits portaient sur des entreprises aux ressources dépassant les 900 milliards de F CFA l'enjeu financier était décisif et justifiait, aux yeux du ministère, le maintien et l'amplification de ces opérations.

Les projets de rapport d'audit sont discutés avec les dirigeants convoqués par la DCSPP, les auditeurs, les représentants du ministère de tutelle technique, et avec les représentants de la Chambre des comptes. Puis le rapport d'audit, au vu des observations et des explications apportées par les dirigeants de l'entreprise, fait l'objet d'une rédaction définitive et d'un dépôt à la DCSPP où ils sont exploités et transmis, de là, à la Chambre des comptes. Le rapport déjà cité de la DCSPP ne faisait pas mystère de l'hostilité initiale des directions d'organismes à l'endroit des procédures d'audit, mais il notait depuis le début de la réforme une augmentation des certifications de comptes accordées après audit, indicateur d'une amélioration des gestions et de la tenue des comptabilités. Il demeure encore beaucoup de refus et de méfiance dans les établissements financiers et les établissements qui collectent des cotisations sociales. La DCSPP engrange ces rapports mais ne traite pas les informations dans le cadre d'une synthèse du secteur parapublic. C'est donc une information qui demeure individualisée, localisée à l'échelle de chaque organisme.

Une autre grande source d'information est constituée par les documents comptables centralisés et traités informatiquement à la Banque des données financières. Une soixantaine d'entreprises sont suivies par la DCSPP grâce à un programme demandé spécialement à cet organisme.

A la fin de l'année 1988 un audit portant sur le contrôle du secteur parapublic a été demandé par la Direction du contrôle des grands travaux (DCGTX) à un cabinet privé. La DCGTX désirait savoir comment s'effectuait la supervision des entreprises publiques. Cet intérêt soudain entrait dans la boulimie bien connu d'un établissement ayant progressivement et peu diplomatiquement accru ses compétences au point de faire office de premier ministère ivoirien. Bien que le gouvernement ait eu à examiner le rapport d'audit en janvier 1989, le projet de la DCGTX est resté sans lendemain : le départ définitif de son directeur français en novembre 1989, les rééquilibrages de pouvoir au profit d'un grand ministère des Finances consacrés par le remaniement ministériel d'octobre 1989 ont eu raison des vélléités de la DCGTX. Deux hypothèses circulaient parmi les responsables surpris par la demande d'audit de cet établissement : certains avançaient l'idée de besoins extra-budgétaires incitant à des privatisations de circonstance ; d'autres mettaient en avant un éventuel sérieux intérêt à améliorer les circuits de contrôle.

Plusieurs facteurs ont contribué à ébranler la solidité des tutelles et des systèmes d'information dans le courant des années quatre-vingt. On a vu que le point haut des contrôles se situait autour de 1985. Par la suite on a pu observer un certain relâchement — dont est cependant épargnée la partie comptable des EPN toujours fermement maîtrisée par le

Trésor. Le départ de certains contrôleurs budgétaires et la vacance, plusieurs années durant, de la direction du contrôle du secteur parapublic, l'hégémonie de la DCGTX sur l'ensemble des services du ministère des Finances (investissements, gestion de la dette, DCSPP, etc.), le rattachement du corps des contrôleurs à un ministère du Budget et leur éloignement, en conséquence, de la DCSPP maintenue aux Finances, etc. ont, entre 1985 et 1989, démobilisé les agents, ramoli les tutelles, fragilisé les circuits d'information et, probablement, conduit à des relâchements de gestion dans les organismes parapublics. La reconstitution d'un grand ministère de l'Economie, du Budget et des Finances en octobre 1989, la récupération de ses compétences sur une DCGTX en perte de vitesse, la volonté officielle, dans le cadre du nouveau PAS, de s'intéresser de nouveau au secteur parapublic pour organiser des privatisations supplémentaires suggèrent qu'un nouveau cycle de « reprise en main » s'amorce actuellement.

2. Alignements et résistances

S'étant relativement affranchies des influences extérieures des bailleurs de fonds, les autorités ivoiriennes, bien qu'ayant manifesté, dans l'ensemble du processus réformateur — à l'instar des nombreuses interventions et contrôles effectués par la présidence — une fermeté certaine, n'ont évidemment pas été à l'abri des demandes, des pressions, des résistances et des refus émanant des directions et des personnels des organismes en restructuration. Il ne faudrait pas que l'ardeur gouvernementale à repousser les interventions externes suggère l'idée que le rapport aux agents et forces internes a été simple et aisé, que la réforme s'est réalisée sur une sorte de table rase et que la nouvelle architecture des organisations, les régimes de fonctionnement, les normes de comportement aient été imposés ou transformés dans l'évidence générale et la soumission complice. Bien au contraire, tout au long des années de réforme le jeu à l'œuvre dans le champ parapublic a été assez tendu, générant en certaines périodes et sur certains thèmes de fortes mobilisations frondeuses et conservatrices. Une première ligne de conflits est apparue relativement aux nouvelles qualifications institutionnelles. Un deuxième front oppositionnel a porté, par la suite, sur la question de la réduction des masses salariales des organismes maintenus ou transformés. Enfin, dans le cadre circonscrit des grandes décisions imposées unilatéralement, des négociations permanentes, faites de tensions et d'équilibres, ont eu lieu autour des régimes opérationnels des établissements et entreprises et le rapide inventaire de ces transactions permet de rendre compte du paysage parapublic ivoirien tel qu'il se présente réellement à la fin de la décennie quatre-vingt, dix ans après le lancement officiel de la réforme.

Les luttes pseudo-institutionnelles

On peut considérer qu'on se trouve dans une situation homologue à celle analysée par le Marx méthodologue du *18 Brumaire*. Des conflits ont certes éclaté sur le thème apparent de la nature juridico-administrative des organismes réformés. Mais, en approfondissant l'investigation, on peut affirmer que ces vifs débats autour des classements administratifs et des qualifications institutionnelles renvoyaient aux multiples et graves inquiétudes des personnels et des directions d'organismes affectés par la réforme, et avaient pour enjeu essentiel le maintien ou la perte d'un ensemble d'avantages symboliques et matériels jusque-là généreusement servis par les structures parapubliques. Ce ne sont donc pas tant les schémas institutionnels en tant que tels, les conceptions juridiques pour elles-mêmes qui ont structuré les oppositions et les résistances, mais bien plutôt les effets pratiques qui leur étaient attachés et plus ou moins clairement pressentis par les personnels et les directeurs d'établissements.

— *Les Sode : transformations et disparitions sans réaction.* On a déjà signalé la soudaine accélération des préparatifs de réforme du printemps 1980 et la grande brutalité des annonces faites au Conseil national du 12 juin 1980. Tous les acteurs ont, sans doute possible, été pris de court par les décisions présidentielles, et les directions des Sode ont été les premières étonnées d'entendre soudain à leur encontre un verdict majoritairement défavorable. L'effet de surprise, mais aussi la nette conscience qu'il ne servirait à rien (sinon encourir la mutilante disgrâce personnelle) de braver la colère présidentielle et qu'aucun infléchissement ne serait obtenu du leader expliquent largement l'absence de riposte quelconque sur la question initiale du maintien ou de la disparition des Sode. Cette pusillanimité s'éclaire aussi probablement par la conjoncture économique telle qu'elle est alors représentée : certes, les liquidations ne sont pas agréables, mais l'idée de la pérennité du cycle de prospérité domine les attitudes et chacun est enclin à imaginer de faciles reconversions. Les personnels et les directions des sociétés d'État, de fait, ont été totalement écartés des décisions de maintien, de transformation et de liquidation de leurs organismes, arrêtées par le seul président. Est-il possible de dégager rapidement les logiques de ces reclassements ?

Aucun principe unitaire ne paraît avoir commandé à la conservation des 7 Sode maintenues qui ne sont dès lors constitutives d'une catégorie homogène que sur le plan de son régime juridique et d'une partie de son régime financier et comptable. La survie de la PETROCI et de la SODEMI peuvent s'expliquer par le fait qu'il s'agit là de sociétés évoluant dans un secteur jugé stratégique, conçu comme relevant de l'«intérêt national ». S'agissant particulièrement de la Caisse de stabilisation on rapellera simplement qu'elle est le nerf financier du système ivoirien à la fois sur le plan des finances publiques et de la régulation du jeu patrimonial. Le souci de ménager des instruments de souveraineté ou des attributs de la puissance peuvent expliquer le maintien en Sode d'AIR-IVOIRE et de la SITRAM. Enfin la conservation de Palmindustrie et de la SODESUCRE semble plutôt relever d'un raisonnement par défaut. Un reclassement en EPN n'était certainement pas justifié par leur activité exclusivement productive, et leur cession à des opérateurs privés était hypothéquée par l'ampleur des investissements représentés et le fait que ces deux sociétés souffraient d'un passif financier extrêmement lourd. Leur maintien en Sode peut donc passer pour une solution d'attente retenue en 1980 en vue d'une privatisation ultérieure. Plusieurs tentatives partielles de cession ont échoué depuis dans ces deux sociétés.

Quant aux sociétés dissoutes, nos enquêtes permettent

d'avancer deux hypothèses. Il semblerait en premier lieu que le pouvoir ait voulu sanctionner par la dissolution un certain nombre de situations de pertes importantes, nettement supérieures à la moyenne des déficits du secteur. L'urgente obligation, à partir de 1980, de mettre un terme à l'«hémorragie» (terme, on l'a vu, officiellement utilisé à de nombreuses reprises) a pu alors commander des décisions rapides, brutales, exemptes de nuances. Ainsi ne s'est-on pas embarrassé d'un examen attentif sur la cause et la nature des pertes enregistrées : celles-ci n'étaient pas exclusivement le résultat de mauvaises gestions, mais pouvaient aussi provenir, par exemple, des missions sociales, de service public etc. remplies par les organismes (logement économique, fourniture à bon marché d'intrants, etc.). Tout s'est passé comme si la présidence, en 1980, avait fait de l'importance des transferts de l'État un critère de distribution des mérites et des sanctions. La focalisation soudaine et non nuancée sur les pertes permet sans doute de comprendre une grande partie de la brutalité des mesures de dissolution. Un autre principe paraît avoir gouverné les décisions de suppression : le souci des autorités de désengager l'État du secteur commercial jugé désormais comme la sphère d'action des intérêts privés. Ainsi pourraient s'éclairer des mesures allant de la disparition du programme PAC à la dissolution de l'Office de commercialisation des produits agricoles (OCPA, intervenue plus tard en février 1986).

— *Les EPN : mises en cause du modèle.* Il a été précédemment signalé les difficultés éprouvées par les nouveaux agents comptables et contrôleurs budgétaires à imposer leur présence et leur mission au sein des EPN. La nouvelle organisation comptable, composante principale du schéma des EPN, a concentré les résistances des directeurs d'établissements. La virulence des critiques et la fertilité des imaginations sollicitées pour refuser ou subvertir l'ordre nouveau sont suggérées dans un document qui synthétise les interventions de directeurs d'entreprises publiques lors d'un séminaire organisé en novembre 1984, quatre ans exactement après la refonte parapublique (CIGE 1987). Les participants évoquaient les « contraintes dramatiques », les « réalités effrayantes », les « situations terrifiantes » et le nouveau « monstre parapublic » : on mesure à ces termes les bouleversements culturels et matériels introduits à partir de 1980. Si les nouvelles règles en vigueur dans les EPN sont disséquées et dénoncées, la focalisation des débats sur certains thèmes ne laisse aucun doute sur la nature des enjeux réels. Les intervenants se plaignaient d'une atteinte perpétrée à leur autorité directoriale traduite par l'« affreux » mot d'ordonnateur et l'instauration d'un douloureux « tricéphalisme » (directeur, agent comptable, contrôleur budgétaire). Ils dénonçaient les limitations financières qu'ils subissaient dans leur action de « chefs d'entreprises » et vitupéraient contre les nouvelles rigidités budgétaires (crédits limitatifs, quasi interdiction de mouvements entre masses, etc.). Leur désarroi se résumait dans un triple déssaisissement : la tenue de la comptabilité, la signature des chèques et le maniement des fonds.

Et, de fait, pendant plusieurs années les directeurs d'établissements tentèrent de remettre en cause les ressorts essentiels du modèle d'EPN tel qu'imaginé dans la loi de 1980 et les décrets d'application. Un des lieux favoris où s'exprima cette farouche mais largement vaine résistance fut la Commission dite *ad hoc*. Celle-ci, comprenant en nombre variable des représentants de toutes les parties intéressées (ministère des Finances, Chambre des comptes, secrétariat général de la réforme administrative du ministère de la Fonction publique, ministères de tutelle technique) était chargée d'harmoniser les statuts des organismes qualifiés ou requalifiés en EPN aux nouveaux régimes légaux et réglementaires. Elle se réunissait régulièrement (environ deux fois par mois), enregistrait et examinait les observations des directions d'établissements, veillait à l'allègement des organigrammes (car ils avaient des incidences directes sur les masses indemnitaires) et préparait les décrets d'harmonisation de chaque EPN avec les sous-modèles d'EPA et d'EPIC aux droits et obligations un peu différents. L'intacte conservation de l'ensemble des minutes des réunions de la Commission *ad hoc* (qui devait souvent aborder un même dossier d'EPN sur plusieurs séances de travail) permet de reconstituer brièvement le répertoire de l'action résistante des directions d'organismes.

Celle-ci a visé en premier lieu à entamer la nouvelle unité de comptabilité instaurée par le décret sur le régime financier et comptable des EPN : certains établissements ont réclamé une autonomie financière dans leur activité commerciale et des budgets séparés pour chaque opération ou programme. D'autres établissements, après avoir échoué à se faire requalifier en sociétés d'économie mixte, ont réclamé un régime indemnitaire spécifique pour leur personnel et ont plusieurs fois tenté d'alourdir les organigrammes pour augmenter la masse des indemnités versées. Beaucoup ont exigé le maintien des comptes bancaires jugés indispensables à leur fonctionnement. Certains EPN ont subrepticement tenté de faire assurer la gestion comptable par leur direction administrative et financière. Beaucoup ont demandé que le directeur soit qualifié de « directeur général » pour « tenir le rang face aux homologues de la région », ce qui était aussi une façon discrète, par un effet mécanique de promotion, d'augmenter le nombre des collaborateurs bénéficiant des indemnités. Il ne paraît pas utile de prolonger l'inventaire. Signalons simplement que les directeurs ont souvent trouvé, dans les ministres de tutelle technique, des relais convaincus de la justesse de leurs revendications. Certains ministres allèrent jusqu'à se prévaloir de délibérations favorables prises en Conseil des ministres pour faire accepter telle ou telle exception par une Commission *ad hoc* dubitative. Le Secrétaire général du gouvernement, seul habilité à délivrer des attestations de délibération du Conseil des ministres dut veiller au grain. La tactique forgée dès le début au sein de la Commission par les plus ardents défenseurs des réformes (ministère des Finances, Chambre des comptes et secrétariat à la réforme administrative) consista à tenir bon, à faire front à toute demande, leur crainte étant que toute dérogation ouvrirait la voie à de nouvelles revendications. Des assouplissements furent retenus dans le cadre des dispositions prévues par la règlementation ou des opportunités organisationnelles non incompatibles avec le schéma légal furent avancées en réponse aux récriminations : nominations d'agents comptables et d'ordonnateurs secondaires, acceptation d'une direction financière ayant pour tâche la prévision financière et le contrôle interne de gestion, etc. Mais sur l'essentiel la Commission s'en tint aux dispositions de base. Et s'il y eut dérogations et exemptions, celles-ci furent obtenues par d'autres canaux qu'on examinera plus loin.

Les directeurs d'établissements n'hésitèrent pas à ériger les bailleurs de fonds en porte-paroles de leurs revendications. On a déjà présenté dans le détail le cas de la SODEFOR et les ultimes escarmouches tentées dans celui du Port autonome d'Abidjan. Précisons simplement dans cette dernière affaire que l'expert de la CNUCED chargé de réaliser un audit sur les « blocages » entraînés par l'application du nouveau statut d'EPIC se montra un relais actif des intérêts de la direction portuaire au point d'assombrir considérablement le tableau des dysfonctionnements (lenteurs, inerties administratives) et des interdictions (alors que l'établissement pouvait s'il le voulait adjoindre à la comptabilité publique une comptabilité de type commercial pourvu que la première fût respectée). Il proposait aussi de retourner à un régime antérieur jugé idyllique (et en réalité indéterminé mais très libre) ou, à tout le moins, d'autoriser une liberté de rémunération et d'embauche, le maintien des comptes bancaires et des marchés de grè à grè, la mise en place des seuls contrôles *a posteriori*, la survie d'un conseil d'administration aux pouvoirs étendus, etc. (cf. A* A* 1984). En dépit de cet appui le port autonome est demeuré un EPIC conformément au classement de 1980.

Tous les procédés furent utilisés pour exprimer la résistance et le souci d'échapper aux rigueurs nouvelles. Ainsi, par exemple, tel personnel du Laboratoire du bâtiment et des travaux publics (LBTP), érigé en EPIC en 1980, profita d'une enquête réalisée par la presse nationale pour demander la transformation de l'établissement en SEM « afin de motiver les jeunes diplômés » (*Fraternité-Matin* du 8 février 1989).

— *Les EPA comme épouvantails.* La loi du 13 septembre 1980 sur les EPN et les décrets d'application — notamment celui relatif à leur régime financier et comptable — a donc consacré le retour relatif des établissements publics dans la mouvance de l'État : si la personnalité morale et l'autonomie financière leur sont reconnues, celles-ci correspondent à de strictes nécessités fonctionnelles exercées dans les limites étroites de l'unité organique et reconstituée de l'État (dont la tutelle et l'unité des finances représentent deux des piliers) et elles ne sont pas les prémisses ou les indicateurs d'un démembrement de la puissance publique. Sous cette réserve initiale, la loi et les décrets ci-dessus mentionnés introduisent des différences entre les établissements à caractère administratif (EPA) et ceux à caractère industriel et commercial (EPIC). Sur deux plans les variations ne sont pas négligeables : alors que les EPA tirent en principe la majeure partie de leurs ressources des subventions et dotations de l'État, les cessions onéreuses de biens et de services doivent alimenter, selon la norme juridique, plus de 50 % des budgets des EPIC ; d'autre part les EPA ne bénéficient d'aucun régime indemnitaire particulier, au contraire des EPIC, même s'il est étroitement délimité dans leur cas depuis les années quatre-vingt.

Ces différences, au début du processus de restructuration, sont passées largement inaperçues en dehors du cercle très réduit des faiseurs de lois et de règlements : les nuances introduites entre les deux variantes d'EPN étaient considérées comme très négligeables et les attentes et intérêts étaient mobilisées bien plutôt sur les tentatives de revenir, de fait, au régime des Sode ou, au pire, d'obtenir le statut de société d'économie mixte. L'intransigeance gouvernementale (efficacement relayée par la Commission *ad hoc*) en matière de classement des organismes et entreprises a modifié sensiblement les conditions du jeu transactionnel : puisque la totalité des EPN (ex-Sode transformées et ex-EP maintenus) devaient demeurer dans cette catégorie, il n'était pas éternellement indifférent, pour leurs directions et leurs encadrements, d'être employés dans des EPA ou des EPIC. C'est ainsi que de très multiples assauts se développèrent à partir de 1981 contre le classement du décret de novembre 1980 répartissant les établissements entre les deux sous-catégories : la réforme, par ses modalités pratiques, dévoilait désormais un nouvel enjeu, strictement endogène, dans les luttes pseudo-institutionnelles. La liste des nombreuses tentatives de passage d'EPA en EPIC — l'appartenance au premier ensemble étant ressenti comme la suprême sanction — serait trop longue à restituer ici. On retiendra seulement que la Commission *ad hoc*, les bailleurs de fonds, les ministres de tutelle technique, la présidence elle-même furent maintes fois sollicitées par les directions d'EPN soucieuses de préserver, en dernière analyse, le stock des avantages indemnitaires. Et si les disqualifications d'EPN furent quasi absentes, plusieurs des mouvements enregistrés entre EPA et EPIC reflètent, de façon certaine, l'efficacité relative des réactions des chefs d'établissements.

Il est vrai que l'absence de cohérence parfaite du critère de l'origine des ressources pour la ventilation entre EPA et EPIC invitait les uns et les autres à faire pression sur les autorités pour élargir l'aire des exceptions. D'un certain point de vue la comparaison des structures budgétaires réelles des établissements avec les modèles légaux constitue un indicateur intéressant des rapports de force installés dans la phase de mise en œuvre de la réforme parapublique. L'examen de la situation budgétaire de l'exercice 1986 fait apparaître que sur 35 EPA, 3 seulement ne répondent pas au principe financier officiel, la part des subventions de l'État étant nettement inférieure à 5O % de leurs ressources. Dans deux cas il s'agit d'organismes qui collectent des fonds sociaux et fiscaux (CGRAE et FNI) ; la seule véritable exception est constituée par l'IGCI. La situation est beaucoup moins nette s'agissant des EPIC : sur 22 organismes recensés au budget 1986, 14 ne respectaient pas le critère financier légal, la part des transferts de l'État étant supérieure à 5O % (les CHU, PSP, LBTP, CCIA, IDESSA, OIC, BVA, IDREM, SODEFOR, SATMACI, SODEPALM, SODEPRA). Ces établissements, au regard de la réglementation nouvelle auraient donc dû être classés, incontestablement. en EPA (source : RCI, MEF, *Budgets des EPN, Annexe à la Loi de finances 1986).* En réalité il est aisé de voir que la majorité numérique représentée par des exceptions dans la catégorie des EPIC traduit l'efficacité des assauts de leurs directions et de la pression des bailleurs de fonds, celle-ci en particulier s'exerçant principalement au bénéfice des ex-Sode à vocation agricole : à défaut d'avoir obtenu une sortie du modèle, elles ont échappé au pire représenté pour elles par les EPA. Tous les combats autour des définitions institutionnelles, s'ils n'ont pas été toujours glorieux, n'auront donc pas été vains.

Signalons enfin que les rigueurs croissantes introduites dans l'ensemble de l'espace public ivoirien, au fur et à mesure de l'approfondissement de la crise économique et financière, finirent par rendre relativement attractif le régime indemnitaire des EPIC, pourtant sérieusement entamé par rapport à la période d'avant la réforme. Certains services administratifs, notamment ceux bénéficiant d'un budget annexe, demandèrent leur transformation en EPIC. Ainsi, lors de son premier congrès ordinaire, le Syndicat des personnels de l'Imprimerie nationale (SYPINCI) adopta une résolution demandant le statut d'EPIC « afin de rendre la gestion plus efficace ».

L'examen des débats explicite les bénéfices qui étaient attendus de cette opération : le personnel voulait obtenir une indemnité de technicité, une prime d'incitation et une prime de transport (cf. *Fraternité-Matin* du 28 février 1986). Aucune demande émanant de ces services à budget annexe n'a été acceptée par le gouvernement. En revanche trois établissements, après plusieurs années de négociations et de pressions, sont parvenus à se faire reconnaître un statut d'EPN particulier : la CNPS, la BVA et la CAA. On reviendra sur ces dérogations essentielles.

Les conflits salariaux

Un autre pivot de la restructuration financière du secteur parapublic a été la politique dite d'alignement des rémunérations et indemnités. L'objectif était double : d'abord réduire les masses salariales pour contribuer au rééquilibrage de la structure financière des entreprises ; ensuite réduire les écarts devenus considérables avec les rémunérations en vigueur dans l'administration et jugés désormais par les autorités injustifiés par les résultats des organismes parapublics. La référence était la grille appliquée dans la fonction publique, éminemment moins avantageuse, et la volonté d'y plier les directions et l'ensemble des agents a été clairement affichée par la présidence dès le début de la réforme. Il est à cet égard significatif que, suite aux deux lois du 13 septembre 1980 sur les Sode et les EPN et au décret du 28 novembre 1980 de reclassement en EPA et en EPIC, et avant même que soient mis au point l'organisation administrative et le régime comptable des EPN, le premier décret d'application générale à l'ensemble des établissements ait été celui publié le 12 décembre 1980 qui, s'appuyant sur la législation nouvelle, confirmait l'absence d'indemnités spécifiques dans les EPA et accordait des indemnités particulières, supplémentaires à celles en cours dans la fonction publique, aux seuls EPIC, sous certaines conditions et au bénéfice de catégories délimitées de personnel d'encadrement et de direction.

Beaucoup plus que les remodelages juridico-institutionnels à l'écart desquels avaient été tenus les dirigeants d'organismes et auxquels la plupart d'entre eux ne comprenaient pas grand chose étant dans l'ignorance des distinctions statutaires et ne connaissant souvent pas la situation juridique exacte de leur propre établissement, ce sont ces mesures d'alignement qui ont provoqué la colère et les protestations des dirigeants d'EPN et suscité le plus d'oppositions violentes. Ce fut en outre sur ce terrain des alignements de salaires que durent intervenir les instances supérieures du parti, par ailleurs tenues à l'écart de l'ensemble de la réforme.

— *Les enjeux financiers de l'alignement.* On vient de voir que sous le couvert des débats institutionnels se développaient des luttes tournant autour du maintien ou de la perte des avantages indemnitaires. Ceux-ci étaient loin d'être dérisoires : quelques études ministérielles réalisées en 1980 montraient que plusieurs catégories de personnel des entreprises publiques pouvaient percevoir jusqu'à 12 indemnités cumulées (représentatives de frais, de fonction, de responsabilité, de rendement, de domesticité, de représentation, de chantier, de transport, de sujetion, de logement, de mobilier, de véhicule), sans compter les indemnités de missions et de déplacements et les avantages dits « en nature » dont beaucoup bénéficiaient : carburant, électricité, eau, gaz, véhicule de fonction, etc. Pour les seuls EPIC les limitations introduites en 1980 laissaient tout de même un éventail d'indemnités mensuelles évoluant entre 150 000 et 650 000 F CFA, non compris le logement et le véhicule. Dans les EPA le régime d'austérité avait ramené les indemnités à des montants plus modestes mais logements et véhicules étaient toujours prévus. Quant aux Sode maintenues et aux SEM, le montant et le nombre des avantages financiers et en nature étaient, de fait, laissés à la discrétion des directions d'entreprises (en dépit du fait que les Sode aient été visées par le décret du 12 décembre 1980 sur le régime indemnitaire du secteur parapublic). On voit donc pourquoi la définition des organigrammes devenait cruciale. Dans tel EPN l'examen du dossier par la Commission *ad hoc* avait fait passer de 55 à 27 les effectifs de direction ouvrant droit au maximum des avantages dits « annexes » et qui représentaient en équivalent CFA la majeure partie des rémunérations.

Ces grandeurs financières des masses indemnitaires allaient être largement dépassées dans la phase proprement dite d'alignement des salaires. Dans son rapport de présentation au

Conseil national du 12 juin 1980, le ministre chargé de la réforme des Sode avait prévenu : « bien qu'ayant des statuts différents, tous les agents du service de l'État dans les sociétés et établissements nationaux seront désormais rémunérés sur les mêmes bases de traitement que ceux de l'administration générale » (RCI, MERSE 1980). Dès le 20 juin le président ivoirien adressait un courrier à tous les membres du gouvernement les invitant à faire parvenir au ministre de la Fonction publique toutes les propositions utiles pour le reclassement des fonctionnaires détachés et le classement des fonctions dans les échelles prévues pour les fonctionnaires et agents temporaires de l'État, et ce dans tous les organismes placés sous leur tutelle technique. Les ministres étaient conviés à s'exécuter avant le 30 juin au plus tard pour tous les cadres et assimilés concernés, les délais accordés étant légèrement plus longs pour les autres catégories de personnel.

En fait, ce qu'on a appelé l'alignement des salaires était, du point de vue technique, une opération se décomposant en deux volets. Dans un premier temps il importait de requalifier les personnels parapublics par rapport aux nomenclatures professionnelles et hiérarchiques de la fonction publique. Dans un second temps il s'agissait de déterminer les niveaux de rémunération (traitements de base + éventuelles indemnités) correspondants et de consacrer ces décisions par arrêtés interministériels. La tâche était donc considérable, les effectifs concernés avoisinant les 40 000 agents soit un peu plus de la moitié des agents de l'État central estimés alors à 75 000. Un Comité interministériel de reclassement des personnels était créé à cet effet dès le mois de juin.

Ministères et établissements se gardèrent de répondre promptement à l'invite présidentielle. Le 28 novembre paraissait le décret de reclassement des EPN entre EPA et EPIC et, le 12 décembre, le décret délimitant le régime indemnitaire des Sode et EPN. Ce dernier texte faisait déjà problème : la nature commerciale et le régime privé des Sode ayant été confirmés par la loi du 13 septembre 1980, il apparaissait pour le moins contradictoire que leur régime indemnitaire fût fixé par l'autorité gouvernementale. Les directions des sociétés d'État prirent prétexte de cette incohérence pour méconnaître définitivement le nouveau décret du 12 décembre. Le 20 décembre 1980 le ministère d'État II relança l'affaire en demandant aux directeurs des Sode et des EPN qu'elles fissent des propositions pour l'attribution des divers avantages matériels et financiers qu'ils envisageaient au sein de leurs structures.

L'empressement à régler cette question des masses salariales pouvait se justifier d'un strict point de vue financier : une étude du ministère des Finances livrée à l'examen d'un Conseil des ministre tenu en novembre 1981 et portant sur les incidences de l'alignement sur les barêmes de la fonction publique des rémunérations des personnels des EPN était très suggestive. Elle portait sur un échantillon de 34 EPN (soit moins de 50 % de l'effectif total) : 29 EPA et 5 EPIC. Les mesures d'alignement auraient dû avoir pour effet de réduire leur masse salariale de 22 325 millions de F CFA à 4 900 millions ! Une autre analyse portant sur un seul mais très important organisme prévoyait, en cas d'application de la mesure d'austérité, une chute de sa masse salariale (salaires + indemnités) de 29 922 millions de F CFA à 8 898 millions. Ces proportions correspondent tout à fait aux différences de grandeurs liées à l'introduction des mesures d'alignement dans un certain nombre d'établissements pour lesquels nous avons disposé des propositions de grilles de rémunération qu'elles avaient établies en vue de l'alignement. Dans l'établissement * le pourcentage de diminution des rémunérations globalement perçues devait s'échelonner de -22 % à -66 % : encore faut-il tenir compte de l'effet réducteur produit par le caractère volontariste de ces propositions de réduction. Dans tel autre établissement le reclassement sur les barêmes de la fonction publique menaçait de faire chuter les salaires et indemnités de -81 % pour les mieux rémunérés à -47 % pour les plus mal lotis.

Les risques de chute des avantages et des salaires non seulement étaient réels mais surtout portaient sur des proportions considérables, même si les bailleurs de fonds, Banque mondiale en tête, inquiète des troubles sociaux pouvant découler de l'alignement, faisaient remarquer que les dérapages des masses salariales n'étaient pas, et de loin, les seuls facteurs de dérèglement financier des entreprises publiques. Mais le gouvernement savait que beaucoup des avantages salariaux tirés de leur budget relevaient d'autres postes comptables (frais de fonctionnement, dépenses d'équipement, etc.). En raisonnant sur la moyenne des rémunérations dans les multiples catégories professionnelles et hiérarchiques ce sont de 50 à 75 % des revenus que les autorités menaçaient d'arracher aux personnels des EPN. On imagine sans peine l'effroi qui les saisit et on comprend aisément leur obstination à défendre leurs « droits acquis ».

— *1981 : protestations et attentisme.* Les opérations techniques de reclassement professionnel eurent lieu entre juin et décembre 1980. Aussitôt cette tâche accomplie le président, par lettre du 17 janvier 1981, enjoignit à tous les ministres de faire appliquer rétroactivement les nouveaux taux de rémunération à compter du 1er janvier 1981. La rumeur d'une violente et générale diminution des salaires se propagea dans les personnels des EPN et des sociétés d'État. Fin janvier quelques établissements s'exécutèrent. D'autres obtinrent ostensiblement d'être épargnés : le Conseil des ministres du 16 février 1981 publia en effet un communiqué rappelant en même temps la généralité des mesures d'alignement et l'exemption de la Caisse de Stabilisation et de la CNPS considérées comme « ayant une gestion rigoureuse (qui) leur a permis de pouvoir assumer leur mission sans aucune défaillance », ainsi que celle de la SITRAM, « société nouvellement créée et qui opère dans un secteur fortement concurrentiel » (*Fraternité-Matin* du 17 février 1981).

La non application des mesures d'alignement par la plupart des organismes et entreprises, l'exemption officielle d'une minorité d'entre eux mirent le feu aux poudres. Des mouvements sociaux (réunions de protestation, défilés dans les rues, grèves, distributions de tracts hostiles au gouvernement, blocage partiel du port d'Abidjan, menaces de grève générale et illimitée, etc.) éclatèrent autour du 20 février 1981 (4). Le chef de l'État réunit sur le champ le Bureau politique du parti élargi aux membres du gouvernement et désamorça la colère des personnels en déclarant limiter les mesures de réduction des salaires aux seuls responsables des entreprises concernées (directeurs généraux, directeurs généraux adjoints, directeurs, directeurs adjoints, chefs de département ou de service). Ce

(4) Les descriptions qui suivent sur les mobilisations sociales et les activités politiques trouvent leur source dans l'exploitation de la presse nationale et les informations de l'AFP (Bulletin quotidien d'Afrique).

faisant ce n'était plus 30 000 employés qui étaient visés par les mesures redoutées mais environ 1 300 cadres des entreprises. Dans le même temps le président invitait de nouveau les directions des EPN à fournir les listes de salaires versés par leurs établissements. La grogne des cadres ne diminuant naturellement pas, le gouvernement émit l'hypothèse d'instaurer, en contrepartie des alignements nominaux, un système de primes compensant une partie du pouvoir d'achat perdu afin d'en limiter la baisse aux environs de 20 %.

Les mouvements de protestation s'arrêtèrent aussitôt ces assouplissements annoncés. On ne parla plus d'alignement et le gouvernement dut un moment se contenter de s'attaquer à la réduction du train de vie de l'État en imposant une diminution du parc automobile administratif (5). Le recul gouvernemental ne se réduisait pas à un déséquilibre de forces dans un affrontement ponctuel : il s'expliquait par des facteurs plus profonds et étalés dans le temps. Déjà les contrôleurs budgétaires nouvellement projetés dans l'enceinte des EPN avaient été incapables d'obtenir que leur soient communiqués les états de salaires, première mission qui leur avait été confiée. Les directions d'EPN s'appuyaient sur la nouvelle règlementation financière et comptable de février 1981 : le visa du contrôleur n'est requis, en matière de dépenses du personnel, que s'il s'agit de mesures nouvelles ; les directions faisaient donc valoir que le visa était inutile sur ce point, à quoi les services du ministère des Finances répondaient qu'il s'agissait de préparer l'alignement des salaires et que cela constituait précisément une mesure nouvelle... Le ministère, sur le terrain, n'eut pas gain de cause. En outre un problème de technique budgétaire avait surgi : les prévisions financières pour l'exercice 1981 avaient été faites sur la base d'un alignement de tous les salaires. Une confusion totale dans la situation budgétaire des EPN découlait à la fois de cette mesure prévisionnelle, des dérogations à l'alignement exercées de fait et des exemptions officielles, sans compter les nombreux cas où les établissements

(5) De nombreux contrôles, exigés par la présidence, eurent lieu dans cette période : les véhicules de service de l'État en circulation sans ordre officiel et les véhicules de fonction (très nombreux) circulant sans que le bénéficiaire puisse établir son droit furent immobilisés et soit remis au parc présidentiel soit revendus à des particuliers.

n'avaient que très partiellement opéré les réductions. Enfin, nouvelle difficulté, dans les EPN qui avaient appliqué les diminutions un effet pervers n'avait pas manqué d'apparaître : des agents des catégories subalternes B et C se retrouvaient avec des revenus supérieurs à ceux des catégories A et B.

L'attentisme gagna l'ensemble des directions d'EPN et certaines d'entre elles obtinrent, à l'occasion de nouvelles et, cette fois-ci discrètes négociations d'être à leur tour exemptées (Ports autonomes, CAA, BVA, OCM...). Les membres du gouvernement étaient eux-mêmes très partagés sur la décision d'alignement imposée par la présidence : certains étaient sensibles à des effets d'éventuelle démobilisation. Le ministre chargé de la réforme, les ministres de tutelle technique ainsi que, à un degré moindre, le ministre des Finances se montraient plutôt prudents sur ce dossier. Jusqu'en 1984 l'affaire restera en l'état donnant une situation passablement embrouillée.

Impuissantes à imposer un nouvel ordre salarial au sein des organismes parapublics qu'elles venaient pourtant de bouleverser au plan institutionnel et comptable, les autorités lancèrent une vaste et longue campagne d'explication où l'assainissement financier des sociétés d'État et des établissements publics prenait place dans l'imposant train de mesures d'austérité visant l'ensemble des services de l'État et des secteurs d'activité (blocage des salaires et des effets financiers des promotions, mise à la retraite des agents parvenus à la limite d'âge, réduction importante des bourses scolaires et universitaires, généralisation des soins médicaux payants, arrêt de la politique de subventions, relèvement des tarifs, suppression des baux administratifs, etc.). Pour ce faire le Conseil national fut fort souvent réuni (janvier, août, novembre 1981, janvier, février, mars 1982, janvier, avril, novembre 1983, etc.) et des délégations du parti furent dépêchées à l'intérieur du pays en septembre 1984. Entretemps, au printemps 1982 et au printemps 1983 le gouvernement avait dû faire face à d'importants mouvements de grève chez les étudiants et chez les enseignants.

— *1985 : protestations et soumission.* La crise financière croissante de l'État, l'augmentation des déficits publics et l'aggravation du solde de la balance des paiements courants incitèrent la présidence et le gouvernement, à l'automne 1984, à relancer son plan de réduction des salaires dans les organismes parapublics. Dûment encouragé par le chef de l'État, le ministre de la Fonction publique, le 18 novembre 1984, signifia aux contrôleurs budgétaires l'interdiction de libérer les salaires qui n'auraient pas été fixés et approuvés par arrêté de son département. De nouveau la pression montait et, devant le risque renouvelé de voir amputer une grande partie de leurs masses salariales, les dirigeants d'entreprises publiques réunis pour un séminaire technique en novembre 1984 exprimèrent leurs vives inquiétudes devant cette menace et entreprirent de réaliser une synthèse de leurs observations aux fins de remise d'un document entre les mains du président de la République (CIGE 1984). Dans leur argumentaire un registre thématique nouveau apparaissait : les réductions de revenus mettraient à mal les « solidarités africaines », elles seraient en porte à faux avec « les rapports communautaires et familiaux » à l'œuvre dans les établissements et entreprises de Côte-d'Ivoire. Cette raison fondée sur une espèce d'altérité anthropologique en introduisait une autre à tonalité nationaliste et à vocation éminemment tactique : les dirigeants d'entreprises publiques dénonçaient une réforme jugée insufflée et imposée de l'extérieur, conçue et bâtie par « des étrangers des réalités locales ». Il déclaraient enfin redouter la « démoralisation » des personnels. Cette défense et illustration sociale et politique n'infléchit pas la détermination présidentielle aiguillonnée il est vrai par l'évolution alarmante des indicateurs économiques et financiers.

Le gouvernement se donna finalement les moyens d'imposer l'alignement des salaires et avantages matériels aux EPN en janvier 1985. Les sept sociétés d'État maintenues échappaient aux restrictions ainsi que, parmi les établissements publics, les deux ports autonomes PAA et PASP, la DCGTX, la CAA, la CNPS et l'OCM où le pouvoir craignait que d'éventuelles grèves ne viennent asphyxier les circuits économiques et financiers du pays (les échanges extérieurs passent par les ports, la CAA gère la dette et les dépôts publics, la CNPS collecte et gère les cotisations sociales, l'OCM établit la solde des fonctionnaires, la DCGTX ayant, quant à elle, le rôle que l'on a déjà vu dans la lutte patrimonialiste). En outre, dans les établissements affectés par les réductions salariales il était convenu que les corps enseignants continueraient de bénéficier du décrochage en vigueur depuis les années soixante-dix.

La mise en application des mesures d'alignement déclencha un nouveau cycle d'agitation sociale. En janvier 1985 on put enregistrer un certain nombre d'arrêts de travail dans des EPN. Les protestations et le mouvement de grève eurent tendance à s'étendre au mois de février. Le 26 de ce mois le Bureau politique et le gouvernement convoqués conjointement par le président examinèrent la situation sociale : dans un communiqué ils confirmaient l'irréversibilité des alignements et proposaient une réunion de concertation avec les directions, les délégués du personnel et les responsables des syndicats officiels dans les EPN. Celle-ci eut lieu le 1er mars : aux salariés qui réclamaient la création d'une grille de rémunération spéciale, intermédiaire entre celle de la fonction publique et celle du secteur privé, se plaignaient de la perte des 2/3 de leurs revenus et se déclaraient dans l'empêchement d'honorer leurs engagements financiers (6), il fut répondu que le principe de l'alignement était maintenu mais que les autorités étaient prêtes à examiner les situations des EPN au cas par cas.

Ces promesses, qui introduisaient un fractionnement dans le traitement des problèmes et induisaient un démembrement des mouvements revendicatifs, eurent pour effet immédiat de tempérer les plus violentes impatiences et d'empêcher la coordination des actions entre les différents organismes. Des grèves perlées persistèrent cependant dans quelques entreprises. Les dirigeants ne manquaient pas les occasions d'exprimer le mécontentement de leurs personnels : tels ministres en visite dans un établissement pour remise de décorations durent entendre des flots de reproches et d'inquiétudes (cf. par ex. *Fraternité-Matin* du 13 mai 1985 à propos de l'IDESSA). Au début du mois de juin des tracts, rappelant les sacrifices imposés aux agents parapublics (pertes de salaires, des logements et d'autres avantages matériels) circulèrent dans la capitale appelant à la grève générale des EPN. Le gouvernement réagit très promptement, menaçant les éventuels grévistes de révocation immédiate. Le 6 juin cette menace était mise à exécution à l'encontre de 342 agents. Le calme revenait aussitôt : les grèves ouvertes ou perlées s'arrêtaient, les protesta-

(6) Les salariés des secteurs publics et parapublics sont, en Côte-d'Ivoire, les catégories socio-professionnelles les plus fortement endettées auprès du système bancaire officiel et des divers prêteurs officieux.

tions se dissipèrent, les tracts ne circulaient plus. Le gouvernement avait enfin obtenu gain de cause. Fort d'une autorité renouvelée, le président pouvait ensuite passer de la fermeté à la clémence — balancement habituel dans le champ politique ivoirien : le 1er septembre les employés licenciés pour fait de grève étaient réintégrés et leur délégué était reçu par le chef de l'État dont il était venu « solliciter le pardon ».

Quatre années pleines (7), donc, avaient été nécessaires pour mettre en application les décisions d'alignement dans la plupart des EPN : on mesure à ce délai la capacité de résistance des personnels et l'intensité des intérêts atteints. Mais tout, finalement, était rentré dans le rang. Aussi un journaliste de retour d'une enquête dans le pays pouvait-il trouver « assez remarquable que cette politique de rigueur n'a(it) pas entraîné d'effervescence politique... » (Wauthier 1985). L'étonnement à propos du retour à l'ordre routinier serait pourtant encore plus justifié sur un autre volet « social » de la restructuration parapublique. Les réductions des masses salariales et du train de vie des EPN ont concerné des organismes, par hypothèse, conservés. Or, il y eut, à partir de 1980, un certain nombre de liquidations d'entreprises. Bien qu'il n'y eut jamais de recensement officiel du nombre de personnes licenciées, des pointages réalisés avec la plus grande attention permettent d'avancer que les décisions de dissolution ont entraîné entre 9 000 et 10 000 licenciements nets. C'est une fourchette raisonnable qui tient compte des pertes d'emploi non compensées par des réembauches dans d'autres structures (services administratifs des ministères, EPN, Sode, SEM) et ajoutées des licenciements intervenus à l'occasion des dissolutions postérieures aux seules décisions de 1980.

En soi ce chiffre de 9 000 ou 10 000 est très important. Éclairons-le par des données actuelles : les EPN emploient environ 30 000 agents, les Sode maintenues (CSSPPA comprise) environ 25 000 et les SEM à capital public majoritaire environ 20 000 soit 75 000 agents parapublics à comparer aux 85 000 fonctionnaires et agents de l'État. Les compressions de personnel ont donc été, notamment dans l'espace social abid-

---

(7) Des établissements exemptés initialement furent ultérieurement atteints par l'alignement : par ex. l'OCM après une délibération du Conseil des ministres du 3 août 1988 (cf. *Fraternité-Matin* du 4 août 1988).

janais, un phénomène majeur (8). L'absence de mouvement social pourrait donc surprendre davantage encore sur ce point des licenciements que sur l'inefficacité des mobilisations dans l'affaire des alignements de salaires.

Avançons très rapidement quelques hypothèses explicatives de cette situation. En premier lieu les dissolutions de 1980 sont intervenues dans un climat où la représentation de la conjoncture économique était encore très favorable : dans plusieurs Sode dissoutes des catégories entières de personnel étaient persuadées de retrouver rapidement emploi et revenu régulier notamment dans le secteur privé où, il est vrai, subsista plus longtemps le cycle de croissance ; il est significatif que beaucoup de fonctionnaires jusque-là détachés dans ces Sode aient refusé de rejoindre leurs services d'origine. En 1985, en revanche, lorsqu'intervint l'alignement des salaires, l'approfondissement de la crise économique et financière (enfin reconnue par les autorités) interdisait des reconversions faciles hors du champ étatique : elle eut raison de la longue résistance des agents. L'effet de conjoncture — avec des définitions opposées aux deux extrémités de la séquence diachronique — a été un précieux allié à l'activité gouvernementale. Enfin, dans l'analyse des deux situations, on ne négligera pas la prégnance de l'idéologie clientéliste qui laissait entrevoir, pour les agents, des solutions judicieusement négociées çà et là dans la sollicitation des cercles et des réseaux de parents, d'amis, de connaissances et d'originaires. Depuis les travaux d'Oberschall on sait qu'il ne suffit pas, pour générer de la mobilisation, que surgissent des frustrations et des problèmes, une organisation, des leaders, etc. Les conditions et l'efficacité de l'activité tactique et du travail de représentation dans les mouvements sociaux dépendent de la texture des relations structurelles, du modèle des relations sociales en vigueur. Le clientélisme, comme dans les configurations à dominance communautaire, contient ses propres modèles de comportement et de sortie de crise.

---

(8) Cf. Le Pape et Vidal 1986 qui ont analysé, entre autres, les effets sociaux de ces compressions sur la vie des ménages des couches populaires abidjanaises.

PANORAMA DES SITUATIONS PRATIQUES

Les remodelages organisationnels et les nouvelles disciplines financières et budgétaires — dont seules quelques-unes ont pu être décrites ci dessus — s'ils constituent des produits essentiels de la politique publique de réforme, représentent, dans leur énoncé abstrait, un schéma idéal. Il est donc utile d'établir un panorama des situations exactes telles qu'elles ont pu être reconstituées à partir d'enquêtes de terrain. Dix années après le lancement officiel de la restructuration la situation se présente ainsi :

Les sociétés d'État : leur nature privée et leur régime commercial n'ont pas été remis en question. Elles ne sont pas soumises à la procédure du budget annexé à la Loi de finances. Leur organisation et leur fonctionnement, de même que leur régime financier et comptable ont été précisés dans des décrets particuliers (Caisse de stabilisation : décret du 25 novembre 1987 ; SODESUCRE et PALMINDUSTRIE : décrets du 17 décembre 1987 ; PETROCI : décret du 15 février 1989). Leur structure répond au schéma suivant : la société est administrée par un conseil d'administration dont le président est nommé par décret du président de la République ; elle est composée d'agents contractuels de droit privé et de fonctionnaires détachés. Les modalités de recrutement, les barêmes de rémunération, le régime des indemnités et avantages est fixé par le conseil d'administration. Tous les personnels sont recrutés et affectés par le président. Elles tiennent une comptabilité commerciale et sont libres du placement de leurs fonds. Leur contrôle est assuré par la Chambre des comptes et un commissariat aux comptes. La loi du 28 juillet 1987 a modifié des dispositions non appliquées ou jugées « dysfonctionnelles » de la loi du 13 septembre 1980 : ainsi rend-elle facultative la mise en place des conseils de surveillance, précise-t-elle que les fonctions de président du conseil d'administration et de directeur général peuvent se confondre (et le sont en fait) et que le président-directeur général dispose de larges attributions. Les sociétés d'État, soumises en principe aux règles des marchés publics, s'en affranchissent le plus souvent. La Caisse de stabilisation (CSSPPA) constitue toujours un cas très particulier : sa gestion continue de relever de l'autorité du président ivoirien et ne donne lieu à aucune forme de publicité, en dépit des efforts des bailleurs de fonds pour budgétiser les ressources de la Caisse, c'est-à-dire les incorporer en totalité dans les flux des finances publiques.

Les établissements publics nationaux : ils sont tous soumis aux règles et procédures de la comptabilité publique et leur budget est annexé à la Loi de finances. La bipartition d'origine EPA/EPIC s'est enrichie sous l'effet de plusieurs phénomènes :

— a) les exceptions : un décret du 2 avril 1982 a déclassé la Caisse nationale de prévoyance sociale (CNPS) et l'a érigée en « établissement public spécial » (catégorie *sui generis*) et un décret du 25 novembre 1987 a rapproché ses structures d'administration de celles des sociétés d'État : notamment les fonctions de président et de directeur général sont confondues et son conseil d'administration comporte un nombre réduit de membres. Deux lois du 22 juillet 1988 et du 19 juin 1989 ont successivement déclassé la Caisse autonome d'amortissement (CAA) et la Bourse des valeurs d'Abidjan (BVA) d'EPIC en « établissements publics financiers ». Ils sont placés sous l'autorité d'un président-directeur général, l'agent comptable de la CAA est appelé « caissier » pour rapprocher cette institution de l'organisation bancaire privée. C'est ce rapprochement, depuis longtemps recherché par leurs directions, qui éclaire les principales modifications liées aux reclassements opérés : les recrutements, qualifications, rémunérations, indemnités et avantages sont fixés conformément aux barèmes et usages de l'Association professionnelle des banques et établissements financiers de Côte-d'Ivoire. En clair ce régime est revenu à protéger définitivement les personnels concernés des mesures d'alignement sur les grilles de la fonction publique.

— b) les exemptions : elles concernent les mesures qui, étant en principe applicables à l'ensemble des EPN, n'ont pas été imposées à quelques-uns d'entre eux. Les exemptions visaient surtout les règles d'alignement des rémunérations : la CNPS, la CAA et la BVA avant que ces établissements reçoivent une règlementation spéciale rendant publiques et légales leurs exemptions, la DCGTX et les Ports autonomes ainsi que l'OCM (jusqu'en août 1988 dans ce dernier cas) ont échappé à l'alignement.

— c) les dérogations : il s'agit de variations propres à chaque établissement sur le thème juridique commun ; les dérogations sont prévues dans la règlementation et accordées cas par cas par le ministère des Finances. On pourrait opérer des subdivisions selon que ces dérogations ont fait l'objet ou non de publicité (arrêté paru au journal officiel). Les lois et décrets ont prévu la possibilité de multiples dérogations ; les plus importantes portent sur : la détention d'un compte bancaire (ex. : la DCGTX), l'accès aux emprunts extérieurs (ex. : l'ONT), la possibilité de conserver et reporter les excédents d'un exercice sur le suivant (ex. : l'OIC), la possibilité de tenir une comptabilité commerciale, parallèlement à la comptabilité publique (ex. : le PAA), la possibilité de recourir à des découverts bancaires ou d'effectuer des virements de chapitre à chapitre, etc.

Il est aisé de voir que loin d'être le monolithe bureaucratique dénoncé par les directions d'EPN et les bailleurs de fonds, la réglementation des établissements publics offre de multiples souplesses et accommodements — un fonctionnement à géométrie variable — dont beaucoup ont su d'ailleurs profiter une fois confirmée l'impossibilité de sortir du statut d'EPN.

Les sociétés d'économie mixte : le régime des sociétés à participation financière publique n'a pas été directement affecté par la restructuration intervenue depuis 1980 dans le secteur parapublic. Il faut cependant noter que les fonctions de président de conseil d'administration ont été limitées en nombre et que les fonctions d'administrateur sont désormais en principe incompatibles avec les fonctions de député. D'autre part le ministère des Finances, comme signalé dans les développements précédents, a réalisé un effort de contrôle et de rationalisation de la mission des représentants de l'État au sein des conseils d'administration des SEM, notamment celles à capital public majoritaire.

Les banques, établissements financiers et compagnies d'assurances, à capital partiellement public (participations directes ou indirectes) constituent un cas à part : la situation de quasi faillite de certaines banques a débouché sur un train de mesures de liquidation depuis 1988 (BNEC, BIPT, CCI, BIDI). La restructuration de la plupart des autres établissements est en cours et fait intervenir les maisons-mères (souvent françaises : Société générale, Crédit Lyonnais, BNP, etc.).

3. Assainissement financier et poids des entreprises publiques : la résistance économique de l'État.

Si les nombreux contrôles et verrouillages financiers imaginés n'ont pas tous été effectifs, ceux qui ont été mis en place, notamment entre les années 1980 et 1985, ont produit d'incontestables effets : réduction des déficits, diminution des arriérés de paiements, réaménagements de dettes... Mais compte tenu de la diversité des définitions de l'entreprise publique et des incertitudes statistiques, il faut se garder d'une vision trop linéaire des évolutions. Il y a eu des retours en arrière (notamment sous l'effet de la sécheresse de 1983/84), certaines restructurations ont coûté cher et en tout état de cause les acquis restent fragiles.

Ces assainissements financiers sont en général interprétés comme l'une des manifestations du retrait de l'État. La logique libérale est supposée œuvrer pleinement : le retour à la « vérité » financière impliquerait *ipso facto* un désengagement de l'État ! Cette corrélation n'est pas confirmée par l'examen des variables d'activité des différentes catégories d'entreprises publiques. Les masses budgétaires des EPN, la valeur ajoutée des SODE mais aussi le niveau des effectifs salariés révèlent une très grande résistance du secteur parapublic face à la crise. Dans le mouvement général de déflation, les entreprises publiques ont constitué des îlots de relative stabilité. Cette inertie résistera-t-elle à l'aggravation de la crise financière ? On peut en douter et, au contraire, remarquer que ces entreprises constitueraient des cibles privilégiées dans le cadre d'un nouvel ajustement.

Faute de pouvoir disposer d'une documentation statistique unique, complète et fiable, on procèdera à l'évaluation de l'assainissement financier du secteur parapublic et à la mesure du poids des entreprises publiques par une série de coups de projecteur.

Arrêt de l'hémorragie et apurement des comptes

Un rapport établi fin 1985 par la Direction du contrôle du secteur parapublic (RCI MEF, DCSPP 1985b, p. 42) estime que « globalement mais aussi pour la presque totalité des entreprises, les résultats et la situation financière du secteur parapublic se sont nettement améliorés depuis 1980 ». Cette amélioration est imputée aux « mesures prises par le gouvernement depuis 1977 et notamment au renforcement du système de tutelle exercé par le ministère de l'Économie et des Finances » qui a permis une diminution importante des transferts de l'État.

Le tableau 7.1, établi sur l'échantillon des 30 entreprises les plus importantes, fait ressortir cette évolution favorable. Il indique une nette amélioration des résultats, les excédents (correspondant ici à la capacité d'autofinancement) ayant augmenté de 74 % entre les exercices 1982/83 et 1984/85, alors que les transferts de l'État en subventions diverses (exploitation, équilibre, équipement) ont été réduits de 35 %.

Tableau 7.1
COMPTE CONSOLIDÉ DES ENTREPRISES PUBLIQUES
(échantillon de 30 entreprises)

Millions F FCA	1982/83	1984/85	Variations
Emplois :	274 348	245 624	– 28 724
Investissements :	110 245	88 352	– 21 893
Charges de la dette :	164 103	157 272	– 6 831
Ressources :	274 348	245 624	– 28 724
Excédents*	14 493	67 909	+ 53 416
Transferts de l'État	160 088	104 688	– 55 400
Emprunts	92 847	63 472	– 29 375
Divers	6 920	9 555	+ 2 635

Source : RCI, MEF, DCSPP 1985b, p. 42bis.
* hors intérêts (M-L-termes) et subventions.

Des données concernant les arriérés de paiements des entreprises publiques (tableau 7.2.) confirment cette amélioration financière qui touche l'ensemble du secteur public.

Tableau 7.2
ARRIÉRÉS DE PAIEMENT VIS-A-VIS
DU SECTEUR PRIVÉ ET DE L'EXTÉRIEUR

Milliards F CFA	31/12/83	31/12/84	31/12/85	31/12/86
(1) Entr. publiques	71,7	52,5	33	19,6
dont EPN	20,4	15	10,3	8,6
(2) Ensemble secteur public	286	215	125,8	91,5
(1)/(2)	25,1 %	24,4 %	26,2	21,4 %

Source : RF, MINICOOP 1986b, Annexe 1.

De même l'évolution de la dette publique, telle qu'elle ressort des publications de la CAA (tableau 7.3.), traduit une diminution régulière de 1981 à 1987 du poids des SODE et EPN. Certes il ne s'agit que d'une fraction de l'endettement de ces entreprises publiques, certains emprunts étant souscrits directement par les ministères. Il n'en demeure pas moins que cette évolution révèle une plus grande maîtrise par l'État de l'activité financière du secteur parapublic.

Tableau 7.3

DETTE PUBLIQUE (ENCOURS + ENGAGEMENTS)
(milliards de F CFA ou pourcentages)

	1981	1982	1983	1984	1985	1986	1987
(1) SODE ET EPN (dette avalisée)	150	175	166	144	98	78	53
(2) Côte-d'Ivoire : (Dette gérée et avalisée)	1 902	2 274	2 721	2 941	3 000	2 899	2 755
(1)/(2)	7,9 %	7,7 %	6,1 %	4,9 %	3,3 %	2,7 %	1,9 %

Source : Caisse autonome d'amortissement, *Rapports annuels d'activité.*
Note : pour les années antérieures à 1981, voir tableau nº 3.5

Une approche globale de l'endettement masque l'importance d'un petit nombre de grandes entreprises. Ainsi en 1984, 77 % du montant total de l'endettement du groupe des SODE et EPN correspondait à quatre entreprises : SODESUCRE (68,9 milliards de F CFA), PETROCI (16,9), PALMINDUSTRIE (15,4) et PETROCI (9,5). La diminution de la dette avalisée des SODE et EPN à partir de 1983 est la conséquence d'un verrouillage efficace des possibilités d'endettement de ces organismes directement auprès des bailleurs de fonds, mais aussi d'un apurement des comptes par transfert à l'État d'une partie de la charge de remboursement (notamment pour la SODESUCRE). Par ce moyen l'État a cherché à donner à certaines entreprises publiques la possibilité de repartir sur de nouvelles bases, financièrement plus saines.

Le rapport de la Banque mondiale sur la *Côte-d'Ivoire en transition* (BIRD* 1986 p. 19) confirme cet assainissement (voir tableau 7.4) : « Entre 1980 et 1985, le Gouvernement a réussi à stabiliser la part des pertes totales du secteur des entreprises publiques dans le PIB en deçà de 1 %, sauf en 1984 où cette part a atteint 1,7 % par suite essentiellement des incidences de la sécheresse sur les opérations internationales de l'EECI (Société d'électricité). » Mais cette amélioration a été le résultat d'un important effort financier de l'État au début des années 80. « Les transferts du gouvernement aux entreprises publiques par rapport au PIB, après avoir été portés de 2,5 % en 1980 à 6,7 % en 1984, ont été ramenés à 5 % en 1985. Parallèlement, les besoins de financement du secteur parapublic, après avoir été portés de 2,5 % du PIB en 1980 à 6,1 % en 1982 n'ont cessé par la suite de diminuer et n'en représentaient plus que 2,8 % en 1985. »

Tableau 7.4

OPÉRATIONS FINANCIÈRES DES ENTREPRISES PUBLIQUES 1980-1985
(milliards de F CFA ou pourcentages)

	1980	1981	1982	1983	1984	1985*
Pertes	11,3	22,0	18,4	16,4	54,4	14,7
Investissements	44,0	38,4	133,8	110,2	84,4	74,2
Déficits	55,3	60,4	152,2	126,6	138,8	88,9
Transferts de l'État	55,0	69,8	132,7	167,3	191,6	160,8
Pertes/PIB (%)	0,5	0,9	0,7	0,6	1,7	0,5
Déficits/PIB (%)	2,5	2,5	6,1	4,8	4,7	2,8

Source : BIRD* 1986, p. 19.
* estimations.

Cette amélioration est un résultat remarquable mais fragile. Le rebondissement de la crise financière à partir de 1987 va générer de nouveaux déséquilibres. On notera en particulier la résurgence de difficultés de trésorerie et l'accumulation de nouveaux arriérés de paiements qui mettent gravement en cause l'activité de certaines entreprises. Au début de l'année 1990, le gouvernement faisait état d'un montant des arriérés intérieurs avoisinant les 300 milliards de F CFA. Pour la seule

SODECI, société chargée de la distribution d'eau, les créances en retard de recouvrement s'élevaient à 6 milliards.

Il n'en reste pas moins vrai qu'à un ajustement brutal des entreprises publiques qui se serait manifesté par un important et rapide désengagement de l'État, les autorités gouvernementales ont préféré des opérations de restructuration qui ont nécessité un haut niveau d'investissement et d'importants apports de capitaux. L'assainissement financier n'est donc pas synonyme de retrait massif de l'État, comme le révèle également l'analyse des variables d'activité.

Permanence de l'engagement économique public

Ecartons ou relativisons en tout premier lieu l'un des documents majeurs utilisé habituellement pour évaluer la présence de l'État dans l'économie nationale. La *Centrale de bilans* est une remarquable source d'information statistique. Elle constitue bien souvent la référence de base des analyses du secteur moderne (Lecallo 1982, etc.). Mais son utilisation doit être assortie d'un contrôle de sa représentativité, en particulier lorsque l'analyse porte sur des catégories particulières d'entreprises, faute de quoi de graves erreurs peuvent être commises. C'est précisemment le cas des entreprises publiques.

Ainsi, selon cette *Centrale*, le nombre et l'activité des entreprises à capitaux totalement publics ont diminué de façon importante au début des années 80. Comme l'indique le tableau nº 7.5 ce groupe d'entreprises serait passé de 39 à 15 unités de 1980 à 1983, les effectifs et la valeur ajoutée se contractant de 40 % environ. On serait donc tenté de voir dans cette évolution le signe d'un reflux de l'État à la suite de la réforme engagée en 1980. Apparemment l'État se serait désengagé massivement par la liquidation de plus de la moitié des entreprises totalement publiques.

Un examen attentif de l'échantillon permet d'affirmer que cette conclusion n'est pas fondée. En effet parmi les 21 entreprises qui ont « disparu » entre 1981 et 1983, 14 ont été transformées en EPN et ont été retirées de la liste des organismes pris en compte par la *Centrale*. Or 7 de ces EPN représentaient à eux seuls, en 1981, une valeur ajoutée de 40,4 milliards de F CFA, soit 82 % de la diminution enregistrée

Tableau 7.5

ÉVOLUTION DES ENTREPRISES A CAPITAUX TOTALEMENT PUBLICS

	1980	1981	1982	1983
Nb entreprises	39	36	24	15
Nb salariés	48 794	48 304	39 002	28 480
Valeur ajoutée (Milliards de F FCA)	96,6	107,9	65,1	58,6

Source : RCI, MEF, Banque des données financières, *Centrales de bilans 1980-1983*.

entre 1981 et 1983. La décroissance, si elle existe, n'est certainement pas massive. Ces modifications d'échantillonnage nécessitent de recourir à d'autres sources d'information pour analyser cette catégorie d'entreprises totalement publiques : les budgets des EPN et les données individualisées pour les SODE maintenues.

S'agissant de la catégorie des EPN, on a vu dans les chapitres précédents que les pouvoirs publics se sont efforcés de contrôler très étroitement ces organismes. L'une des mesures prises, et appliquée dès 1981, a consisté à soumettre leurs budgets à l'examen de l'Assemblée nationale, en annexe à la Loi de finances. Cette disposition a constitué un garde-fou efficace, les masses budgétaires n'ayant pas fait l'objet de dépassements notables. Bien que de graves problèmes de trésorerie soient apparus comme nous l'avons signalé précédemment, ces budgets constituent globalement de bons indicateurs du poids des EPN.

Le tableau n° 7.6 retrace l'évolution des effectifs et des ressources des EPN, approuvés par les diverses lois de finances. La tendance globale n'est pas au reflux massif. Mais les importantes fluctuations du nombre d'établissements concernés exigent une analyse plus fine.

Plusieurs facteurs peuvent expliquer l'absence de stabilité de l'échantillon. Certains organismes ne communiquaient pas en temps utile leur budgets prévisionnels. C'était notamment le cas, au début des années 80, des organismes à vocation agricole, ex-Sode, qui avaient manifesté une très forte hostilité

Tableau 7.6

ÉVOLUTION DES EFFECTIFS ET DES RESSOURCES FINANCIÈRES DES EPN

	1981	1982	1985	1986	1988	1989
Effectifs :						
Nb salariés	20 876	20 533	28 067	27 855	29 810	29 975
Nb EPN concernés	43	38	57	59	57	57
Ressources :						
Milliards F FCA*	219,4	293,3	279,3	354,6	350,3	326,1
Milliards F FCA**	126,5	147,1	163,9	216,8	214,9	184,1
Nb EPN concernés*	50	47	52	53	58	52

Source : RCI, MEF, Budgets des établissements publics nationaux.
* CAA non comprise (295,5 milliards en 1981)
** CAA, CNPS et CGPPPGC non comprises

aux contrôles accrus, jugés paralysants, du ministère des Finances. La direction du Trésor ayant fait preuve de beaucoup de fermeté à ce sujet, la situation s'est par la suite améliorée, sans supprimer pour autant tous retards et le caractère incomplet de certains documents. Notons le nombre élevé d'EPN (7) n'ayant pas communiqué leurs budgets 1989 suffisamment tôt pour être intégrés au tableau présenté ici (comme il a été déjà signalé dans ce chapitre, ils ont fait l'objet d'ultimes menaces de la part de la Direction du Trésor et se sont finalement soumis, tardivement mais probablement définitivement). En fait à échantillon constant, l'année 1989 est marquée par une croissance des ressources de l'ordre de 4,5 %.

La dissolution, la création, la régularisation et le reclassement de certains établissements sont également la cause de variations globales des masses. La diversité de ces mouvements rend difficile l'appréciation de l'effet net sur l'ensemble du secteur. Certaines créations ne sont que des reprises de l'activité d'anciens organismes dissous (voir chapitre 1). Si l'on considère uniquement les EPN dont les budgets figurent simultanément dans les lois de finances de 1981 et 1988, on obtient un échantillon stable d'une quarantaine d'établissements dont le tableau nº 7.7 retrace l'évolution.

Tableau 7.7

ÉTABLISSEMENTS PUBLICS NATIONAUX.
Échantillon constant (1)

	1981*	1988	Tx de croissance annuel moyen
Nb salariés :	21 896	23 253	+ 0,9 %
Ressources : (millions F FCA)			
EPA	30 713	58 456	+ 9,6 %
EPIC (2) (3)	69 251	119 290	+ 7,5 %
EPN (3)	99 964	177 746	+ 8,1 %
CAA	295 480	nd	
CNPS	31 213	49 136	+ 6,7 %
CGPPPCG	61 706	86 217	+ 4,9 %

Source : RCI, MEF, Budgets des établissements publics nationaux.
Note : (1) 42 EPN pour les effectifs, 40 EPN pour les ressources
(2) Y compris les EPA transformés en EPIC après 1981
(3) Non compris CAA, CNPS et CGPPPGC
* année 1982 pour 5 établissements.

Les effectifs globaux ont peu varié. Certes cette stabilité d'ensemble masque des évolutions contrastées par établissements, certains organismes connaissant une contraction de l'emploi, d'autres faisant apparaître une forte augmentation (en particulier les établissements d'enseignement supérieur, mais aussi des EPIC comme la SODEPRA, qui voit ses effectifs passer de 1 214 à 1 842). Par ailleurs la constance de l'échantillon n'exclut pas des redécoupages partiels, pouvant donner lieu à de simples transferts entre le groupe des EPN et d'autres organismes publics. Il n'en reste pas moins vrai que, dans un contexte de crise et de contraction de l'emploi au niveau national, cette constance traduit un accroissement du poids relatif de la présence de l'État dans l'appareil productif. Cette conclusion est confirmée par l'évolution des masses budgétaires qui, quelle que soit la nature de l'établissement (EPA ou EPIC), ont augmenté à un rythme supérieur à celui de l'inflation (estimée à environ + 6 % par an en moyenne de 1981 à 1988).

En ce qui concerne les sociétés d'État maintenues (dont les données chiffrées ont été livrées dans le tableau n° 3.7), on peut avancer que, globalement, les indicateurs d'activité (effectif, chiffre d'affaires, valeur ajoutée) traduisent, au début des années 80, une poursuite de l'expansion, suivie d'un ralentissement dans la deuxième moitié de la décennie. Cette évolution globale masque des évolutions très différenciées par entreprises qui peuvent être regroupées en trois catégories :

— PETROCI, dont les fortes fluctuations du chiffre d'affaires sont la conséquence de la baisse de la consommation de produits pétroliers (-5 % en moyenne par an entre 1982 et 1986) et du ralentissement notable de la production nationale de pétrole brut à partir de 1985 (116 000 tonnes en 1980 — première année de production —, 1 125 000 t en 1984 et 749 000 t en 1987). Depuis le deuxième semestre 1985, l'exploration d'hydrocarbures a été arrêtée en raison d'une part du cadre contractuel inadapté, et d'autre part des perspectives insuffisantes concernant le prix du pétrole. Depuis 1988 PETROCI cherche à relancer l'exploration dans le cadre d'un programme d'ajustement sectoriel de l'énergie (PASE).

— PALMINDUSTRIE, SODESUCRE et AIR-IVOIRE, qui après une baisse notable d'activité au début des années 80, ont fait l'objet d'une profonde restructuration qui leur a permis de connaître une nouvelle expansion à partir de 1985.

— SITRAM et SODEMI dont le chiffre d'affaires a connu une expansion plus régulière.

A l'exception de la SODESUCRE, on peut noter une assez grande « résistance » de l'emploi et la croissance continue des masses salariales, qui attestent du non désengagement de l'État mais qui constituent un facteur de tensions financières. Comme l'atteste le cas de la SODESUCRE examiné ci-après, la restructuration des capitaux de ces sociétés rend très difficile, en l'absence d'une analyse détaillée des opérations comptables, l'estimation de la situation financière. La chute brutale des investissements marque un retour à des normes plus raisonnables, mais risque de peser à terme sur la compétitivité de ces entreprises. Compte tenu des difficultés financières croissantes de l'ensemble de l'économie ivoirienne, la marge de manœuvre est étroite. Soulignons néanmoins l'incontestable prise de conscience de la nécessité d'imposer de nouveaux principes de gestion. Rendant compte d'un séminaire de fin de campagne de la SODESUCRE, le quotidien national *Fraternité-Matin* du 31 mai 1989 résumait ainsi les débats, non sans humour : « Trois choses auront été les vedettes de ce séminaire. D'abord la rigueur, ensuite la rigueur, enfin la rigueur ».

En ce qui concerne le groupe des SEM, l'information économique et financière est rendue très délicate du fait, déjà signalé, de la variation des échantillons à la *Centrale de bilans*. Le tableau suivant a pu être réalisé sur un effectif constant de 17 entreprises mixtes à partir des indications obtenues directement auprès de la Banque des données financières :

Tableau 7.8

ÉVOLUTION DES SOCIÉTÉS D'ÉCONOMIE MIXTE
(Échantillon de 17 entreprises de plus
de 300 salariés*)

	1979	1984	1987	Taux de croissance annuel moyen	
				79-84	84-87
Nb de salariés :	28 339	31 636	33 356	+ 2,2 %	+ 1,1 %
Valeur ajoutée : (Milliards F FCA)	80,7	155,4	184,3	+ 14 %	+ 3,5 %
PIB : (valeurs courantes)				+ 7,9 %	+ 1,7 %

Source : RCI, MEF, Banque des données financières.
* SOTRA, SAPH, ERG, EECI, CIDT, SOGB, SODECI, SICOGI, FILTISAC, SIR, SIEM, CAPRAL, MORY, TRITURAF, SIDELAF, SIVENG, SOCITAS.

Si les évolutions sont très contrastées par entreprises, on relèvera, pour l'ensemble de cette catégorie, que l'expansion des effectifs et la croissance de la valeur ajoutée y ont été plus fortes que celle du PIB.

Cette persistance économique des entreprises publiques est l'un des signes d'une résistance plus générale de l'ensemble de l'appareil étatique, mesuré en particulier par les agrégats budgétaires. Parmi les 36 façons de définir les masses budgétaires publiques, retenons — par convention et pour faire bref — la vision extensive du secteur public défini comme étant constitué par le gouvernement central et les entreprises publiques.

Tableau 7.9

OPÉRATIONS CONSOLIDÉES DU SECTEUR PUBLIC
(milliards de F CFA)

	1976	1977	1978	1979	1980
(1) Dépenses totales	363	572	762	843	890
% PIB	32,6	37,2	42,7	43,3	41,4
(2) Dépenses d'invest.	165	340	415	342	313
% PIB	14,8	22,1	23,3	17,6	14,6
(3) Excédent-déficit	- 41	+ 14	- 156	- 202	- 272
% PIB	- 3,6	+ 0,9	- 8,7	- 10,4	- 12,7

	1981	1982	1983	1984	1985	1986	1987	1988
(1)	899	1040	1036	1025	1026	1058	1063	1073
% PIB	39,2	41,8	39,8	35,5	32,6	32,6	34,3	32,7
(2)	342	379	293	231	187	201	200	190
% PIB	14,9	15,2	11,2	8,0	6,0	6,2	6,5	5,8
(3)	- 267	- 361	- 296	- 81	+ 83	- 80	- 226	- 118
% PIB	- 11,2	- 13,3	- 11,2	- 2,8	+ 2,6	- 2,6	- 7,3	- 3,6

Source : 1976-80, RF, MINICOOP 1986b, Annexe 1, tableau T21. 1981-86, EIU.

En 1988 les dépenses publiques retrouvent, en pourcentage du PIB, leur niveau de 1976. Par contre on peut discerner une chute spectaculaire des investissements. L'évolution du déficit traduit une nette amélioration. Mais la situation est de nouveau fortement compromise en 1989 et en 1990, à la fois par la persistance de faibles ressources d'exportation et par une très nette diminution des recettes fiscales elles-mêmes contrecoup de la récession qui frappe les activités économiques en Côte-d'Ivoire.

Au total on peut noter que le mouvement réformateur est allé dans le sens d'un renforcement du pouvoir et de la présence de l'État central. Il y a là, on l'a vu, à la fois une raison politique mais aussi une logique économique liée à l'assainissement financier : l'arrêt des hémorragies, des déficits de gestion, la contention ou la contraction du volume des endettements, l'apurement des comptes, la restructuration financière et la recapitalisation de certaines entreprises, etc. ont induit un État toujours bien présent et même, à certains égards, consolidé. Les nombreux verrouillages mis en place ont contribué à cette tendance : budgets limitatifs, organisation comptable nouvelle, contrôles budgétaires, etc. ont supposé une rupture avec un État antérieur sous-informé et n'exerçant pas sa tutelle.

LA RESTRUCTURATION DE LA SODESUCRE

Le cas de la SODESUCRE est exemplaire de la doctrine sous-jacente à la réforme des entreprises publiques ivoiriennes et se caractérisant par des opérations de restructuration (notamment des capitaux) plutôt que par un désengagement financier de l'État. Au début des années 80, la situation financière de cette société était particulièrement mauvaise. Sa dette s'élevait à près de 6 % du total de l'endettement extérieur de la Côte-d'Ivoire. Par ailleurs les pertes cumulées, qui totalisaient 155,8 milliards F CFA au 30/9/84, absorbaient une grande partie des capitaux propres (199,6 milliards, dont 67 de capital et 132,6 de dotations de l'État). Après le refus du gouvernement ivoirien de procéder à un profond démantèlement de la société comme le demandait la Banque mondiale, un plan de restructuration est défini sur la base de contre-propositions de la CCCE. La fermeture des complexes de Katiola et Sérébou et la volonté de soumettre la société (maintenue en SODE rappelons-le) à des règles de gestion privée, nécessitaient une restructuration des capitaux et par voie de conséquence une nouvelle répartition des charges de la dette de SODESUCRE. En mai 1985, le conseil des ministres adopte la proposition du ministère des Finances qui consiste à transférer à l'État (dette gérée par la CAA) la quasi totalité des soldes résiduels des emprunts SODESUCRE. Sur 129,52 milliards d'encours résiduel :

— 74,479 milliards, correspondant aux emprunts contractés pour la réalisation des quatre complexes en activité, sont transformés en subventions d'équipement ;

— 37,91 milliards, montant résiduel des emprunts destinés aux deux complexes qui ont fait l'objet d'une fermeture, sont pris en charge purement et simplement par l'État ;

— 8,665 milliards, emprunt de restructuration consenti par les banques locales en 1980, sont transformés en dotations de l'État ;

— seuls les 8,466 milliards, contribution au financement de la raffinerie et des aggloméries, restent à la charge de SODESUCRE.

Cet important réaménagement financier a constitué l'un des volets d'une profonde restructuration de l'entreprise : compression de personnel (les effectifs sont passés de 10 535 salariés en 1979 à 6249 en 1987), investissements de modernisation (12 milliards d'investissement), modification des circuits de commercialisation (désormais sous la responsabilité directe de SODESUCRE, et non plus sous contrôle des Caisses de stabilisation et de péréquation). Même si d'importants problèmes subsistent (sureffectif, difficultés techniques d'irrigation, fragilité du marché...), la société a su incontestablement imposer une certaine rigueur de gestion et retrouver des niveaux plus satisfaisants de production (145 000 tonnes pour la campagne 1988-89 avec quatre complexes, contre 125 500 tonnes en 1983/84 avec six complexes).

8
Les privatisations : ni conquérantes ni dérisoires

On a vu, dans le chapitre précédent, que la réforme du secteur parapublic s'est moins traduite par le désengagement de la puissance publique que par la restructuration de ses conditions et modalités de fonctionnement et, notamment, par la recomposition de la structure financière d'un certain nombre d'entreprises fortement déficitaires mais que les autorités, pour toutes sortes de raisons, ne se sont pas résolues à dissoudre purement et simplement. Si cette réforme et ces recompositions ont constitué le premier maillon, d'origine essentiellement interne, d'un programme d'ajustement structurel beaucoup plus vaste et mis en œuvre sous l'étroite surveillance du FMI et de la BIRD, celui-ci, sous leur impulsion renouvellée, devait logiquement comporter un volet en principe complémentaire aux opérations d'assainissement des secteurs public et parapublic et tendant vers la privatisation de l'économie et la restauration des marchés.

Posons sans tarder deux indices qui suggèrent la faible amplitude des mouvements de privatisation observés en Côte-d'Ivoire depuis une dizaine d'années. Lorsqu'on examine les trajectoires réelles d'une trentaine de sociétés d'État visées au premier chef par les brutales annonces de réforme de juin 1980 on parvient aux résultats suivants : 7 Sode ont été maintenues ; 11 ont été transformées en établissements publics nationaux, c'est-à-dire replacées dans la mouvance directe de l'État ; 11 ont été liquidées mais une majeure partie de leurs actifs, de leurs personnels et de leurs missions ont été repris soit par des structures ministérielles (la DCSPP du ministère des Finances qui gère les participations de l'ex-SONAFI, le ministère de l'Agriculture qui a absorbé la fonction de l'ex-ITIPAT, etc.) soit par d'autres organismes parapublics (EPN comme la SATMACI, ou SEM comme la CIDT). Trois sociétés d'État seulement (visées par la réforme de juin 1980) ont fait l'objet de mesures de privatisation — encore qu'on puisse s'interroger sur les conditions pratiques et le sens de cette orientation, de même que sur leur représentativité : aucune ne relève du domaine des grands complexes agro-industriels, aucune n'est issue du secteur de l'énergie ou des transports etc. Second indice manifestant la relative modestie des privatisations : si l'on retient les méthodes et les étapes discernées par Z. Laïdi pour la mise en œuvre d'un véritable plan de transferts d'entreprises aux opérateurs privés (Laïdi 1988), alors il faut bien reconnaître qu'aucun dispositif de cette nature n'a été mis en place en Côte-d'Ivoire, les autorités n'ayant défini aucune politique d'ensemble de rétrocession au secteur privé des participations financières publiques, aucune instance n'ayant été investie d'une mission d'évaluation et de centralisation des informations et, *a fortiori,* d'un pouvoir de décision en la matière : la Direction du contrôle du secteur parapublic (DCSPP) du ministère des Finances, qui avait pris la suite de la Direction des participations, n'a disposé ni des moyens d'investigation ni de l'autorité nécessaire pour mener à bien un train de privatisations.

En vérité ces premiers résultats ne peuvent totalement surprendre : lors du Conseil national du 12 juin 1980, sur les 39 sociétés d'État et organismes assimilés alors évoqués, seuls 3 étaient signalés comme étant soit déjà privatisés soit à privatiser dans l'avenir. La part laissée à l'hypothèse de privatisation dans le dessein réformateur initial est extrêmement modeste. Et ceci paraît conforme aux conceptions qui ont alors cours dans le cercle des autorités engagées dans la réforme : celles-ci ne reliaient pas nécessairement l'assainissement financier et gestionnaire du secteur parapublic et encore moins sans doute la reprise en main de ses personnels dirigeants à un quelconque programme de privatisation. Certes, des privatisations auront ultérieurement lieu et en plus grand nombre que les tendances initiales le laissaient entrevoir, mais, faut-il insister encore, les résolutions réformatrices exprimées en 1980, parce qu'elles renvoient aux blocages politiques

Tableau 8.1

TRANSFORMATION DES SOCIÉTÉS D'ÉTAT
ET ASSIMILÉES DEPUIS 1977. SITUATION AU 31-12-89

	Dissol. et/ou transf.serv.adm.	EPA	EPIC	EPF	SODE	SEM	Sté privée
Agric.élèv./sylvic	5	1	5				
Agro-industrie					2	1	
Mines/Énergie					2		1
Industrie							1
Transp./télécom			1		2		1
BTP	2						1
Études/Recherches	1	4					
Serv.commerciaux	1		1				
Hôtellerie	1						
Banques/serv. fin.	3		2	1	1	1	
Total	13	5	9	1	7	2	4

Source : cf. tableau nº 1.2.
Note : ce tableau, qui débute en 1977, comporte naturellement un plus grand nombre de sociétés d'État que celui évoqué en Conseil national du 12 juin 1980.

internes et aux vicissitudes de la formule patrimonialiste, ne constituent absolument pas le fondement de nouvelles épousailles néolibérales et de la redécouverte des vertus de l'entreprise privée.

Des privatisations auront donc lieu, par la suite, et, si elles ne touchent pas au cœur de l'économie mixte ivoirienne, elles sont suffisamment nombreuses pour qu'on en tente un bilan. Cependant tout effort de recensement, en la matière, ne va pas de soi : tant d'apories se dressent sur le chemin de l'inventaire, tant d'obscurités ou d'incertitudes le jalonnent qu'il est nécessaire de s'interroger sur l'objet « privatisation », sur ce que l'on fait en le construisant, sur le *modus operandi* qui le constitue.

1. Les obstacles à l'analyse des privatisations

La question de la privatisation est un de ces thèmes encombrés par un ensemble de présupposés non contrôlés, où se répand généreusement le cours des impressions premières, où s'expriment de violentes passions. Nul étonnement donc que la force du sens commun rende délicate toute opération de mesure du phénomène.

Le piège idéologique

L'absence d'inventaires et de bilans officiels, la faible publicité des opérations de privatisation, la discrétion même d'un certain nombre de transferts de propriété ont alimenté l'opacité du thème et détermimé la nature des débats auxquels il a donné lieu, non seulement en Côte-d'Ivoire, mais en Afrique en général. Alors que les conceptions politiques et les discours sociaux sur le continent semblaient s'être progressivement affranchis des idéaux pratiques — dont la vague tiers mondiste, et sa réplique inverse, avaient été des produits presque caricaturaux — le thème de la privatisation paraît rester le seul où demeure la passion : il constitue, à l'heure actuelle, un des rares terrains d'oppositions idéologiques. L'enjeu, il est vrai, est de taille : c'est la crédibilité du libéralisme qui est en question.

L'absence et de précautions de méthode et de tentatives de mesures caractérisent les interventions des uns et des autres. Les experts de la Banque mondiale en retiennent une conception si extensive que la moindre remise en cause du rôle économique de l'État, le moindre frémissement dans les politiques gouvernementales sont assimilés à des opérations de privatisation dont le succès, annoncé par anticipation, ne saurait faire de doute (cf. pour un exemple typique de cette démarche, Almeida 1986). Nous avons ainsi droit à des titres-chocs tels que « La privatisation : un nouveau visage de l'Afrique » (Pargny, 1987), « Côte-d'Ivoire : la logique libérale » (numéro spécial de *Jeune Afrique Économie* de décembre 1988) ou encore « La grande aventure de la privatisation en Afrique » (Celeste 1989). Ce zèle, gros d'excès et d'imprécisions, s'enfle au fur et à mesure qu'il incorpore une masse d'informations non vérifiées et non maîtrisées au point de passer, parfois, pour la réalité elle-même. Aussi un docte auteur peut-il s'autoriser d'une étude fort critiquable d'un expert de la Banque mondiale pour avancer, le plus sérieusement, que, « notamment en Afrique noire subsaharienne, une solution fréquemment retenue consiste à confier la gestion d'une entreprise publique dont l'État conserve la propriété à une société privée ou étrangère » (Rapp 1986). Si le procédé existe en effet, il relève encore de schémas bien abstraits et sa fréquence africaine laisse plutôt rêveur.

Et c'est ainsi que paraît fonctionner, à certains égards, le débat et les représentations sur le thème des privatisations. L'enflure et l'emphase sont de rigueur, les nouveaux discours intègrent les anciens excès et la vague des privatisations s'imposerait, inéluctablement, comme une réalité vraie et grossissante. Au fil des articles sur le sujet se dessinerait un monde africain nouveau : aux années du tout-État succéderait l'ère des économies entièrement privatisées ou privatisables. Faut-il suggérer qu'aucune de ces deux séquences ne saurait être aussi grossièrement caractérisée et que même l'idée d'une césure ne va pas de soi ? Les réalités sociales beaucoup plus nuancées sont justiciables d'analyses plus complexes et les discours courants, qui font peu de cas des difficultés, des contraintes, des logiques des acteurs, ont souvent pris de simples intentions ou pétitions pour des programmes fermes, définitifs et applicables en tant que tels. Aussi ne peut-on s'étonner des multiples erreurs et inexactitudes qui se sont glissées dans les bilans et inventaires dressés ici ou là, tels ceux, pour la Côte-d'Ivoire, de *Jeune Afrique Économie* (décembre 1988) et du professeur Wilson (Wilson 1989) : non seulement des privatisations annoncées n'ont pas eu lieu (les hôtels de la SIETHO ont été transférés d'autorité aux communes, la banque BNEC a été liquidée de même que la chaîne de magasins PAC, etc.) mais, symétriquement, des entreprises non mentionnées par ces listes ont fait l'objet de mesures de privatisation (COFINCI, IVOIREMBAL, COMAFRIQUE, etc.).

Le biais performatif de ces annonces qui placent tant de benoîte confiance dans les pétitions (et qui, à ce titre, comme la parole juridique, font advenir ce qu'elles énoncent) n'est sans doute pas étranger au travail de conviction que se livrent experts et bailleurs de fonds pour obtenir des autorités qu'elles s'orientent désormais sur la voie jugée salutaire, voire magique, de la privatisation des économies nationales. Il y a de la bonne vieille propagande là-dessous et il ne faut certainement pas négliger les enjeux pratiques (financiers, politiques, etc.) et symboliques (la conception de l'ordre social, de la place de l'État dans l'économie, la vision d'une intégration à un système marchand élargi à la planète, etc.) dans lesquels viennent s'incrire interventions et prises de position. Le monde des privatisations n'est pas un domaine d'opérations strictement techniques, socialement neutres, rationnellement imposées par les processus d'ajustement, etc. Il est aussi conditionné par les luttes d'acteurs, publics et privés, particuliers et collectifs, bailleurs, experts, opérateurs, gouvernements, etc.

Prenons l'exemple de l'article de Stephen Smith intitulé « La Côte-d'Ivoire fonce vers le privé » (*Libération* du 28 août 1987). Ce journaliste, après enquête menée à Abidjan, faisait état de la volonté des autorités ivoiriennes de céder à des repreneurs privés « la moitié des deux cents entreprises à participation publique » *(ibidem).* Si des listes d'entreprises publiques éventuellement privatisables ont été en effet établies par divers services depuis 1980 (notamment au sein du cabinet du ministre des Finances et à la DCSPP), il ne s'est jamais agi que de documents ayant vocation à mieux situer alors l'importance des emprises économiques de l'État dans un domaine, on l'a vu, où régnait pas mal de flou. Leur objet était d'éclairer la lanterne des responsables politiques et administratifs. Il n'a jamais été question — et telle est justement une des caractéristiques de la restructuration parapublique ivoirienne — de dresser une liste d'entreprises privatisables car cela, les divers responsables en ont été très rapidement convaincus, était contradictoire avec la volonté présidentielle affirmée dès le début de traiter directement les dossiers de cession, de juger de l'opportunité d'effectuer la vente, de décider en fonction de la personnalité des candidats à la reprise. De tels documents ont bien sûr également circulé à Abidjan entre les mains de chefs d'entreprises éventuellement concernés ou intéressés, entre les mains d'experts, d'agents d'organismes de coopération et de bureaux de bailleurs de fonds. Mais ces documents n'avaient pour valeur que d'être des outils pour les uns et les autres en vue d'appuyer et d'affiner sollicitations et pressions. Il n'est même pas exclu que le relais pris alors par la presse ait été discrètement orchestré pour obtenir des autorités ivoiriennes une attitude plus franche, plus nette, plus ouverte et plus enthousiaste en matière de privatisations à opérer. Produites par d'intenses luttes matérielles et représentationnelles, les informations en ce domaine ont peu de chance d'accéder à une quelconque innocence...

Il est vrai enfin que les illusions communes ont pu être conditionnées par la doctrine que s'est construite le pouvoir ivoirien (sous l'espèce du « capitalisme d'État ») ou dont il a suscité la conceptualisation dans le champ scientifique (« l'État-relais » d'Ikonicoff et Sigal 1978) : le rôle économique de l'État, l'importance de ses interventions et participations ont été conçus comme provisoires, dans l'attente de l'émergence d'un secteur privé national, de l'apparition d'une classe d'entrepreneurs nationaux dynamiques, compétents et... fortunés. La SONAFI, société d'État gérant le portefeuille des actions de l'État, était un des instruments de ce programme (parmi bien d'autres comme le Fonds de garantie du crédit aux entreprises ivoiriennes, comme l'OPEI, le BDI, les concours financiers des banques de développement, etc.) : il s'agissait officiellement de pallier momentanément à l'absence d'une épargne privée importante, à l'absence de capitalistes locaux et de rétrocéder à terme les avoirs économiques de la puissance publique. Or le « plan » de privatisation que certains ont cru discerner parallèlement à la réforme parapublique ivoirienne venait en quelque sorte accomplir le programme génétique que la décennie soixante-dix n'avait pas vu se réaliser. Et les discours officiels (largement postérieurs à 1980) en matière de privatisation ont paru renouer avec les fonctions initiales conférées à l'État. Ainsi le président ivoirien pouvait-il dire, lors du VIIIe congrès du parti en octobre 1985 : « Je veux souligner ici combien en matière de développement industriel nous restons attachés, au plan intérieur comme au plan extérieur, au libre exercice de la concurrence et à la priorité du secteur privé. C'est un principe que nous avons affirmé dès que nous avons eu notre indépendance. Pendant une période intermédiaire cependant, pour aller de l'avant et pallier l'insuffisance des initiatives privées, le gouvernement ivoirien a crée de nombreuses sociétés d'État, mais ce n'était, pour la plupart d'entre elles, qu'un statut provisoire. L'État n'est jamais le meilleur gestionnaire industriel, et notre projet a toujours été de rétrocéder au secteur privé tout ce pour quoi il est mieux armé que nous. L'expérience des sociétés d'État a d'ailleurs conduit assez vite à la constatation d'une gestion défaillante. Aussi nous avons pris la décision d'accélérer le retour de ces entreprises au secteur privé. Cette action a été largement amorcée et continuera. » (PDCI-RDA 1985, pp. 50-52). Le travail de rationalisation *a posteriori* de l'action sociale débouchait sur le rattrapage de la doctrine de l'État-relais, occultant au passage les raisons pour lesquelles le relais, justement, n'avait jamais été assuré, dans des conjonctures économiques précédentes pourtant apparemment beaucoup plus favorables et négligeant aussi les conditions de crise non prévues par la doctrine et qui a conduit depuis à des privatisations. L'idée (des privatisations) rejoignait l'idée (du relais). La cohérence des représentations était donc à l'œuvre, favorisant quelques illusions chez les uns et chez les autres.

Les difficultés de la mesure

Dans un article de 28 pages serrées, deux jeunes économistes ivoiriens analysent l'« ajustement structurel et (le) désengagement de l'État en Côte-d'Ivoire » (Echimane et Niamkey, 1988) : à l'inventaire — même partiel — des opérations réelles de privatisation qu'on était en droit d'attendre de cette analyse s'est substituée une présentation critique de nature strictement spéculative. Sans aucun doute faut-il voir dans cet escapisme vers l'analyse abstraite et logique le poids des difficultés à la fois pratiques et théoriques à évaluer l'importance et le sens des privatisations.

On en a déjà brièvement évoqué quelques-unes : l'absence générale de publicité nuit sans conteste aux efforts de mesure (1) . Celle-ci, intrinsèquement, comporte deux volets

(1) Symétriquement les effets d'annonce, aux développements trompeurs, ne sont pas rares en ce domaine. Un exemple parmi d'autres : alors que la SICTA, société d'économie mixte (51 % à l'État ivoirien, 49 % au Bureau Veritas) concessionnaire du service de contrôle technique obligatoire des véhicules automobiles était présenté comme en cours de privatisation en 1986,

problématiques : il s'agit de savoir ce que l'on mesure et comment on mesure. Gardons-nous d'une première difficulté qui verrait dans l'opposition simpliste État/secteur privé les deux pôles d'un jeu à somme nulle : de la même façon que le désengagement de la puissance publique et sur le plan structurel et sur le plan fonctionnel ne signifie pas nécessairement le développement symétrique de l'activité d'opérateurs privés, de même l'action de ceux-ci ne peut être, sans reprendre à son compte un malheureux présupposé, assimilée mécaniquement à une logique privée, concurrentielle, de marché. Une des multiples preuves fournies par les réalités ivoiriennes : certain complexe hôtelier de rang international appartenant à l'État était géré par un groupe multinational dont la rémunération était fixée en pourcentage du chiffre d'affaires sans aucune référence à un quelconque indicateur de rentabilité. Comme l'État assurait par lui-même, lors de ses périodes fastes, une bonne partie du taux de remplissage total (qui n'a jamais dépassé 50 % en moyenne annuelle), on voit que le contrat de gestion, si souvent vanté dans la vogue néolibérale, cachait en réalité un système de rente publique.

La diversité des formes avérées de privatisation ajoute aux difficultés. Aux trois modalités étudiées en Côte-d'Ivoire par Wilson (reprise par des cadres de l'ex-FOREXI, vente à un groupe privé étranger de la SONACO, cession à des privés ivoiriens d'une partie du capital de la SITAB par l'intermédiaire de la Bourse des valeurs d'Abidjan — cf. Wilson 1989) il faudrait ajouter les cessions de participations de premier degré de l'État, les cessions de participations détenues par des organismes publics et parapublics (Caisse de stabilisation, collectivités locales, etc.), la vente soit de l'ensemble de l'entreprise ou de l'organisme soit de ses seuls actifs (par exemple la cession du parc locatif de la SOGEFIHA aux occupants locataires), les cas de privatisation des gestions sans privati-

---

quatre ans après, un mouvement de mécontentement de l'ensemble de son personnel donnait l'occasion de constater qu'aucun début de cession de la participation de l'État n'était encore intervenu. C'est précisément la menace d'une vente à venir à une société suisse qui faisait réagir vivement le personnel, inquiet du départ de l'État et désireux de reprendre à son compte la participation publique pour éviter une dénationalisation de l'entreprise vécue en l'espèce dans son double sens de privatisation et de désivoirisation (cf. sur ce point *Fraternité-Matin* des 26 juin et 16 juillet 1990).

sation des patrimoines (par exemple les morgues des CHU), etc.

Le dénombrement des privatisations des structures (repérables aux transferts de propriété des entreprises) se heurte moins à des considérations de méthode qu'à des aspects essentiellement pratiques : il y faut de patientes investigations de terrain et une ingrate compilation d'informations fort dispersées et peu accessibles. L'évaluation de leur importance (au-delà de leur nombre : leur poids et leur signification) est déjà moins aisée puisque plusieurs étalonnages sont possibles : par rapport aux entités du même groupe, par rapport aux vœux et sollicitations des opérateurs déclarés intéressés, par rapport aux souhaits et influences des bailleurs de fonds, par rapport aux objectifs de redressement économique et financier assignés aux privatisations dans les programmes d'assainissement ou d'ajustement, etc.

A côté des opérations organiques, les privatisations ont pu également se caractériser par des replis fonctionnels des activités publiques. Il ne s'agit plus alors d'identifier et de dénombrer des structures mais de saisir d'éventuels transferts de mission. La tâche, ici, est particulièrement délicate car les désengagements de l'État n'y acquièrent pas de visibilité immédiate. Citons l'exemple du secteur du logement social. On a déjà présenté, à travers la trajectoire propre de la SOGEFIHA, comment l'État ivoirien était devenu l'opérateur central en ce domaine depuis l'indépendance. La dissolution des organismes tels que la SOGEFIHA et la SETU s'est accompagnée d'un arrêt des programmes immobiliers publics et, également, de la suspension de toute aide financière, directe ou indirecte à ce secteur (prêts bonifiés, exonérations fiscales, douanières, etc.). L'État s'est donc non seulement retiré sur le plan organique mais aussi sur le plan fonctionnel, sur le plan des activités (2). Les groupes et individus jusque-là clientèles de l'État « entrepreneur de bâtiments », ou bien ont cessé d'avoir des projets d'installation, ou bien ont dû se résoudre à s'adresser à des opérateurs privés : banques, promoteurs,

(2) Depuis peu le gouvernement a crée un Compte de mobilisation de l'habitat (CDMH), domicilié à la Caisse autonome d'amortissement et qui est chargé de refinancer à long terme (jusqu'à 20 ans) les prêts acquéreurs consentis par les banques commerciales. Sa mise en place trop récente interdit d'établir un premier bilan.

constructeurs. Ainsi, à en croire un reportage de presse, pour la seule période 1984-1989, les programmes immobiliers privés ont représenté un volume d'investissements de 52 milliards F CFA (Sidibe 1988). Voici donc un domaine où le retrait de l'État ne s'épuise pas dans la seule liquidation de sociétés publiques en crise. Cette dimension fonctionnelle de la présence ou du reflux de la puissance publique est bien évidemment délicate à apprécier dans son évolution. En dehors du logement social d'autres secteurs ont été atteints par l'abandon ou la stagnation de l'engagement de l'État : les programmes d'éducation et les programmes de santé ont été particulièrement affectés par la crise et les plans d'ajustement structurel sans que le relais ait été nécessairement assuré dans l'ordre de l'économie privée — sauf, peut-être, mais partiellement, dans le domaine scolaire où le foisonnement des écoles privées répond à une très forte demande sociale d'éducation non satisfaite par l'État.

Enfin, et en toute rigueur, on ne devrait parler de privatisation que dans le cadre d'un marché concurrentiel. Or, de cette rigueur, peu d'experts et de commentateurs s'embarrassent, partisans convaincus qu'ils sont des programmes de « libéralisation » des économies : beaucoup se satisfont d'une annonce purement nominaliste de privatisation alors que, dans bien des cas, le transfert au privé se double d'un maintien du monopole ou de la rente préalables (3).

(3) Si l'on voulait une preuve que l'activité d'une entité privée ne coïncide pas nécessairement avec ce que laissent entendre les partisans ardents du libéralisme et qu'elle peut être, à son tour, d'un coût exorbitant pour les finances de l'État, relevons simplement l'exemple de la SITAF, société de collecte et de traitement des ordures ménagères, sous contrat depuis longtemps avec la ville d'Abidjan (qui comprend plus de 2,5 millions d'habitants). Jusqu'en 1985, pour 400 000 tonnes d'ordures enlevées elle obtenait 6,270 milliards F CFA de la capitale économique qui consacrait à cette dépense 80 % de son budget. La DCGTX intervint sur ce dossier, procéda à des évaluations et à des contrôles. Elle fit engager de nouvelles négociations entre la ville et la SITAF, celle-ci n'obtenant, pour les mêmes prestations, « que » 3,335 milliards F CFA, soit une diminution de 47 % de l'ancienne facture. La concession de la mission à une société privée, placée en situation de monopole de fait, avait jusque-là conduit à tirer profit d'une rente publique (sources : enquêtes et entretiens et *Fraternité-Matin* des 18 et 19 juillet 1990).

2. Un bilan nuancé

Aussi est-ce en gardant à l'esprit toutes ces précautions qu'on doit enregistrer le bilan des privatisations tel qu'il a été possible de le reconstituer après de longues, nombreuses et minutieuses enquêtes (cf. tableau 8.2 en fin de chapitre).

Dénombrement et évaluation

On peut juger que les opérations de privatisation n'ont été nullement négligeables, même si elles ne correspondent pas au raz de marée libéral annoncé, subodoré ou espéré par beaucoup après les réorientations de 1980. On peut affiner le résultat : si l'on met de côté les privatisations ayant échoué et qui ont été sanctionnées *in fine* par une liquidation, les privatisations dites « cadeau » (c'est-à-dire accordées sur la base d'une sous-estimation des actifs ou encore celles dont le repreneur ne s'est pas acquitté en totalité ou en partie du montant de la transaction), si l'on met également de côté les privatisations organiques assorties du maintien du monopole (morgues des CHU confiées à IVOSEP, seule société privée habilitée dans son scteur, la BFCI, etc.), moins de la moitié de la quarantaine d'opérations relèvent véritablement d'un processus de privatisation : c'est asssez peu par rapport au potentiel « objectif » du secteur parapublic ivoirien, c'est important par rapport aux conceptions initiales de sa réforme.

Mais un bilan sérieux visant à évaluer la portée des privatisations doit prendre en compte l'ensemble des mouvements ayant affecté la sphère économique d'État. Or, de ce point de vue, on a observé des phénomènes qui contre-balancent les privatisations : d'une part des faits d'accroissement volontariste ou mécanique de la présence de l'État dans les entreprises mixtes (par exemple participation directe à une augmentation de capital par libération d'actions nouvelles ou accroissement en valeur absolue du portefeuille de l'État par incorporation des réserves de l'entreprise dans son capital) ; d'autre part des transferts d'actifs, de personnels et de missions d'anciennes Sode vers des organismes publics ou parapublics (services ministériels, EPN, SEM) ; ensuite une translation des patrimoines des entreprises publiques vers les collectivités locales (c'est le cas de l'ex-SIETHO) ; enfin quelques opérations d'étatisation subreptice ne sont pas à exclure sur le mode suivant : tel collège privé d'une ville de l'intérieur, construit à l'initiative particulière de son maire sur emprunt bancaire, est devenu municipal à l'issue d'une délibération de son Conseil municipal (cf. *Fraternité-Matin* du 1er décembre 1988).

Au total (cf. tableau 8.3), lorsqu'on rapproche tous ces mouvements de privatisation, de dissolution et d'étatisation (ces derniers surtout visibles dans la réforme des Sode et des EPN décrite dans les chapitres précédents) affectant les organismes parapublics ou à participation financière de l'État, ce n'est pas la libéralisation, le désengagement de l'État qui prédominent mais bien, en premier lieu, la consolidation de son emprise et, en second lieu, les opérations de liquidation. On peut avancer deux séries de causes conjointes à cette dernière tendance nécrologique : d'une part il faut y voir le signe d'une crise qui, après avoir atteint l'État, affecte le secteur semi-public puis privé. Corrélativement, et parce que nous nous trouvons ici au cœur de la profonde mixité de l'économie ivoirienne, ces dissolutions sanctionnent le fait que de nombreux établissements ne vivaient qu'à l'abri et grâce aux concours généreux de la puissance publique (apports en capitaux, subventions d'équilibre, concours aux investissements, etc.), et il a suffi que cette manne étatique disparaisse ou soit désormais comptée pour qu'un grand nombre d'entreprises soient mises en péril. C'est l'exemple type d'un processus cumulatif que développe inévitablement une crise dans une économie mi-publique mi-privée. C'est au moment du naufrage que l'État s'y révèle si présent, un peu à la manière du fonctionnement des sociétés segmentaires : l'unité de l'ensemble n'est jamais mieux repérable qu'à l'occasion des crises qui définit le contour des solidarités latentes.

C'est dans ce cadre général qui résume les principales orientations des transformations opérées depuis 1980 que viennent prendre place les privatisations et qu'elles doivent être évaluées. Les mouvements observés sur la décennie ne s'y réduisent certainement pas. Et, si elles ne sont pas dérisoires, elles ne sont pas non plus à la hauteur des espoirs placés en Côte-d'Ivoire par les experts, bailleurs et commentateurs néolibéraux.

LA REDÉCOUVERTE DE L'ÉTAT

En contrepoint des « privatisations » et de la « libéralisation » tant affirmées à l'extérieur, signalons un fait dont le sens déborde l'anecdote. La dissolution de la SONAFI, société d'État chargée de gérer le portefeuille des participations publiques dans un certain nombre d'entreprises (environ 70) a eu pour effet indirect de faire redécouvrir la nature d'entreprises mixtes de la plupart d'entre elles et, par voie de conséquence, de leur imposer certaines règles propres aux sociétés à participation financière publique. Jusque-là la direction de la SONAFI, peu regardante sur ses obligations et ses engagements, avait souvent « négligé » de nommer un ou plusieurs représentants de l'État dans les conseils d'administration des sociétés bénéficiaires du concours public. Elle avait également « négligé » de demander le versement des dividendes rémunérant les actions qu'elle détenait dans les entreprises réalisant des résultats excédentaires : au moment de sa dissolution en 1980, à peine un tiers des actions souscrites par la SONAFI depuis plus de sept ans généraient des dividendes.

La dissolution de la SONAFI et la gestion directe de son portefeuille par une direction du ministère des Finances (Direction des participations puis Direction du contrôle du secteur parapublic) ont crée quelque surprise dans plusieurs sociétés dirigées jusque-là comme si elles étaient privées à 100 % : leurs dirigeants ont dû accepter la présence tout à fait nouvelle de représentants de l'État dans leurs conseils d'administration, dûment munis (au moins les premières années de la réforme) de directives gestionnaires dispensées par leur ministère et ces sociétés ont également dû se résoudre à verser au Trésor public les dividences dûs à l'État et qu'autorisaient leurs résultats bénéficiaires. En outre ces sociétés d'économie mixte sont soumises à un contrôle *a posteriori.*

Cette courte histoire montre à quel point les dissolutions (ici de la SONAFI) sont loin de signifier un désengagement de l'État et suggère qu'il faut avancer, sur le thème des « privatisations » et autres « libéralisations », avec beaucoup de précautions : l'analyste doit être animé par le souci de vérifications empiriques sur ce terrain où s'agitent les passions.

Les raisons d'un mouvement prudent de privatisations

Comment expliquer qu'en dépit des pressions des bailleurs de fonds, des prescriptions de l'ajustement structurel, des intérêts déclarés et des offres de reprise faites au gouvernement par des investisseurs le bilan des privatisations soit, au total, fort nuancé ? Plusieurs séries de raisons peuvent être appelées pour faciliter la compréhension de ce résultat. Par commodité d'exposition, et en gardant en mémoire que ce découpage nuit aussi à l'analyse car tous les niveaux de détermination sont étroitement imbriqués dans une unité complexe, on peut distinguer grossièrement des raisons économiques et des raisons plus spécialement politiques.

Parmi les raisons économiques de la modestie des privatisations il faut retenir un premier facteur limitant exprimable sous forme de contradiction : la mauvaise santé des entreprises et notamment leur mauvaise posture financière n'a pas aidé à confirmer l'enthousiasme des repreneurs déclarés initialement. En revanche si l'entreprise présentait de meilleurs atouts, les pouvoirs publics ont eu tendance à ne pas donner suite à des sollicitations diverses car il était délicat de priver l'État de profitables ressources fiscales et douanières en ces temps de crise des finances publiques. Et il est de fait que plusieurs tentatives de privatisation, orchestrées ou approuvées par le gouvernement, se sont soldées par des échecs : telles sont celles concernant, par exemple, l'ex-SIETHO et PALMINDUSTRIE.

A partir de 1982 le ministère du Tourisme se propose, après accord présidentiel, de privatiser la chaîne de réceptifs hôteliers qui sont la propriété ou entrent dans la gérance de la SIETHO, ex-société d'État pour la promotion du tourisme et de l'hôtellerie. Il s'agit d'une douzaine de complexes luxueux édifiés à l'initiative des autorités publiques, sur fonds de l'État, à l'occasion des fêtes tournantes de l'indépendance qui avaient eu lieu dans les principales villes du pays dans la décennie soixante-dix. Le ministère prépara sur chaque hôtel un dossier complet comprenant un descriptif technique et une étude financière. Ces dossiers furent adressés à 13 grandes chaînes internationales susceptibles d'être intéressées par des reprises de réceptifs en Côte-d'Ivoire. Six réponses parvinrent aux services ministériels : trois manifestant un net refus et 3 comportant des contre-propositions. Une mission ministérielle fit le déplacement à Paris pour préciser les souhaits et disponibilités de la partie ivioirienne. Plusieurs mois plus tard, et alors que les délais de réponse étaient dépassés, une seule réponse arriva qui exigeait des expertises supplémentaires. Comme les comptes arrêtés en juin 1982 faisaient apparaître, suite à de vigoureuses mesures de redressement, un très léger bénéfice d'exploitation venant remplacer les déficits chroniques précédents, le ministère s'enhardit et, en maintenant ses conditions, ne désespérait pas de trouver des investisseurs. Ultérieurement il relança l'opération de séduction. Ce fut un échec : il ne reçut aucune réponse positive et aucun réceptif ne fut finalement vendu à des opérateurs privés. Il restait une solution strictement ivoiro-centrée : elle ne connut pas plus de réussite, les investisseurs hésitant dans un secteur dont l'activité était en chute et les comptes incertains. Finalement le gouvernement décida de transférer la majorité des actifs de ces hôtels aux communes ivoiriennes qui ne se sont pas montrées particulièrement enthousiastes tant elles redoutent les déficits à venir et tant elles sont peu préparées à assurer la gestion de ces ensembles (4).

En ce qui concerne la société d'État PALMINDUSTRIE : lors de la campagne agricole 1980-1981 les bailleurs de fonds (BIRD, CCCE et FED) avaient attiré l'attention des autorités ivoiriennes sur la grave crise — identifiée à l'échelle mondiale — du secteur des corps gras tirés des produits du palmier. Les bailleurs de fonds, dans un memorandum remis au gouvernement, avaient préconisé une solution d'association avec des partenaires privés et, par voie de conséquence, la transformation de la société d'État — maintenue telle quelle en 1980 — en société d'économie mixte. Le 5 janvier 1983 le Conseil des ministres avait donné son accord à un contrat de gestion de la société valable pour 3 ans à un pool de trois sociétés privées de statut multinational. Pendant ces 3 ans devait être préparée l'intégration de ces trois partenaires au capital de la société d'État. Ceux-ci abandonnèrent finalement le projet en raison de la mauvaise situation financière de PALMINDUSTRIE.

(4) La gestion de certains de ces hôtels aurait été confiée, selon les dernières informations, à un groupe international ; cf. *Marchés tropicaux* du 2 mars 1990, p. 626.

Seule une opération d'assistance technique dans le domaine de la gestion fut mise en œuvre. Les comptes se redressèrent : si les déficits cumulés avaient dépassé 12,5 milliards F CFA à la fin de 1980, par la suite, sous l'effet de plusieurs mesures de restructuration financière et d'amélioration de la productivité, le solde redevint excédentaire au point de dégager, lors de l'exercice 1984, 10,6 milliards de résultats positifs permettant à PALMINDUSTRIE non seulement d'éponger les déficits des années antérieures mais aussi de rembourser par anticipation la dette de consolidation contractée en 1980. Aussi, en juin 1985, le ministère de l'Agriculture relançait-il le projet d'association de partenaires privés en prévoyant une augmentation de capital (7 % étaient destinés aux partenaires) et la transformation de l'entreprise en société d'économie mixte. Les incertitudes, voire la chute des cours mondiaux des produits du palmier d'une part, les relatives intransigeances ivoiriennes fondées sur le redressement de la société d'autre part n'ont toujours pas permis la réalisation de cette privatisation partielle.

Il est souvent avancé, pour expliquer la relative faiblesse des privatisations ivoiriennes, la thèse selon laquelle les capitaux privés nationaux mobilisables pour ces opérations ne seraient pas suffisamment importants. Cet argument est erroné de plusieurs points de vue. S'agissant des 13 cessions de participations de l'État qui ont fait l'objet d'une publication au journal officiel il n'est malheureusement pas toujours fait mention des montants des transactions. Nous avons des indications significatives pour 3 des plus grandes opérations de privatisation qui ont eu lieu depuis 1980 : les cessions de parts publiques dans les entreprises TRITURAF, SOGIEXCI et SOTROPAL ont représenté 4,2 milliards F CFA. On peut tout à fait raisonnablement penser que l'ensemble des privatisations s'est effectué dans une fourchette de 10 à 15 milliards, ce dernier chiffre devant être considéré comme un maximum absolu. On sait d'autre part que de véritables fortunes individuelles ou familiales se sont édifiées dans le pays depuis l'indépendance. Pour évaluer la capacité de l'épargne privée nationale face aux opportunités de privatisation utilisons trois sources d'information : en premier lieu dans une analyse minutieuse des facteurs de déficit de la balance des paiements Gilles Duruflé évalue à plusieurs dizaines de milliards les capitaux des Ivoiriens qui quittent annuellement le territoire, favorisés en cela par l'existence de la zone franc (RF, MINI-COOP 1986). En second lieu la consultation d'un document sérieux et accessible comme les *Statistiques financières internationales* éditées par le FMI permet d'évaluer à plusieurs centaines de milliards F CFA les dépôts en provenance de la Côte-d'Ivoire effectués sur des banques installées hors du pays : ceci ne donne qu'une vue partielle des fortunes privées nationales puisque l'essentiel est constitué de portefeuille d'actions et surtout de titres immobiliers, à l'intérieur et à l'extérieur du pays. Enfin relevons que d'après un banquier de la place « le montant global de l'épargne en Côte-d'Ivoire était estimé à 2 000 milliards F CFA dont 800 répartis dans les banques, 200 confiés aux tontines et 1 000 environ immergés dans le pays profond » (*Marchés tropicaux et méditerranéens* du 21 octobre 1986). Il est aisé de voir que le prix des privatisations était largement à la mesure des capacités financières des investisseurs privés ivoiriens. Ajoutons que les capitaux privés ivoiriens dans les 2 500 entreprises dites modernes recensées par la *Centrale de bilans* représentent environ 45 milliards. Le problème n'est donc certainement pas la sous-capacité de l'épargne privée nationale mais bien plutôt : premièrement ses placements internes et traditionnels dans des secteurs à hauts, rapides et sûrs rendements financiers tels que l'immobilier et le foncier, les plantations (jusqu'à ces dernières années), l'import-export, etc. ; deuxièmement sa forte tendance à l'expatriation qui contribue au déséquilibre de la balance des paiements et prive le circuit économique interne des capitaux dont il a besoin pour sa croissance « endogène ».

Si les raisons économiques ne sont donc pas toutes convaincantes pour éclairer la relative modestie des privatisations, voyons du côté des raisons politiques. Or il y a, dans la façon dont les opérations de privatisation ont été conçues et conduites, façon elle-même conforme au mode de fonctionnement des relations sociales et des rapports politiques, des élements qui éclairent les résultats. Les modalités des privatisations n'ont été ni claires ni rationalisées. Les négociations, les tractations, les marchandages ont été fortement personnalisés, les bénéficiaires se sont montrés fort discrets et, en tout état de cause, le pilotage des opérations a été assuré par le président et, dans les rares cas où il n'a pas veillé directement à la désignation des heureux interlocuteurs et au dispositif de cession, il a toujours été très précisément tenu au courant de l'état d'avancement des dossiers. Cette façon de « faire » les privatisations, qui renvoie naturellement à la logique patrimonialiste et clientéliste de l'arène politique, non seulement a opacifié le mouvement de privatisations mais en a limité objectivement l'ampleur. Ainsi peut sans doute s'expliquer l'échec d'une tentative, de facture plus moderniste et plus économique, faite par la direction générale de la Bourse des valeurs d'Abidjan, en février 1982, de créer « une société d'investissement à partir du rachat d'un volant du portefeuille rentable de l'ex-SONAFI transféré à l'État » : il était prévu que des mesures soient incorporées à la Loi de finances pour développer le marché financier dans le pays à l'occasion du large mouvement espéré en matière de privatisation. Et ce qu'on pourrait présenter comme une grande réussite de vente publique, via la Bourse des valeurs d'Abidjan, à savoir la cession des participations publiques dans la SITAB en 1987 doit être nuancé : d'importantes fractions du capital mis en vente ont été « réservées » (cf. Wilson 1989).

En outre, et dans ce cadre clientéliste, il semble bien que le souci du président-patron ait été de ne pas trop perturber les équilibres de puissance (donc de richesse) entre grandes figures, individuelles ou familiales, ce qui l'a conduit à limiter les appétits des plus fortunés qui avaient des capitaux disponibles (*, un proche collaborateur du président, **, un riche Dioula, etc., ont dû se contenter d'une, au maximum de deux opportunités de reprise). Dans le même ordre d'idée on retiendra que la communauté libanaise n'a pas été « servie ». Elle est pourtant numériquement importante (les meilleures sources parlent de plus de 150 000 membres) économiquement très présente et active, et a amorcé depuis quelques années un passage du capital commercial à l'investissement industriel ce qui dénote à la fois une insertion réussie et un projet d'installation pérenne. Aucun homme d'affaires issu de cette communauté ne paraît avoir au moins directement bénéficié des opérations de privatisation.

Enfin, sur un plan plus général, le gouvernement ivoirien a manifestement eu le souci d'éviter un risque de trop forte dénationalisation — au sens de désivoirisation. C'est par exemple la raison pour laquelle une firme japonaise intéressée par la reprise de la SOGIEXCI dont une des filiales, PREMOTO, importait des voitures nippones, a été éconduite. De même que *, grande chaîne commerciale à capital français, qui s'était déclarée un peu plus tard. Dans ce dernier refus a joué en outre le risque d'une situation de position dominante pouvant conduire à une fixation arbitraire des prix par une firme qui aurait désormais importé des véhicules français et japonais, soit l'essentiel du marché : les ministères des Finances et du Commerce ont été très sensibles à ce risque et ont fait écarter cette candidature.

LE CONTRAT DE PROGRAMME SOTRA/ÉTAT

Le cas de la SOTRA (Société des transports abidjanais) est instructif à un double titre : en premier lieu parce qu'il éclaire les conditions de mise en œuvre d'un contrat de programme entre une entreprise publique et l'État ; en second lieu parce que cette société a fait l'objet de pressions en vue de sa privatisation et que l'État a su résister au chant de sirènes pas totalement désintéressées.

A défaut d'avoir pu imposer des privatisations directes et massives, certains bailleurs de fonds, BIRD et US-AID en tête, se sont rabattus sur les contrats de programme entre États et entreprises publiques : puisque les transferts de propriété n'étaient ni toujours possibles ni toujours opportuns, l'idée était alors de rationaliser les outils existants. De son côté la Caisse centrale de coopération économique (France), s'est depuis longtemps fait une spécialité de cette formule, il est vrai conforme à l'économie mixte hexagonale. Les contrats de programme ont pour objet de clarifier et de formaliser les relations État/entreprises (explicitation des missions, des objectifs, des contraintes, du financement, des critères et indicateurs de performance, etc.). Un seul cependant a pu être mis en place en Côte-d'Ivoire : celui en vigueur à la SOTRA. C'est que les conditions de mise en œuvre de ces contrats sont telles (maîtrise par l'entreprise des informations économiques et financières, respect par l'État de ses engagements) que leur application réelle présuppose un assainissement loin d'être intervenu dans tous les secteurs d'activité. Pour l'heure, au-delà des louanges de techniciens et de juristes qui voient dans ces programmes « la » solution à la crise des secteurs publics africains, il s'agit encore d'une utopie. Les réquisits de ces instruments sont en effet en contradiction avec les situations de crise ; on comprend alors pourquoi une formule tant vantée est en fait si rare. Parmi les prérequis nécessaires à la mise en œuvre d'un contrat de programme relevons-en quatre :

— la situation de l'entreprise doit être relativement saine pour qu'elle ne reste pas dans une logique de l'assistance, d'où il peut être nécessaire d'envisager sa restructuration préalable ;

— il faut un intérêt minimal « évident » des différents partenaires (État, partenaires privé, personnel), sinon le contrat n'est qu'un prétexte et des stratégies de détournement-réappropriation (qui ne sont pas un privilège de paysans) apparaissent. La prétendue « volonté politique » qu'il faudrait au fondement du contrat n'est en fait que l'expression codifiée d'un intérêt bien compris. Le respect du contrat par les partenaires est à ce prix ;

— la claire explicitation des objectifs et des moyens à mettre en œuvre est nécessaire, faute de quoi aucune évaluation sérieuse ne peut être ensuite effectuée, ce qui est source de contentieux sans fin ;

— est requise une bonne gestion de l'information (pas seulement financière) et, plus généralement, une bonne gestion de la communication qui permet de poser les vrais problèmes : le contrat de programme a ses exigences de *glasnost*.

Les conditions techniques de cette formule de gestion appliquée à la SOTRA apparaissent dans les documents du contrat de programme signé le 25 mai 1984 entre la société et la puissance publique pour une première période de trois ans et dans les résultats d'exploitation de l'entreprise. Ce contrat prévoit en effet le versement annuel d'une subvention de 8 milliards (figurant au budget de l'État) justifiée pour contrainte de service public (desserte de lignes à très faible rentabilité financière, transports « sociaux » à faibles tarifs, etc.). Il s'agit en effet de compenser des insuffisances de tarif mis en évidence par des calculs précis de coûts de production. Une évaluation de l'exécution du contrat faisait apparaître des résultats positifs pour l'exercice 1984/1985 :

— une diminution du coût de revient kilométrique de 4 % par rapport aux objectifs du contrat ;

— un bénéfice net de 73,4 millions F CFA qui s'élève à 1,9 milliard si l'on tient compte des créances et régularisations de tarifs dûs par l'État ;

— la distribution au personnel d'une prime de gestion de 1,7 milliard F CFA en raison de l'amélioration des indicateurs d'activité (sur une masse salariale de 14,6 milliards).

Ajoutons qu'au titre de l'année 1984/1985, les prélèvements

fiscaux au bénéfice de l'État se sont élevés à 11 milliards F CFA. On était donc loin des situations désastreuses et déficitaires dénoncées ou rapportées par quelques-uns. Car, en dépit de ces résultats encourageants, l'entreprise a été l'objet de pressions en vue de sa privatisation.

Le ministère de l'Information, à l'issue d'un Conseil des ministres tenu le 11 février 1987, faisait état du principe désormais acquis de création, à côté de la SOTRA, d'un secteur libre des transports dans l'agglomération abidjanaise. Cette information, divulguée alors que les autorités, pour les raisons qu'on verra plus loin, tenaient semble-t-il à lui conserver un caractère encore confidentiel, fut aussitôt reprise dans la presse, et pas seulement nationale. Ainsi, par exemple, l'hebdomadaire français *Marchés tropicaux et méditerranéens* la rapporta à plusieurs reprises (20 février 1987, p. 437 ; 8 mai 1987, p. 1162). Cette idée d'une libéralisation du transport de voyageurs dans la capitale économique fit alors son chemin, de rédaction en rédaction, enflée à chaque fois par le mode de fabrication journalistique des « événements » : le principe fut vite métamorphosé en solide réalité, la SOTRA étant présentée comme ayant perdu son monopole. Les commentateurs spécialisés héritèrent de cette donnée nouvelle pourtant totalement préconstruite et essayèrent d'expliquer les causes de cette « nécessaire » évolution. Ainsi, par exemple, un commentateur voyait dans la supposée dégradation de la situation financière de cette société les raisons de la réorientation préconisée sur un plan plus large, faut-il le préciser, par la Banque mondiale et le rapport Berg (Alibert 1987, p. 45 et s.). Il se trouve que, au début de l'année 1990, rien n'a été encore fait qui puisse ressembler à un début de mise en application du principe de privatisation. Que s'est-il donc passé ? Le dossier SOTRA comportait en réalité des risques évidents de dégradation des conditions de transport des passagers et il était également gros d'intérêts et d'appétits particuliers, deux aspects dont les autorités ont eu finalement conscience et qui justement leur imposaient discrétion et puis prudence.

Entrons dans les détails. Malgré l'amélioration de la gestion dans le cadre du contrat de programme, le déséquilibre du bilan de la SOTRA sous l'angle de la faiblesse du capital permanent (endettement à long terme) est demeuré une évidence comptable. Le projet de la DCSPP (qui avait succédé à la Direction des participations du ministère des Finances) était de faire procéder à une augmentation du capital de l'entreprise en plusieurs fois. Il fallait que Renault (partenaire minoritaire de l'État au sein de cette entreprise publique) accompagne ce rééquilibrage. Mais Renault n'a pas été d'accord (la Régie avait d'autres problèmes plus urgents et importants en France même). La SOTRA a demandé des augmentations de tarifs qui lui ont été refusées par la présidence pour des considérations sociales. La DCGTX — qui entretemps avait gagné des compétences en matière de transport — s'est alors mis en quête de nouveaux partenaires pour l'entreprise.

C'est à cette époque (début 1987) que se sont répandues des informations et des rumeurs sur la mauvaise situation financière de la société (rumeurs relayées par des attaques dans la presse nationale contre la SOTRA et son monopole défaillant). En même temps l'entreprise fut l'objet d'une action de la part du Syndicat des Transporteurs voulant entamer ce monopole dans l'agglomération abidjanaise après avoir réussi il est vrai à moderniser très nettement les flottes de bus et à améliorer les dessertes interurbaines. C'est ainsi, par exemple, mais il ne fut pas le seul, que l'un de ses plus dynamiques leaders conçut un « coup » : en même temps où une campagne de presse contre la SOTRA était encouragée, il décida d'acheter à vil prix une centaine de bus réformés en Allemagne (d'autres en firent venir d'extrême-orient). Mais les responsables techniques du ministère des Transports veillaient au grain et s'inquiétaient de ces initiatives qui risquaient fort de déboucher sur une désorganisation des transports en commun de la capitale économique (si vitaux pour la marche des entreprises et le dynamisme économique du pays : 85 % des entreprises sont localisées à Abidjan). Un second risque existait : celui d'une chute inexorable de la sécurité des transports, les promoteurs étant animés par la recherche de gains faciles au moindre investissement ; les achats rapides de bus mis ailleurs au rebut confortaient nettement cette seconde inquiétude.

Finalement le danger apparut à tous les responsables politiques et techniques et la manœuvre échoua, la DCGTX soutenant désormais une SOTRA maintenue dans son monopole. On sait que la société, engagée dans une politique de rationalisation et de recherche de gains de productivité dont témoignent les documents comptables est la seule entreprise à avoir signé avec l'État ivoirien un contrat de plan dans le cadre duquel elle fonctionne toujours. Au total, et au début de l'année 1990 la situation juridique est inchangée. L'entreprise a apporté cependant quelques assouplissements à la façon de gérer le réseau, sans doute aiguillonnée par le risque de voir le secteur ouvert à la concurrence : d'une part elle a mis en service les taxis-bagages qui sont des camionnettes de moyen tonnage chargées de transporter les commerçantes de marché (notamment celles vendant le vivrier et le maraîchage) encombrées de leurs stocks et de multiples récipients. D'autre part, faute pour elle de pouvoir couvrir rationnellement l'ensemble de l'espace abidjanais, elle a dû se résoudre à voir prospérer les taxis-camionnettes privés (dits *baka* en langage populaire) qui s'activent dans les liaisons horizontales entre banlieues populeuses de la capitale économique. Il est enfin question, dans un proche avenir, que la SOTRA mette en service des bus express, au tarif plus élevé mais plus rapides et moins encombrés.

Nous sommes loin d'une privatisation, d'une mise en concurrence, d'un démantèlement du monopole de la SOTRA. Ce résultat ne préjuge évidemment pas de l'avenir mais tel qu'il est actuellement, il n'est guère conforme aux souhaits des opérateurs privés interessés ni aux vœux et conceptions d'organismes comme la Banque mondiale et l'US-AID qui prêchent activement, en Afrique, pour la privatisation des services publics urbains où ils croient discerner des opportunités de profit pour les firmes privées et des remèdes aux graves insuffisances des actions initiées par la puissance publique. Il faut bien se rendre compte que les opérations de privatisation, d'ouverture à la concurrence, etc., ne sont pas des opérations purement techniques seulement déterminées par des contraintes financières mais comportent des dimensions sociales et politiques dont l'analyste aurait tort de faire fi. Restaurer au contraire ces paramètres devient une obligation méthodologique pour tenter de comprendre les processus de privatisation et d'apprécier les résultats auxquels on est parvenu çà et là. On peut néanmoins voir dans le maintien des conditions d'activités de la SOTRA la force d'une conception technique et de long terme qui a primé sur des considérations immédiates d'affairisme et de clientélisme.

Tableau 8.2

ENTREPRISES ET SERVICES AYANT FAIT L'OBJET
D'UNE MESURE DE PRIVATISATION DEPUIS 1977
(directe ou indirecte, partielle ou totale, éphémère ou définitive)

Organisme (% Etat)	Statut origine	activité	modalités privatisation	évolution après privatisation	indicateurs de taille
ABI (21 %)	SEM	métallurgie	liquidation jud. juillet 86 scission en 2 sociétés : ABI-P et ABI-DM. Cession part. Etat (août et déc. 86) à groupe CHANIC		K = 585 N = 190
API (74 %)	SEM	transf. cacao	Rachat des parts de Socipec (SEM) et de la CSSPPA (SODE) soit 540 M (60 % du K) par Cacao Barry, ancien actionnaire minoritaire		K = 900 N = 243
BNEC (100 %)	assim. SODE	banque	Conseil nat. 12-6-80 État (seul action) se retire du K. Rachat par SOPIM-BICT (51 %), Taw Leasing (30 %), BIAO, UAP et divers privés ivoiriens. Gestion du Fonds de soutien de l'habitat (serv. public) lui est retirée dans le même temps	Liquidation décidée par le gouvernement le 12-4-88	K = 1 100 N = 133

Organisme (% Etat)	Statut origine	activité	modalités privatisation	évolution après privatisation	indicateurs de taille
CERAM-ANTEN (18 %)	SEM	Mat. construc.	Reprise par la SICM, filiale d'un groupe français et par divers privés ivoiriens	en liquidation	K = 200 N = 150
CHU	EPN	hôpital	Convention Etat concédant gestion des morgues des 3 CHU à ville Abidjan. Convention 23-8-88 ville Abidjan concédant à IVO-SEP (filiale PFG, France) la gestion des 3 morgues		
CNBF (100 %)	SODE	bourse de frêt	Dissous en 1983. Décret 1-7-87 porte concession et monopole de service public à la BFCI, SA créée le 1-7-87		K = 50
COCI	SEM	planta. et transf. d'agrum.	Cession à une coopérative de planteurs de Sassandra		
COFINCI (18,5 %)	SEM	crédit	Reprise par BICICI (banque, principal action).		K = 2 000 N = 9

Organisme (% Etat)	Statut origine	activité	modalités privatisation	évolution après privatisation	indicateurs de taille
COMAFRIQUE (50 %)	SEM	import-exp.	Cession part. Etat 11-8-87 à hauteur de 607,5 M à SEC (SA, groupe SIFCA)		K = 810 N = 164
FOREXI (100 %)	SODE	forages	Liquidation 9-6-82 ; reprise par cadres ivoiriens de l'entreprise	Problèmes financ. Réduction acti. Dimin. effectifs	K = 50 N = 100 (500 quand SODE
HOTEL HARMAT (52 %)	SEM	hôtellerie	Cession 17-9-86 à COMHOTEB (privés ivoiriens) de la part. financière publique en vue de son annulation	en sommeil	N = 70 (origine)
ICTA-VOYAGES (90 %)	SEM	agence voy.	Liquidation amiable 8-6-85, reprise par gérant (groupe CATH)		K = 9,7 N = 40
IMCI (89 %)	SEM	métallurgie	Cession à des privés	en sommeil	K = 400 N = 116
IVOIRE-CONSEIL (33 %)	SEM	publicité	Cession partielle part. indirecte de l'État (33 %) à LINTAS, société anglaise de publicité		

Organisme (% Etat)	Statut origine	activité	modalités privatisation	évolution après privatisation	indicateurs de taille
IVOIREMBAL (14 %)	SEM	plastiques	État était présent 2e degré via BIDI et COMAFRIQUE. Suite à cession part. COMAFRIQUE et à liquidation BIDI, cette société devenue filiale de Blohorn		K = 300 N = 40
IVOIROUTILS (100 %)	SODE	prod. outils	Reprise 27-12-79 par ABI (SEM). Puis cession usine en déc. 82 à groupe de privés ivoiriens constitués en SA : la Société Ivoire Industrie (S21)		K = 300 N = 150
KONANKRO	SEM	transf. cacao	Cession à UNICAO, filiale de groupes ivoiriens et internationaux (SIFCA, COMAFRIQUE, etc.)		K = 1 550 N = 214
PROCACI (60 %)	SEM	hôtellerie	Reprise par gérant sous dénom. SAHO		
SALCI (23 %)	SEM	conserverie	Part. Etat reprise par COGEXIM, S.A. ivoirienne	activité en sommeil	K = 500

Organisme (% Etat)	Statut origine	activité	modalités privatisation	évolution après privatisation	indicateurs de taille
SARECO (51 %)	SEM	restauration.	Cession part. SIETHO (SODE puis EPIC dissous) à gérant		K = 10 N = 120
SCA (40 %)	SEM	cimenterie	Cession part. État 4-1-87 à OMNIUM TROPICAL, SA, à hauteur de 1 800 M		N = 180
SEDAN-IVOIRE (42 %)	SEM	mat. constr.	Reprise part. publique par privés	succession de repreneurs, échec, dissolution	
SERIC (58 %)	SEM	décort. café	Reprise part. Etat par COGEXIM, S.A. ivoirienne		N = 229
SHAC (50 %)	SEM	exp. café/cacao	Cession part. État 6-7-83		K = 555 N = 194
SHAD	SEM	décorticage	Reprise part. État par actionnaire majorit.		

Organisme (% Etat)	Statut origine	activité	modalités privatisation	évolution après privatisation	indicateurs de taille
SIDECO (46 %)	SEM	magasins gros	Cession certains actifs (murs) à SCOA. le reste liquidé		K = 600 N = 96
SIRAT (45 %)	SEM	hôtellerie	Reprise part. État (45 %) de l'hôtel des lianes de Guessesso par un privé ivoirien		
SITAB (18 %)	SEM	tabacs	Cession part. État à privés ivoiriens (6-2-87), le groupe Bolloré (France) demeure majoritaire		K = 2 394 N = 921
SIVEM (5 %)	SEM	sacherie pap.	Cession part. (2e degré) de l'État		K = 160 N = 50
SOCIPRIM	SEM	immobilier	Cession de la part. indirecte de l'État. Opération contestée par les pouvoirs publics		
SODERIZ (100 %)	SODE	agro-indus.	Cession partielle d'actifs (rizeries) à des privés ivoiriens, autres actifs à l'État suite à la liquidation de 1977		

Organisme (% Etat)	Statut origine	activité	modalités privatisation	évolution après privatisation	indicateurs de taille
SOGEFIHA (100 %)	SODE	logement	Liquidation société et cession des logements aux particuliers-locataires		K = 2 792 N = 312
SOGEFINANCE (25 %)	SEM	crédit	Reprise part. publique par action. major. (SGBCI, banque)		K = 1 000
SOGIEXCI (99,9 %)	SEM	import-distr.	Cession 8-8-84 Part. État à Société Lombard Ressources S.A. (Panama et Suisse) représentée en Côte-d'Ivoire par un privé ivoirien		K = 1 150 N = 42
SONACO (35 %)	SEM	cartonnerie	Cession des part. SODEFEL (ex-SODE) et CSSPPA (SODE) à des sociétés (MACI, SAPRIM, SFPCC-groupe Charfa) et à un particulier ivoirien à hauteur de 784,8 M		K = 1 200 N = 576

Organisme (% Etat)	Statut origine	activité	modalités privatisation	évolution après privatisation	indicateurs de taille
SONAGECI (100 %)	SODE	BTP	Liquidation 18-3-81, reprise par SOGECI (filiale Chantiers modernes, France)		N = 1 049
SOTROPAL (40 %)	SEM	allumettes	Cession part. État 8-9-84 à groupe de privés ivoiriens		K = 480 N = 210
TRITURAF (25 %)	SEM	huilerie	16-8-84 : cession partielle part. État et totale de la CSSPPA (SODE) à Blohorn (groupe Unilever)	Reste toujours 5 % à l'État	K = 1 300 N = 450

Sources : RCI, *Annuaire des Chambres Consulaires, Répertoire des activités industrielles*, JORCI, DCSPP, presse nationale, enquêtes et entretiens.

Note : le % détenu par l'État est apprécié avant la mesure de privatisation ; K = capital social (en millions F CFA) ; N = effectifs salariés. Les indicateurs de taille sont tirés des sources les plus actuelles. En mai 1990 le ministre de la production animale annonçait la future privatisation (en réalité une copropriété État ivoirien/partenaires privés) du complexe industriel du bétail (CEIB ex-SODE liquidée et devenue entretemps un service administratif du ministère). Voir sur ce point *Fraternité-Matin* du 8 mai 1990.

Tableau 8.3

MOUVEMENTS DIVERS (HORS PRIVATISATIONS) DANS LE MONDE DES SOCIÉTÉS D'ÉCONOMIE MIXTE (SEM)

SEM LIQUIDÉES OU EN DÉPÔT DE BILAN (LISTE NON EXHAUSTIVE)		
AKWABA	hôtellerie	dépôt de bilan
BICT	banque	tentative de redressement et de fusion avec la BNEC (4-5-87), liquidation (12-4-88)
BIDI	banque	tentative de redressement et de fusion avec le CCI (4-5-87), liquidation (7-89)
BNEC	banque	liquidation
CCI	banque	voir BIDI, liquidation (7-89)
CERAM-ANTEM	mat.construct.	liquidation
CIERIE-SADMIL	serv.informat.	liquid/absorption par Nouvelle CIERIA
CIFIM	finan./immob.	liquidation
FINUMA	prod.alimentaire	liquidation
HUMUCI	prod.agricole	liquidation
IAF	étab.financier	liquidation
ICODI	textile	liquid./fusion avec SOTEXI (SEM)
LICOTRA	bâtiment	liquidation
LPA	prod.pharmac.	liquidation
MISCHLER	menuiserie métal.	liquidation
NEA	édition	dépôt de bilan, sous administration provisoire (1-89)
SARIACI	matériel TP	liquidation
SCBD	immobilier	liquidation
SCIAM	immobilier	liquidation, répartition des actifs entre partenaires publics
SDRA	immo.hôtel	liquidation
SECI	équipement	liquidation
SEDAN-IVOIRE	T.P.	liquidation
SEMARP	étud. commerc.	liquidation
SERICICO	élev.vers à soie	liquidation
SHTBB	hôtel.(SEBROKO)	depôt de bilan (4-89)
SIPAR	pêche	liquidation

SIPOREX	bâtiment	liquidation
SIVAK	filasserie	liquidation
SIVENG	fab.engrais	dépôt de bilan (6-88), liquidation (10-88)
SOBRICI	briquetterie	liquidation
SOCIPEC-I	immobilier	dépôt de bilan
SOCITAS	textile	liquidation
SOCIVER		liquidation
SODETEC-AO	B.T.P.	cessation activité
SODIC	bâtiment	liquidation
SOLIMAC	bâtiment	liquidation
SOFITEC		liquidation
SOFITI		liquidation
SOHORA	hôtel (RIVIERA)	liquidation (14-11-84)
ACCROISSEMENT DE LA PARTICIPATION DE L'ÉTAT		
BIAO-CI	banque	prise de participation de l'état (35 % du cap. de 5 milliards, le 11-11-82)
BNDA	banque	partic. à aug. de capital (13-4-82)
EECI	énergie électr.	partic. à aug. de capital (25-7-85)
GESTOCI	serv.pétrolier	SEM créée (14-9-83)
HEVEGO	hévéaculture	SEM créée (30-1-86)
I2T	matériel et outil.	SEM créée (17-1-79)
ITY	prod. minière	SEM créée (1-6-83)
SAPH	hévéaculture	partic. à aug. de capital (20-5-87)
SIB	banque	partic. à aug. de capital (14-9-83)
SIMPAGRI	imp.exp.agric.	SEM créée (19-2-80)
SOGB	prod. et trans. hévéa	SEM créée (22-3-79), partic. à aug. de capital (11-4-84)
SOTRA	transports urb.	partic. à aug. de capital (7-1-83)

Sources : cf. tableau n° 8.2.

Conclusion

Depuis la fin des années 70 les innombrables mesures arrêtées par les plus hautes autorités ivoiriennes dans le secteur des entreprises publiques ont produit d'incontestables effets de redressement : la maîtrise financière, entendue ici comme arrêt de l'hémorragie, a été relativement assurée et un bien meilleur contrôle a été établi par les instances centrales de l'État sur le comportement et les orientations des directions parapubliques. Cependant un certain nombre de limites internes au processus de réforme, de même que des difficultés persistantes dans le contexte macroéconomique ont tendu à relativiser la réussite de cette restructuration avant d'en démontrer l'insuffisance pour conduire le pays dans la voie de l'équilibre et de la croissance.

Certaines des limites propres au cours réformateur ont été signalées au fil des développements. On se contentera de les rappeler très brièvement ici. Constitué lui-même de plusieurs sous-ensembles, le secteur parapublic n'a pas vu son assainissement et sa refonte également répartis : le groupe des établissements publics nationaux — fort d'environ 70 unités — s'est prêté à un encadrement autrement plus profond et efficace que le groupe des sociétés d'État cependant que les nombreuses sociétés d'économie mixte n'ont été affectées que sous deux angles : la réduction progressive et, dans beaucoup de cas, la suppression des transferts de l'État ainsi que la cession de quelques participations publiques. Mais même s'agissant du noyau ferme de la restructuration on relèvera que les masses budgétaires des EPN demeurent encore importantes (de l'ordre de celles du budget de fonctionnement de l'État central) ce qui signifie clairement en premier lieu que l'arrêt de l'hémorragie financière n'équivaut pas à un désengagement massif de l'État et qu'en second lieu ces masses budgétaires n'ont pas fait l'objet d'un véritable « ajustement ». La redéfinition des modes d'organisation et de fonctionnement, le remodelage des pratiques de gestion sont donc allés de pair avec une certaine inertie du champ parapublic.

En outre un certain nombre de nuances et d'écarts avec le schéma logique de la reprise en main ont été introduits par les réformateurs eux-mêmes et observés çà et là, privant le redressement et l'assainissement du secteur parapublic d'une efficacité supérieure que seule une batterie complète, rigoureuse et sans exception de mesures auraient pu assurer. De plus, pour aussi importants et spectaculaires qu'ils aient pu être, les verrous mis en place n'ont pas concerné toutes les agences publiques : la Caisse de stabilisation, la Caisse nationale de prévoyance sociale, la Caisse de péréquation (qui assure notamment le monopole des importations de riz), etc., c'est-à-dire des organismes générant de très importantes trésoreries, n'ont, jusqu'à ce jour, pas été affectées par la restructuration : ils sont demeurés, entre autres, des instruments de la régulation patrimonialiste dont on a vu que sa réforme visait essentiellement à en recentraliser le cours en éliminant les multiples sources d'accumulation qui avaient longtemps fait la fortune des cadets du régime politique. L'arrêt des débordements financiers a donc été sélectif, n'a pas touché tous les sommets de l'État et a laissé intactes d'importantes régions du complexe circuit des finances publiques ivoiriennes. On a également observé, notamment à la faveur de l'éphémère mieux intervenu lors de la campagne agricole de 1985, que de nombreux relâchements dans les pratiques publiques et les gestions budgétaires révélaient l'essouflement de la politique de redressement en donnant à la courbe du rendement réformateur un aspect nettement asymptotique. Enfin on accordera que la dimension « financière » l'a emporté sur la dimension « réelle » de la maîtrise des entreprises publiques : la relance de la production est demeurée un objectif lointain, laissé en arrière-plan. On peut reconnaître sur ce point une influence forte du Fonds monétaire international : le modèle libéral de l'ajustement fondé sur les seules vertus de l'austérité s'est nettement imposé.

Cependant le paradoxe de toute politique publique, et qui en rend délicate l'appréciation des effets, est que son éventuel « succès » n'est pas exclusivement lié à l'évolution mesurable dans le secteur concerné mais est largement subordonné aux conditions de son environnement. Et les déséquilibres financiers et économiques qui se sont accentués en Côte d'Ivoire à partir de 1987 pourraient avoir pour effet de masquer et faire oublier les résultats relativement substantiels obtenus dans le secteur des entreprises publiques. On n'ose pourtant imaginer ce que serait la situation présente du pays si un certain redressement dans le domaine parapublic n'avait pas eu lieu depuis 1980.

En dépit de trois lourds programmes d'ajustement structurel et des manifestes efforts d'assainissement sectoriels, la situation s'est fortement aggravée à la fin de la décennie 80. Trois événements permettent de donner la mesure de cette profonde dégradation : la déclaration d'insolvabilité et la suspension du paiement du service de la dette en mai 1987, la décision des autorités ivoiriennes de se retirer du marché mondial du cacao en été 1987, la chute de 50 % des prix d'achats garantis aux planteurs pour la campagne démarrant en octobre 1989. Le crédit, l'ouverture extérieure, le niveau des revenus de ses planteurs : trois des piliers qui avaient fait le renom du pays et l'orgueil de ses dirigeants s'effondraient.

Il est vrai que l'aggravation de la crise est liée à une forte détermination externe : la chute des cours du cacao et du café est trop importante et persistante pour qu'une économie, même solide, puisse résister à la tourmente. L'ébranlement est très profond et touche l'ensemble des équilibres économiques et sociaux du pays car la baisse considérable des recettes d'exportation s'est accompagnée d'une réduction de la production nationale, d'une chute des investissements, de la contraction de l'épargne publique et privée, de l'augmentation très sensible des déficits de l'État, de l'apparition de très graves tensions de la trésorerie publique. Le système bancaire a lui-même été poussé au bord de la déconfiture et sa liquidité quasiment évaporée : les fermetures de quatre banques de développement et la restructuration du capital de la BIAO-CI (abandonnée par la Banque nationale de Paris, son principal actionnaire, pour cause de déficits chroniques) n'ont pas suffi à redresser les comptes du secteur.

Quelques chiffres récemment dévoilés fixeront l'importance des déséquilibres de l'économie nationale (1). Les arriérés de

(1) En l'absence de documents officiels rendus publics ou directement accessibles sur les dernières évolutions économiques et financières du pays, les

l'État s'élevaient à 425 milliards de F CFA à la fin du mois de décembre 1989 (soit l'équivalent de son budget de fonctionnement) et parvenaient même aux environs de 600 milliards en tenant compte de la filière café-cacao (exportateurs et planteurs) auprès de laquelle était encore débitrice la Caisse de stabilisation. C'est tout le circuit financier, public mais aussi privé, qui était ainsi bloqué, les établissements bancaires étant asséchés et les entreprises privées prestataires de travaux ou de fournitures au secteur public menacées dans leur trésorerie. Les recettes de la puissance publique présentaient une chute vertigineuse évaluée à plus de 80 milliards pour le budget de l'exercice 90 du fait de la baisse des activités économiques et rendaient hypothétique le règlement de la solde des agents de l'État. Calculé hors intérêts de la dette, le déficit de l'État culminait à 215 milliards en 1989. Enfin, selon les indications de la Banque mondiale, la dette extérieure de la Côte-d'Ivoire dépassait les 14 milliards de dollar US représentant environ 150 % du dernier produit intérieur brut et plaçant le pays en tête du continent pour le ratio dette extérieure/nombre d'habitants.

Cette nouvelle phase d'accentuation de la crise, certes corrélée à un ensemble de facteurs extérieurs, doit pourtant s'analyser aussi comme un échec des précédents programmes d'ajustement : les dépenses ont certes été contenues, la demande contractée mais rien n'est venu assurer la réactivation de l'offre. Les schémas idéaux et initiaux du cycle d'ajustement ne se sont pas accomplis dans les faits : la relance de l'appareil de production espérée sur la base d'un accroissement de la concurrence est demeurée un vœu pieu ; la modification des régimes et tarifs douaniers de 1984, l'établissement d'un nouveau code des investissements en principe plus favorable aux PME et PMI nationales, l'identification de nouvelles filières industrielles dans le cadre de la définition d'un schéma directeur en 1988, l'encouragement à l'exportation des produits

---

sources suivantes ont été exploitées qui rendaient notamment compte des présentations et des analyses faites par M. Alassane Ouatarra, coordinateur du Comité mis en place pour exécuter le quatrième plan d'ajustement structurel : *Fraternité-Matin* des 11 janvier, 6 et 19 avril, 30 mai, 3/4, 8, 28 et 29 juin et 24 juillet 1990, *Jeune Afrique* du 21 mai 1990 et *Marchés tropicaux* du 18 mai 1990.

locaux (2), etc., autant de dispositifs qui n'ont pas débouché sur le réajustement financier et la croissance économique.

L'arrêt de la dégradation et le rééquilibrage de la balance des paiements extérieurs, l'apurement des arriérés du secteur public, la réduction des déficits de l'État, le rééchelonnement d'une partie de la dette devenaient des objectifs impérieux lors des négociations qui s'engageaient peu avant l'été 1989 entre les autorités ivoiriennes et les institutions financières multilatérales et qui manifestaient la reprise des contacts gouvernementaux avec la communauté financière internationale. Accompagné de quelques péripéties internes (3) un nouveau gouvernement était désigné en octobre 1989, caractérisé notamment par la reconstitution d'un grand ministère de l'Économie, des Finances et du Budget dont le titulaire, M. Moïse Koumoué Koffi, se voyait confier la tâche de mener avec les bailleurs de fonds les négociations en vue de mettre au point un quatrième plan d'ajustement structurel dit officiellement « programme de stabilisation et de relance économique ». Les grandeurs comptables qui résumaient douloureusement les contraintes financières étaient les suivantes : pour la période s'étendant de juillet 1989 à décembre 1990 les besoins de financement étaient évalués à 1 200 milliards de F CFA comprenant à la fois le rééchelonnement de la dette et l'apport d'argent frais par les bailleurs de fonds. En contrepartie du déblocage de nouveaux prêts un effort de

---

(2) La prime à l'exportation conçue par les experts de la Banque mondiale a été un échec : au bout de quelques mois plus aucun crédit n'était disponible pour la financer en premier lieu du fait des graves tensions de trésorerie de l'État, en second lieu du fait d'un certain nombre d'abus. Résultat : cette prime n'aura servi à rien ; les entreprises qui exportaient n'ont pas attendu cette manne pour continuer à le faire ; en revanche elle a servi de rente momentanée à des opportunistes. Le dispositif imaginé par la Banque mondiale s'avérait incomplet et, par là-même, pernicieux.

(3) Un conflit a opposé en octobre-novembre 1989 le nouveau grand ministère des Finances reconstitué à la Direction des Grands Travaux dont on a vu qu'elle s'était progressivement et fort peu diplomatiquement arrogée un grand nombre de compétences (travaux et marchés publics, études économiques, gestion du budget d'investissement de l'État, etc.). Ces escarmouches s'achèveront sur un arbitrage présidentiel donnant au nouveau ministre des Finances pleine et exclusive responsabilité pour négocier les dossiers de la dette, précipitant le départ du directeur français de la DCGTX avant même que soit inauguré le dernier grand chantier présidentiel dont cet établissement public avait reçu la maîtrise d'œuvre : la basilique de Yamoussoukro.

130 milliards d'économies était demandé à la communauté nationale. Un moment envisagée, encouragée par la Banque mondiale, la dévaluation du F CFA était finalement exclue par les autorités monétaires françaises.

Négocié depuis juin 1989, présenté enfin en janvier 1990 le « plan Moïse », comme on l'a alors couramment appelé à Abidjan, se caractérisait essentiellement par le fait qu'il faisait porter la charge fiscale principale des efforts requis sur l'ensemble du monde du travail : les revenus (traitements et indemnités) des agents de l'État devaient être amputés selon des taux progressifs allant jusqu'à 40 % et les revenus des salariés du secteur privé devaient subir une retenue à la source de 15 %. (4). L'annonce de ces mesures drastiques, très faiblement compensées par de maladroites tentatives de faire baisser le prix de certains produits de consommation courante et qui présentaient en outre l'inconvénient, ressenti profondément par de larges couches de la population, de ne pas s'attaquer aux causes réelles des déficits, provoquèrent d'importants mouvements de protestation : grèves, manifestations, distributions de tracts hostiles, occupations intempestives de lieux publics et de zones stratégiques de la circulation urbaine, fronde de multiples corps d'agents de l'État et, plus gravement, mouvements d'hostilité au sein des forces publiques (armée, police, douanes, etc.) se développèrent à partir du mois de février. L'agitation prenait un tour ouvertement politique, ayant désormais pour cible l'autorité présidentielle. Surtout, pour le sujet qui nous occupe, ces multiples expressions de

(4) Cette orientation du dispositif d'austérité trouvait sans doute ses origines dans la volonté, plus ou moins consciente, d'aménager un plan dans le respect des intérêts solidement défendus et des hiérarchies sociales et politiques bien établies et qui désignaient la pente de l'apparente facilité dans la recherche de « solutions » financières : 2/3 du budget de fonctionnement de l'État ne sont-ils pas consacrés au paiement de la solde des agents publics et les revenus salariaux, qui ne représentent qu'une infime fraction des sources de la fortune de la classe dominante, ne sont-ils pas plus commodément exposés aux prélèvements nouveaux ? Sous le prétexte de contraintes externes pressantes et sous le couvert d'une « nécessité » technique non discutée, le choix des catégories participant à la charge essentielle de l'austérité était donc socialement et politiquement très significatif. La fronde qui suivit l'annonce des mesures de réduction des salaires était profondément liée à ce thème de « la distinction » sociale qu'une décennie de crise avait rendu encore plus sensible dans d'importantes catégories de la population.

refus et d'hostilité révélaient un aspect dangereusement pervers du dispositif d'ajustement présenté par le ministère des Finances : loin de se contenter d'exiger le retrait pur et simple du projet gouvernemental, de nombreux groupes revendiquaient désormais une revalorisation des salaires et l'amélioration de conditions de travail aux incidences financières évidemment contradictoires avec les objectifs de l'assainissement.

Au mois d'avril 1990 le président ivoirien apaisa les esprits sur le plan politique en annonçant le passage au régime du multipartisme et, sur le plan économique, en confiant à M. Alassane Ouatara, gouverneur de la Banque centrale des États de l'Afrique de l'Ouest à Dakar, le soin de diriger désormais les travaux du Comité de coordination pour la préparation des mesures relatives au nouveau plan d'ajustement struturel. Les termes de référence du travail d'ajustement n'étaient pas pour autant modifiés : l'élimination des déficits budgétaires, l'apurement des arriérés internes, la négociation de nouvelles conditions de la dette externe, etc., sont demeurés les cibles du nouveau plan. Fait aggravant au contraire : plus les mesures consacrées aux efforts internes d'économie tardaient à être définies et annoncées, moins vite l'argent frais était accordé et grossissaient parallèlement les arriérés et les déficits.

Le plan dit Ouatara a été présenté le 1er juin 1990 et approuvé par le FMI à la fin de ce mois, permettant au pays de bénéficier immédiatement des tirages de prêts, alors que de leur côté les autorités françaises débloquaient de nouveaux fonds. Abandonnant l'idée d'une réduction brutale et générale des masses salariales, publiques et privées, ce plan est très nettement orienté vers la réduction des dépenses de fonctionnement et de tout ce qui touche au train de vie de l'État, vers l'amélioration du rendement fiscal notamment en faisant porter la pression en direction de catégories d'entreprises, de revenus et de personnes qui, jusque-là, échappaient peu ou prou aux diverses ponctions du Trésor. Dans le train des très nombreuses mesures annoncées relevons entre autres la vente de 4 000 véhicules de l'État, la réduction considérable des voitures de fonction et de service, la fermeture de nombreuses ambassades à l'étranger, la systématisation des procédures de marchés par appel d'offre et l'abandon progressif des opérations de gré à gré aux effets si coûteux pour les finances publiques, la mise au point de véritables contrôles fiscaux et d'une politique de lutte contre les fraudes douanières (qui privent chaque année la puissance publique de plus de 200 milliards de recettes !), la mise en place d'un quitus fiscal, le lancement d'audits des services de la douane et du fisc, l'allègement des organigrammes ministériels (dégraissage des cabinets et réduction du nombre de grandes directions), l'instauration d'une carte de séjour payante, l'élargissement de la taxation foncière et immobilière, la mise au point d'acomptes aux impôts (5 % pour les entreprises, 20 % pour les revenus locatifs) et la retenue systématique à la source de 10 % de toutes les sommes (hors salaires) mises au paiement par le Trésor public, ces dernières mesures visant à juguler l'évasion fiscale jugée considérable par le FMI et la BIRD.

Dans le domaine qui retient notre attention particulière on notera que trois grandes séries d'importantes décisions ont été prises sous l'autorité du gouverneur de la BCEAO. D'une part des audits de la Caisse autonome d'amortissement, de la Caisse nationale de prévoyance sociale et d'autres agences de l'État ont déjà démarré. La Caisse de stabilisation est également concernée par cette mesure — depuis longtemps réclamée par le FMI et la BIRD — et il est vraisemblable que l'audit précédera la budgétisation de la Caisse, c'est-à-dire l'intégration de ses comptes dans les écritures générales du Trésor public, ce qui correspondra à une petite révolution dans l'ordre patrimonialiste.

Par ailleurs le Comité de coordination — dont l'autorité équivaut à celle d'un premier ministère, son président siégeant au Conseil des ministres et ses décisions s'imposant à l'ensemble des ministres — a prévu une réduction autoritaire de 25 % de toutes les dépenses publiques (BGF, BSIE, comptes spéciaux du Trésor, budgets des EPN) qui doit entrer en application pour la préparation de l'exercice budgétaire 1991. Parallèlement sera entrepris un nouveau et rigoureux recensement de la fonction publique en vue d'éliminer les « postes fantômes » et sera pratiquée une politique d'encouragement des départs à la retraite des fonctionnaires de plus de 55 ans.

Enfin le programme d'ajustement devrait comporter un nouveau cycle de privatisations, cette fois supervisées par le Comité de coordination. A ce sujet M. Alassane Ouatara a été on ne peut plus clair : « J'ai proposé au chef de l'État que tous les dossiers de privatisation passent par ce Comité. Il n'est plus question de vendre une entreprise de l'État sans que nous ayant eu à regarder pour nous assurer que les intérêts de l'État sont bien pris en compte. (...) Nous allons faire des appels d'offre. Ce sera quelque chose de très ouvert et très transparent » (*Fraternité-Matin* du 8 juin 1990). Dans cette direction on notera l'extrême prudence de M. Ouatara, surtout par rapport à la première version du plan de M. Moïse Koumoué Koffi. A l'issue du Conseil des ministres du 11 janvier 1990 il était en effet fait état d'« une réduction importante du portefeuille des participations de l'État. Seules les entreprises publiques stratégiques resteront dans le secteur étatique et seront réhabilitées le cas échéant » (*Fraternité-Matin* du 12 janvier 1990). C'est dire que le nouveau cycle de privatisations ne sera pas bâclé, ne donnera plus lieu à des opérations occultes et, surtout, on peut voir là l'aveu indirect que les mouvements antérieurs de privatisations ont été insuffisants et n'ont pas été forcément bénéfiques pour les finances publiques. Enfin ceci semble souligner, s'il en était besoin, la faiblesse du secteur privé ivoirien et la nécessité, pour l'État, d'être toujours un opérateur économique très actif.

Comme dans tout programme d'action la question essentielle posée est celle des moyens et de l'efficacité. A s'en tenir aux premières opérations conduites dans les faits, la volonté, l'autorité et les moyens du président du Comité de coordination ne font certainement pas défaut : remplacement du ministre des Finances par un ancien directeur de la CNPS, ayant voulu la réformer et, de ce fait, rapidement éconduit, remplacement du directeur général des douanes en place depuis le début des années soixante, remplacement du PDG de la CNPS, audits effectivement menés dans les principaux établissements financiers et dans ceux générant d'importantes disponibilités, préparation en baisse des budgets du secteur public, etc. On observera d'ailleurs, aux fins d'apprécier la crédibilité et la faisabilité du nouveau train de mesures d'austérité interne, que le Bureau politique du PDCI-RDA, autrefois toujours associé aux instants cruciaux et aux décisions importantes du président — à l'exception notable, on l'a vu, de la réforme parapublique — n'a pas été consulté ou tout simplement informé par le Comité de coordination alors que l'Assemblée nationale a été conduite à approuver sans tarder, dès le mois de juin 1990, le plan de redressement en votant les dispositions législatives et fiscales demandées par M. Ouatara.

Par-delà ces aspects immédiats et concrets le nouveau cycle de l'ajustement structurel mettra plus fondamentalement en cause, s'il est appliqué et poursuivi avec ténacité, le fonctionnement du modèle tel qu'on l'a défini dans cette étude. D'une part la régulation étatique sera considérablement affaiblie dans la redistribution des richesses, depuis les plus spectaculaires opportunités (dont l'exemple le plus net est constitué par le projet de réforme de la Caisse de stabilisation, mené à l'initiative de la Banque mondiale), jusqu'aux allocations quotidiennes d'une puissance publique ayant jusque-là des allures de *welfare state* à l'égard d'une importante classe moyenne. En outre les mesures d'austérité renforcée, pour être moins directement « frontales » que celles prévues dans la première version du plan (5), conduiront sans doute à un État-gendarme lui-même plus répressif en contradiction avec l'entrée dans un jeu démocratique et politiquement pluraliste. Le fonctionnement des services publics, la loyauté de leurs agents risquent fort d'être altérés. Déjà apparaissent des signes d'une démobilisation grandissante et du recours progressivement étendu à des pratiques corrompues.

La poursuite ou le dépassement du mode extensif d'accumulation représente un véritable enjeu à moyen et long terme. Les choses ne seront pas simples et les améliorations éventuelles prendront du temps. Le passage à l'intensif est aussi impérieux que délicat à négocier. La variable de la durée est sans doute incontournable alors que la croissance à marche forcée avait donné l'illusion de la disparition du temps. L'association public/privé semble la seule voie de sortie possible. Recréer un minimum de confiance est sans doute une nécessité, de même que favoriser l'émergence de nouvelles méthodes de travail, fondées sur une division accentuée des tâches, notamment entre le politique et l'économique. Mais sur quelles forces productives, sur quels secteurs de production

---

(5) Si les salaires nominaux, pour prendre cet exemple, ne sont apparemment pas touchés, les revenus réels et le pouvoir d'achat sreont fortement affectés, ne serait-ce que par la réduction des masses de fonctionnement de tous les budgets publics.

s'appuiera cette évolution ? Cette transition suppose un remodelage de l'économie et de la société ivoiriennes et, au bout du compte, la définition implicite de nouvelles alliances sociales (6). La montée des impératifs économique va « durcir » le jeu entre les diverses composantes en action alors que tout semble indiquer que l'enjeu se situe dans la diversification : économique mais aussi sociale et politique. Les entreprises publiques seront très certainement des éléments-clefs de cette nécessaire différenciation et de cette impérieuse montée, en tous domaines, du pluralisme.

---

(6) On peut observer çà et là de premiers mouvements. Tenons-nous en au secteur de l'économie de plantation — si importante jusqu'à présent pour la Côte-d'Ivoire — où les termes tels que « conditions de compétitivité », « amélioration de la productivité », etc., apparaissent sous la plume ou dans la bouche de plusieurs responsables. Les conditions du rapport au marché extérieur commencent à être modifiées, au moins sur le plan des représentations. Jusque-là le conflit avec le marché mondial et les bourses à terme se fondait sur une conception toute morale des relations économiques : il était réclamé un ajustement des cours mondiaux aux coûts internes de production et de commercialisation. Avec l'échec que l'on sait. Désormais les interventions des autorités ivoiriennes suggèrent qu'elles tiennent compte des cours mondiaux tels qu'ils se présentent (et qui ne se relèveront pas tant que l'offre sera surabondante) et attendent que l'appareil interne de production ajuste ses coûts, c'est-à-dire en fin de compte adapte sa structure, afin de dégager une marge suffisante : c'est ce que fait depuis toujours la Malaisie en matière de cacao. Tout ceci suppose bien évidemment une transformation des conditions de production, de nouvelles structures techniques et humaines, des exploitants d'un type nouveau, probablement la fin des petites plantations familiales (qui constituent l'essentiel du tissu productif), la mise en œuvre de nouvelles relations avec l'État etc. On voit l'ampleur des bouleversements suscités par et conditionnant à leur tour cette transition.

Bibliographie

1. Ouvrages et articles

ABOUBAKAR (D.), 1989, « La privatisation : le passage obligé du développement économique », *Fraternité-Matin,* 12 décembre, pp. 11-13.

ACHIO (F.), 1974, *Le secteur public et semi-public. Physionomie de l'emploi en 1973,* tomes 1, 2, 3, Abidjan, ministère de l'Enseignement technique et de la Formation professionnelle.

AFRIQUE-INDUSTRIE, 1986, « Le Togo au banc d'essai de la privatisation », nº 349, 1er juillet.

ALIBERT (J.), 1987, « La privatisation des entreprises publiques en Afrique noire francophone », *Afrique contemporaine,* nº 143, mars, pp. 35-50.

ALMEIDA (A.F. d'), 1986, « La privatisation des entreprises publiques en Afrique au sud du Sahara », *Le mois en Afrique,* nº 245-246, juin-juillet, pp. 55-79.

AMIN (S.), 1970a, *L'accumulation à l'échelle mondiale,* Dakar (IFAN), Paris, Éditions Anthropos, 589 p.

— 1970b, *Le développement du capitalisme en Côte-d'Ivoire,* Paris, Éditions de Minuit, 336 p.

AMSELLE (J.L.), 1983, « La politique de la Banque mondiale en Afrique au sud du Sahara », *Politique africaine,* nº 10, juin, pp. 113-118.

ANASTASSOPOUZOS (J.P.), BLANC (G.), 1983, « Entreprises publiques et développement », *Politiques et management public,* nº 1, CERSA, pp. 49-80.

ANONYME, 1987, « L'industrialisation en Côte-d'Ivoire. Dossier », *Afrique industrie,* nº 366, 1er avril, pp. 25-31.

— 1984a, « La nouvelle politique industrielle de la Côte-d'Ivoire », *Marchés tropicaux et méditerranéens,* nº 2036, 16 novembre, pp. 2790-2794.

— 1984b, « Le BSIE 84 : conserver les acquis à tout prix », *Afrique industrie,* nº 295, 1er mars, pp. 44-53.

— 1984c, « Côte-d'Ivoire : la dernière année de crise ? », *Jeune Afrique,* nº 1206, 15 février, pp. 44-50.

ARHIN (K.), HESP (P.), VAN DER LAAN (L.) (Édit.), 1985, *Marketing Boards in Tropical Africa,* Leiden, Monographs from the African Centre, 208 p.

AUBERTIN (C.), 1980a, *Histoire et création d'une région « sous-développée » — le nord ivoirien,* Abidjan, ORSTOM, multigr., 97 p.

— 1980b, *L'industrialisation régionale volontariste. Notes sur le programme sucrier ivoirien,* Abidjan, ORSTOM, multigr., 187 p.

BARBIER (J.-P), 1986, « Émergence et développement des petites entreprises industrielles », CCCE, Notes et études nº 6.

BARIS (P.) et COUTY (Ph.), 1981, *Prix, marchés et circuits commerciaux africains,* note AMIRA, nº 35, Paris, INSEE, 52 p.

BARRY (M.A.), 1984, « La panne », *Jeune Afrique économie,* nº 34, 1er mars, pp. 38-42.

BAYART (J.-F.), 1984, *La politique africaine de François Mitterrand,* Paris, Karthala, 149 p.

— 1987, « La Côte-d'Ivoire insolvable », La Croix — l'Événement, 24 juin, p. 11.

BENARD (J.), 1972, *Comptabilité nationale et modèles de politique économique,* PUF, collection Thémis, 1972, 662 p.

BERNARD (M.), 1970, « Les entreprises publiques en Côte-d'Ivoire ». *Notes, informations, statistiques. Banque centrale d'Afrique de l'Ouest,* nº 170, février, 14 p.

BERNARDET (Ph.), 1985, « Dix ans de développement de l'élevage en Côte-d'Ivoire. Stratégies et organisation de l'encadrement : réalisations et échecs », communication au colloque de l'EHESS-CEA « L'État contemporain en Afrique », Paris, décembre, dact. 13 p.

BIARNES (P.), 1981, « Le déclin des sociétés d'État », *Africa,* nº 129, mars, pp. 22-23.

BIRD, 1981a, *Le développement accéléré en Afrique au sud*

du Sahara, programme incitatif d'action, (E. Berg, coordinateur), Washington, Banque mondiale, 223 p.

— 1981b, *Rapport sur le développement dans le monde,* Washington, 219 p.

— 1983a, *L'Afrique au sud du Sahara. Rapport intérimaire sur les perspectives et programmes de développement,* Washington, 37 p.

— 1983b, *Rapport sur le développement dans le monde 1983,* Washington, Banque mondiale, 236 p.

— 1984, *Un programme d'action concertée pour le développement stable de l'Afrique au sud du Sahara,* Washington, 116 p.

— 1987, *Rapport sur le développement dans le monde,* Washington, 276 p.

BOCK (D.) et MICHALOPOULOS (C.), 1986, « Évolution du rôle de la Banque mondiale dans les pays lourdement endettés », *Finances et développement,* septembre, pp. 22-25.

BOIS DE GAUDUSSON (J.) (du), 1982, « La réorganisation du secteur public en Côte-d'Ivoire », *Année-africaine,* 1981, Bordeaux, CEAN, Paris, Pedone.

— 1983, « Les évolutions récentes du secteur public économique en Afrique noire », *Année africaine 1982,* Bordeaux, CEAN, Paris, Pedone.

— 1984a, « Crise de l'État interventionniste et libéralisation de l'économie en Afrique », *Revue juridique et politique,* n° 38 (1), janvier, pp. 1-11.

— 1984b, « L'État et les entreprises publiques en Afrique noire », *Revue française d'administration publique,* n° 32, pp. 25-36.

— 1985, « Afrique : interrogations sur le rôle économique de l'État », *Universalia.*

— 1987, *Le statut des entreprises publiques est-il un frein à leur efficacité économique ? Réflexions sur l'évolution des statuts des entreprises publiques en Afrique subsaharienne de succession française,* Bordeaux, CEAN, 1987, multig., 46 p.

— s. d., « Identification des entreprises publiques » et « Les formes juridiques des entreprises publiques » in *Encyclopédie juridique de l'Afrique,* chap. II et III, pp. 201-219.

BOYER (R.), 1986, *La théorie de la régulation : une analyse critique,* Paris, La Découverte, 143 p.

BRA KANON (D.), 1978, « Pour une nouvelle politique du développement agricole ivoirien », *Revue française d'études juridiques et politiques africaines,* juin-juillet, pp. 18-34.

— 1985, *Développement ou appauvrissement,* Paris, Economica, 188 p.

BRARD (Y.) et VION (M.), 1982, « La démocratisation des institutions politiques de la Côte-d'Ivoire », *Revue juridique et politique,* n° 2, avril/juin.

BYE (M.), DESTANNE DE BERNIS (G.), 1977, *Relations économiques internationales. I — Échanges internationaux,* Dalloz, 4e édition, 1 211 p.

CALABRE (S.), 1985, *Prix et conjoncture sur les marchés à terme des produits,* Abidjan, Éditions CEDA, collection Économie et Gestion, 212 p.

CAMPBELL (B.), 1981, « Quand l'ivoirisation sécrète une couche dominante », *Le Monde diplomatique,* n° 332, novembre, pp. 18-19.

— 1982, *L'État postcolonial en Côte-d'Ivoire,* EHESS, multig., 39 p.

— 1983, « Etat et développement du capitalisme en Côte-d'Ivoire », *Entreprises et entrepreneurs en Afrique, XIXe-XXe siècle,* tome II, Paris, L'Harmattan, pp. 301-314.

— 1985, « The Fiscal Crisis of the State, the Case of the Ivory Coast », pp. 267-310, in H. BERNSTEIN et B.K. CAMPBELL (eds), *Contradictions of Accumulation in Africa,* Beverly Hills, Sage, 312 p.

— 1986, « Crise fiscale et endettement. Le cas de la Côte-d'Ivoire », *Interventions économiques,* n° 16, pp. 95-110.

CÉLESTE (M. C.), 1989, « La grande aventure de la privatisation en Afrique », *Le Monde diplomatique,* mai, pp. 26-27.

CHARMES (J.), 1989, « Quelles politiques publiques face au secteur informel ? », CCCE, *Notes et études,* n° 23.

CHAUVEAU (J.-P.), 1983, « Évolution des politiques d'intervention en milieu rural en Côte-d'Ivoire », in Orstom, *Le développement : idéologies et pratiques,* Paris, pp. 46-53.

CHASTEL DE LA HOWARDERIE (T.) (du), 1980, *Les entreprises publiques et semi-publiques à structure sociétaire en Côte-*

d'Ivoire depuis l'indépendance, thèse de doctorat de droit, Nice.

CHEVASSU (J.) et VALETTE (A.), 1975a, *Les industries de la Côte-d'Ivoire. Qui et pourquoi ?,* ORSTOM, ministère du Plan, République de Côte-d'Ivoire, mars, 61 p.

— 1975b, *Les revenus distribués par les activités industrielles en Côte-d'Ivoire,* ORSTOM, ministère du Plan, République de Côte-d'Ivoire, mars, 63 p. + 9 annexes.

— 1977, « Les modalités et le contenu de la croissance industrielle de la Côte-d'Ivoire », *Cahiers de l'ORSTOM,* série SH, vol. XIV, nº 1, pp. 27-57.

CIGE, 1987, *La gestion des entreprises publiques en Côte-d'Ivoire,* journée d'étude organisée le 23-11-1984, Abidjan, NEA, 1987, 56 p.

COHEN (M.), 1974, *Urban Policy and Political conflict in Africa,* Chicago and London, The University of Chicago Press, 262 p.

COMTE (G.), 1972, « Un rapport du FMI remet en question le « miracle ivoirien », *Le Monde diplomatique,* mars, p. 14.

CONSTANTIN (F.) et COULON (C.), 1979, « Entreprises publiques et changement politique au Mali » in *Les entreprises publiques en Afrique noire,* Bordeaux, CEAN, Paris, Pedone.

CONTAMIN (B.), 1974, *L'entreprise publique, instrument du développement économique national — Le cas du Cameroun,* Thèse complémentaire de sciences économiques, Université de Lyon II, 250 p.

CONTAMIN (B.) et FAURE (Y.-A.), 1988, « Les interventions économiques de l'État en Afrique », in *Les Afriques francophones depuis leurs indépendances,* Colloque Saint Anthony's College Oxford, 30 p. et sous presse (OUP).

COPANS (J.), 1981, « Le débat sur l'expérience kenyane », *Le Monde diplomatique,* novembre, pp. 19-20.

COQUERY-VIDROVITCH (C.), 1983, « Introduction » à *Entreprises et entrepreneurs en Afrique (XIXe-XXe siècles),* Paris, L'Harmattan, tome I.

COULON (C.), 1982, « Secteur public, développement économique et classes sociales au Mali », *Année africaine 1981,* Bordeaux, CEAN, Paris, Pedone.

COUSSY (J.), 1986, « Contrainte extérieure et politique économique à Madagascar » in *Ministère de la Coopération :*

Déséquilibres structurels et programmes d'ajustement à Madagascar, Paris, multig., pag. mult.

COUTY (Ph.), 1988, « Voir et comprendre le changement dans les sociétés paysannes africaines. Un point de vue d'économiste », INSEE, Stateco nº 56.

DAUBREY (A.), 1978, « La BNDA et le financement du développement en milieu rural en Côte-d'Ivoire », *Revue juridique et politique. Indépendance et coopération,* nº 32 (1), janvier-mars, pp. 457-469.

DELALANDE (Ph.), 1987, *Gestion de l'entreprise industrielle en Afrique,* Paris, Economica-ACCT, 190 p.

DE MIRAS (C.), 1982, « L'entrepreneur ivoirien ou une bourgeoisie privée de son état », in Fauré (Y.-A.) et Médard (J.-F.), *État et bourgeoisie en Côte-d'Ivoire,* pp. 181-229.

DENIEL (R.), 1981, « Du sucre et des hommes. La Sodésucre de Sérébou-Comoé, Côte-d'Ivoire », *Cultures et développement,* vol. XIII, nº 4, pp. 575-631.

DEN TUINDER (B.A.), 1978, *Ivory Coast. The Challenge of Success,* (Report of a mission sent to the Ivory Coast by the World Bank), Baltimore and London, The Johns Hopkins, University Press, 445 p.

DIABATE (M.), 1977, *Les grands problèmes théoriques et pratiques des sociétés et entreprises d'État en Afrique (Côte-d'Ivoire, Mali, Sénégal),* Abidjan, IES, multigr., 48 p. + annexes.

DIABATE (T.), 1977, *Actions socio-économiques des sociétés d'État en Côte-d'Ivoire (exemples de la CSSPPA et de la Soderiz),* IES et Université d'Abidjan, mémoire de maîtrise en sociologie, 200 p. + annexes.

DJE-BI-DJE (C.), 1986, « La réorganisation du secteur public en Côte-d'Ivoire. La réforme du 13 septembre 1980 », *Revue ivoirienne de droit,* nº 1-2, pp. 13-90.

DOBRY (M.), 1986, Sociologie des crises politiques, Paris, Presses FNSP, 319 p.

DOZON (J.-P.), 1978, « Logique des développeurs/réalité des développés : bilan d'une expérience de développement rizicole en Côte-d'Ivoire », *Mondes en développement,* nº 24, pp. 909-934.

— 1979, « Impasses et contradictions d'une société de développement : l'exemple de l'opération riziculture irriguée en Côte-d'Ivoire », *Cahiers de l'ORSTOM,* série SH, vol. XVI ; nº 1-2, pp. 37-58.

DURUFLE (G.) (coordinateur), 1986, cf. RF, MINICOOP, 1986b.

— 1988, *L'ajustement structurel en Afrique,* Paris, Karthala, 205 p.

DUTEIL (M.), 1980, « Houphouët fait face à la morosité », *Croissance des jeunes nations,* nº 222, novembre, pp. 13-16.

DUTHEIL DE LA ROCHÈRE (J.), 1976, *L'État et le développement économique de la Côte-d'Ivoire,* Paris, Pedone, 420 p.

ECHIMANE (M.V) et NIAMKEY (A.M.), 1988, « Ajustement structurel et désengagement de l'État en Côte-d'Ivoire », *Afrique et développement,* nº 4.

ERB (R.D.), 1986, « L'Afrique et le Fonds monétaire international », *Afrique contemporaine,* nº 138, avril-mai-juin, pp. 47-53.

FARGUES (Ph.), 1986, « Mobilité du travail et croissance d'une économie agricole : la Côte-d'Ivoire », *Revue Tiers monde*, t. XXVII, nº 105, janvier-mars, pp. 195-211.

FAURE (Y.-A.) et MÉDARD (J.-F.) (éd.), 1982, *État et bourgeoisie en Côte-d'Ivoire,* Paris, Karthala, 273 p.

FAURE (Y.-A.), 1985, « Nouvelle donne en Côte-d'Ivoire », *Politique africaine,* nº 24, décembre.

— 1986, « Public/privé : clivage de sens commun ; le cas ivoirien » in *Public-privé : espaces et gestions,* colloque de l'Institut de management public, Lyon, 30 p. dactyl.

— 1987, « Retour à la méthode ; Alain Morice et la Côte-d'Ivoire », *Politique africaine,* nº 27, septembre 1987, pp. 120-122.

— 1988, *Le monde des entreprises en Côte-d'Ivoire, sources statistiques et données de structure,* Abidjan, ORSTOM-IES, 129 p., multig. (et AUPELF-UREF, Notes de recherches nº 89-1, Paris).

— 1989, « Côte-d'Ivoire : Analysing a crisis » in Cruise O'Brien, Dunn and Rathbonne (eds.), *Contemporary West African States,* Cambridge University Press.

FAUVE-CHAMOUX (A.), 1987, *Évolution agraire et croissance démographique,* Liège, Éditions Derouaux Ordina, 389 p.

FOIRRY (J.P.), 1986, « L'évolution conjoncturelle de la Côte-d'Ivoire de 1960 à 1985 : quelques facteurs explicatifs de la crise actuelle », *Le mois en Afrique,* n°s 243-244, avril-mai, pp. 70-80.

FOIRRY (J.P.) et REQUIER-DESJARDINS (D.), 1986, *Planification et politique économique en Côte-d'Ivoire 1960-1985,* Abidjan, CEDA, 272 p.

FRELASTRE (G.), 1980, « Les nouvelles orientations du développement rural de la Côte-d'Ivoire », *Le mois en Afrique,* août-septembre, pp. 37-80.

— 1983, « En Côte-d'Ivoire : prudente mise en œuvre de la nouvelle politique de développement rural intégré », *Le mois en Afrique,* vol. 18 (n°s 213-214), novembre, pp. 52-62.

FURTADO (C.), 1974, *Analyse du « modèle » brésilien,* Paris, Éditions Anthropos, 175 p.

GBAGBO (L.), 1983, « Les entreprises coloniales en Côte-d'Ivoire à la veille de la seconde guerre mondiale », in *Entreprises et entrepreneurs en Afrique (XIXe-XXe siècles),* Paris, L'Harmattan, pp. 484 et s.

GBETIBOUO (M.) et DELGADO (Ch.), 1984, « Lessons and Constraints of Export Cropled Growth : Cocoa in Ivory-Coast », in I.W. Zartman and Ch. Delgado, pp. 115-147.

GLASMAN (M.), 1981, « Le pari du président », *Projet,* n° 151, janvier, pp. 102-106.

GODIN (F.), 1986, *Bénin 1972-1982. La logique de l'État africain,* Paris, L'harmattan, 253 p.

GOUFFERN (L.), 1982, « Les limites d'un modèle ? A propos d'*État et bourgeoisie en Côte-d'Ivoire* », *Politique africaine,* II (6), mai, pp. 19-34.

GOUROU (P.), 1982, *Terres de bonne espérance. Le monde tropical,* Plon, 455 p.

GRELLET (G.), 1986, *Structures et stratégies du développement économique,* Paris, PUF, 451 p.

GROSDIDIER DE HATONS (J.), 1970, « Dix ans d'évolution des établissements publics en Côte-d'Ivoire », *Penant,* 80 (728), avril-mai-juin, pp. 153-180.

GUILLAUMONT (P.), (éd.), 1985, *Croissance et ajustement. Les problèmes de l'Afrique de l'Ouest,* Paris, Economica, 248 p.

GUILLAUMONT (P.), GUILLAUMONT (S.), CHAMBAS (G.), GEOURJON (A.M.), 1986, *Les prêts d'ajustement structurel,* Clermont-Ferrand, CERDI, mai, dont : GEOURJON (A.M.), *Analyse des PAS, Côte-d'Ivoire,* 43 p.

GUILLAUMONT (S.), 198 , « Taux d'investissement et productivité de l'investissement » in *Stratégie de développement comparée. Zone franc et hors zone franc,* Paris, Economica, pp. 413-425.

HAERINGER (Ph.), 1985, « Vingt-cinq ans de politique urbaine à Abidjan ou la tentation de l'urbanisme intégral », *Politique africaine,* nº 17, mars, pp. 20-40.

HECHT (R.M.), 1983, « The Ivory Coast Economic « Miracle » : What Benefits for Peasant Farmers », *The Journal of Modern African Studies,* vol. 21, nº 1, mars, pp. 25-53.

HENRY (Ph.), 1989, *Vers une efficacité spécifique des entreprises africaines,* Paris, CEFEB-CCCE, 17 p., multig.

HIRSCHMAN (A.), 1983, *Bonheur privé, action publique,* Paris, Fayard, 256 p.

HUGON (Ph.), 1986, « L'Afrique subsaharienne face au Fonds monétaire international », *Afrique contemporaine,* nº 139, juillet-août-septembre, pp. 3-19.

— 1987, « La crise économique à Madagascar », *Afrique contemporaine,* nº 144, oct./déc., p. 20 et s.

HUMBERT (M.), 1988, « Le Mexique : la dérive des stratégies » in De Bandt et Hugon (ed.), *Les tiers nations en mal d'industrie,* Paris, Cernea-Economica, 1988, pp. 217-230.

IKONICOFF (M.), 1983, « Théorie et stratégie du développement : le rôle de l'État », *Revue Tiers monde,* XXIV (93).

IKONICOFF (M.) et SIGAL (S.), 1978, « L'État relais », un modèle de développement des sociétés périphériques ? Le cas de la Côte-d'Ivoire », *Revue Tiers monde,* tome XIX, nº 76, octobre-décembre, pp. 683-706.

IKONICOFF (M.), MASINI (J.), JEDLICKI (C.) LANZAROTI (M.), 1977, *Multinationales et développement : la Côte-d'Ivoire,* Paris, IEDES, 206 p.

INADES, 1986a, *Étude des conséquences sociales de la politique de développement en Côte-d'Ivoire,* Abidjan, INADES-documentation, avril, multigr., 36 p.

— 1986b, *Stratégie et grandes options du développement de la Côte-d'Ivoire,* Abidjan, INADES-documentation, avril, multigr., 72 p.

JUDET (P.), 1981, *Les nouveaux pays industriels,* Paris, Éditions Économie et Humanisme/Les Éditions ouvrières, collection Nord-Sud, 162 p.

KITCHING (G.), 1985, « Politics, method and evidence in the Kenya Debate », in H. Berstein et B. K. Campbell (eds.),

Contradiction of accumulation in Africa, Beverly Hills, Sage.

KOUADIO KOFFI (D.), 1983, *La création d'entreprises privées par les nationaux en Côte-d'Ivoire depuis 1960,* Abidjan, CEDA, 167 p.

LAFLEUR (G.A.), GUIHEDE (A.G.), « Dépendance et diversification commerciale : le cas de la Côte-d'Ivoire, 1965-1980 », *Études internationales,* 14 (4), décembre, pp. 745-779, tabl., graph.

LAIDI (Z.), 1987, « Le révélateur ivoirien », *La Croix-l'Événement,* 9 juillet, p. 11.

— 1988, « Un mouvement de libéralisation », *Le Monde* du 23 août, p. 18.

— 1989, *Enquête sur la Banque mondiale,* Paris, Fayard, 358 p.

LALEYE (O.M.), 1985, « Le secteur public au Nigeria. Présentation et problèmes », *Travaux et documents,* n° 9, Université de Bordeaux I, CEAN, 42 p.

LASSAILLY-JACOB (V.), 1985, « Un modèle de développement régional éphémère d'inspiration étatique : l'AVB en Côte-d'Ivoire centrale, 1969-1980 », communication au colloque de l'EHESS-CEA : « L'État contemporain en Afrique », Paris, décembre, dacty., 16 p. + annexes.

LASSUDRIE-DUCHÊNE (B.), 1986, « Préface » in B. Balassa, *Les nouveaux pays industrialisés dans l'économie mondiale,* Paris, Economica, p. V-X.

LAVROFF (D.-G.), 1985, « La CEE et l'Afrique », *Universalia,* pp. 125-130.

LEBRY (L. F.), 1988, « Les morgues désormais gérées par Ivosep », *Fraternité-Matin,* 24 août, pp. 21-22.

LECALLO (D.), 1982, « Les entreprises publiques en Côte-d'Ivoire », *Études et documents,* n° 49, Paris, ministère de la Coopération, juin, 215 p.

L'HERITEAU (M.-F.), 1986, *Le Fonds monétaire international,* Paris, PUF, 277 p.

LIPIETZ (A.), 1986, *Mirages et miracles. Problèmes de l'industrialisation dans le tiers monde,* Paris, La découverte, 189 p.

LEFLOHIC (F.), 1984, « L'industrie de la Côte-d'Ivoire, un objectif majeur : surmonter la crise », *Afrique industrie,* 14 (296), 15 mars, pp. 43-58 et 63-65.

LE PAPE (M.), VIDAL (C.), 1986, *Pratiques de crise et conditions sociales à Abidjan,* (ORSTOM) et Paris (CNRS), Abidjan multig., 102 p.

LORENZI (J.), PASTRE (O.), TOLEDANO (J.), 1980, *La crise du XXe siècle,* Paris, Economica, 387 p.

MANOU SAVINA (A.), ANTOINE (Ph.), DUBRESSON (A.), YAPI DIAHOU (A.), 1985, « Les en-haut des en-bas et les en-bas des en-haut. Classes moyennes et urbanisation à Abidjan », *Revue Tiers monde,* 26 (101), mars, pp. 55-67.

MARCUSSEN *et al.,* 1979, « La Côte-d'Ivoire vers une politique du développement autocentré ? », *Cahiers du CIRES,* n° 20-21, mars-juin.

MASQUET (B.), 1981, « Côte-d'Ivoire : pouvoir présidentiel, palabre et démocratie », *Afrique contemporaine,* mars-avril.

MÉDARD (J.-F.), 1983, « The underdevelopped State in Tropical Africa : Political clientelism or neo-patrimonialism ? », in C. Clapham (ed.), *Private patronage and public power : Political clientelism in Modern State,* London, Frances Pinter Ltd.

MENY (Y.) et THOENIG (J.-C.), 1989, *Politiques publiques,* Paris, PUF, 391 p.

MESCHERIAKOFF (A.S.), 1982, *Le droit administratif ivoirien,* Paris, Economica, 247 p.

MICHEL (G.), NOËL (M.), 1984, « The Ivorian Economy and Alternative Trade Regimes », in I.W. ZARTMAN et C. DELGADO (eds), *The Political Economy of Ivory Coast,* New York, Praeger.

M'LAN (O.), 1978, « Le rôle des entreprises publiques dans le développement de la Côte-d'Ivoire », *Revue juridique et politique. Indépendance et coopération,* 32 (1), janvier-mars, pp. 69-83.

MORAND (C.), 1979, « Togo : un modèle de privatisation », *Africa International,* mars, pp. 39-41.

MOUSSA (B.), 1985, « Les mesures de réajustement de l'économie ivoirienne face à la crise économique mondiale : leurs résultats et leurs implications sociales », *Africa Development,* 10 (1-2), pp. 150-160.

MULLER (P.), 1985, « Un schéma d'analyse des politiques sectorielles », *Revue française de science politique,* vol. 35, n° 2, avril, pp. 165-189.

MYTILKA (L.K.), 1984, « Foreign Business and Economic Development » in I.W. ZARTMAN and C. DELGADO (eds), *The Political Economy of Ivory Coast*, pp. 149-173.

OMINAMI (C.), 1986, *Le Tiers monde dans la crise,* Éditions La Découverte, p. 247.

OUDIN (X.), 1986, *Population et emploi non structuré en Côte-d'Ivoire,* Paris, Amira n° 51, 68 p.

PARGNY (F.), 1987, « La privatisation : un nouveau visage de l'Afrique », *Afrique-Industrie,* 1er février, pp. 17-19.

PAROT (F.), 1976, *Les entreprises publiques, instrument de l'intervention économique de l'État en Côte-d'Ivoire,* Bordeaux I, thèse de doctorat en Économie du développement.

PASCUAL (P.), 1986, *Les processus d'informatisation en Afrique noire,* Université de Paris VII (UER Sociologie), thèse de doctorat de 3e cycle, 424 p.

PELE (S.), 1982, *Les sociétés d'État en Côte-d'Ivoire,* mémoire d'IEP, Bordeaux, dactyl., 118 p. + annexes.

PILLET-SCHWARTZ (A.M.), 1973, *Capitalisme d'État et développement rural en Côte-d'Ivoire : la Sodepalm,* Paris, ORSTOM et CNRS, thèse de 3e cycle de sociologie.

RAPP (L.), 1986, « Aux frontières du secteur public et du secteur privé ; les filiales des entreprises publiques », communication au colloque Public/privé : espaces et gestion de la revue *Politique et management public,* Lyon, 15 et 16 décembre, ronéot., 28 p. + V.

RIDLER (N.B.), 1985, « Comparative Advantage as a Development Model : the Ivory Coast », *The Journal of Modern African Studies,* 23, 3, pp. 407-417.

SAWADOGO (A.), 1977a, *L'agriculture en Côte-d'Ivoire,* Paris, PUF, 367 p.

— 1977b, Interview à *AGRI-77,* mai 1977, pp. 4-5.

SENDER (J.), SMITH (S.), 1986, *The Development of Capitalism in Africa,* London and New York, Methuen, 177 p.

SHIRLEY (M.M.), 1984, « La gestion des entreprises publiques : l'expérience des pays en voie de développement », *Revue française d'administration publique,* n° 32, pp. 57-68.

SIDIBE (L.), 1988, « Promotion immobilière privée : 52 milliards d'investissements en cinq ans », *Fraternité-Matin* du 12 août, pp. 20-22.

SIMONNOT (Ph.), 1973 : « L'exemple et les vertiges de la Côte-d'Ivoire », *Le Monde,* 18, 19 et 20 juillet.

SMITH (S.), 1987, « La Côte-d'Ivoire fonce vers le privé », *Libération* du 28 août, p. 8.

SORMAN (G.), 1987, *La nouvelle richesse des nations,* Paris, Fayard, 334 p.

STEEL (W.F.) et EVANS (J.W.), 1984, *L'industrialisation en Afrique au sud du Sahara. Stratégies et réalisations,* Washington, Banque mondiale (doc. technique nº 25 F), 103 p.

SYLLA (L.), 1985, « Genèse et fonctionnement de l'État clientéliste en Côte-d'Ivoire », *Archives européennes de sociologie,* nº 1, pp. 29-57.

SYLLA (Y.), 1988, « Tafiré : le collège privé devient municipal » *Fraternité-Matin,* 1er décembre, p. 5.

TAY (H.), 1974, *L'administration ivoirienne,* Paris, Berger-Levrault, 131 p.

TERRAY (E.), 1986, « Le climatiseur et la véranda », in *Afrique plurielle, Afrique actuelle, Hommage à G. Balandier,* Paris, Karthala, pp. 37-44.

THIBAULT (J.), 1978, « Le développement ivoirien », *Revue française d'études politiques africaines,* nº 150-151, juin-juillet.

THOENIG (J.C.), 1985, « L'analyse des politiques publiques » in M. GRAWITZ et J. LECA (éd.), *Traité de science politique,* Paris, PUF, tome 4.

TIXIER (G.), 1973, *Étude comparée des politiques économiques du Cameroun et de la Côte-d'Ivoire,* Paris, Librairie générale de droit et de jurisprudence, 183 p.

VALLÉE (O.), 1989, *Le prix de l'argent CFA. Heurs et malheurs de la zone franc,* Paris, Karthala, 266 p.

WAUTHIER (C.), 1985, « Guerre de succession en Côte-d'Ivoire », *Le Monde diplomatique,* novembre.

WILSON (E.J.), 1989, « Privatisation et réforme des entreprises publiques en Afrique : réflexion générale et étude du cas ivoirien », Année africaine (1987-1988), pp. 111-133.

YAO YAO (J.), 1985, *Les cadres ivoiriens et la gestion des sociétés d'État, cas de la Sitram et de la Sodemi,* Abidjan, UNCI, mémoire de maîtrise de sociologie, dactyl. 67 p. + annexes.

ZARTMAN (I.W.) et DELGADO (C.) (eds.), 1984, *The Political Economy of Ivory Coast,* New York, Praeger, 255 p.

ZINGOUA (F.), 1978, « Le rôle de la SONAFI (Société nationale de financement) en Côte-d'Ivoire », *Revue juridique et politique. Indépendance et coopération,* 32 (1), janvier-mars, pp. 451-452.

ZOLBERG (A.)., 1964, *One party government in the Ivory Coast,* Princeton, Princeton University Press.

2. Sources documentaires

(Un certain nombre de documents confidentiels ou inédits signalés dans le cours des développements ne sont pas récapitulés dans cette rubrique.)

A * A *, 1984, *Rapport d'une mission diagnostic de la CNUCED sur le Port autonome d'Abidjan,* mai, dactyl., 49 p.

B *; B *, K *, P *, 1978, *Études préliminaires sur la situation informatique en Côte-d'Ivoire,* Paris, dactyl., 91 p.

BCEAO, série, *Statistiques économiques et monétaires,* 1970-1988.

BIDI, série, *Rapport annuel d'activité,* Abidjan.

BICICI, série, *Rapport annuel d'activité,* Abidjan.

BIRD*, 1981a, *Côte-d'Ivoire, Étude du secteur des entreprises publiques,* volume 2 (vol. 1 voir BIRD-CCCE), Abidjan, juillet, dactyl. pag. multiple.

— 1981b, *Éléments d'une déclaration de politique économique du gouvernement de la République de Côte-d'Ivoire,* document provisoire du 7/7/81, dactyl., 45 p.

— 1981c, *Déclaration de politique économique du gouvernement de la République de Côte-d'Ivoire,* Washington, dactyl.

— 1983, *Déclaration de politique économique du gouvernement de la République de Côte-d'Ivoire,* Washington, dactyl. 31 p. + annexes.

— 1985, *Public Entreprises in Subsaharian Africa,* (J. NELLIS) ronéot., mai 1985, 58 p. + annexes.

— 1986, *La Côte-d'Ivoire en transition : de l'ajustement structurel à la croissance autonome,* Washington, Rapport principal, 225 p.

— 1989, *Africa's Public Enterprise Sector and Evidence of*

Reforms (D. Swanson, T. Wolde-Semait), February 17, 74 p.

BIRD-CCCE, 1982, *Rapport de la mission conjointe BIRD-CCCE sur le secteur des entreprises publiques ivoiriennes. Synthèse et recommandations* (volume 1 voir BIRD* 1981b), Abidjan, janvier, dacty. 24 p.

BIRD-ONU, 1989, *L'ajustement et la croissance en Afrique pendant les années 80,* Washington, 44 p.

BNDA, série, *Rapport annuel d'activité,* Abidjan.

BNDA, 1978, *Propositions pour une réforme de la politique du crédit agricole et de l'épargne rurale — Côte-d'Ivoire. Synthèse et recommandations,* 24 p. + 2 annexes ; *Bilan économique, financier et humain, Synthèse et conclusion,* 24 p.

CAA, série, *Rapport annuel d'activité,* Abidjan.

— 1984, *25 ans au service du développement de la Côte-d'Ivoire,* 1959-1984, 16 p., Abidjan.

CAISSE DES DÉPOTS ET CONSIGNATIONS, 1986, *Petits métiers, artisanat et PME en Afrique. Processus de développement, épargne et stratégies de financement,* Paris, 182 p.

CCIA, 1986, *Rôle du CCIA dans le développement de la Côte-d'Ivoire,* 9 p., Abidjan.

COFINCI, 1984, *Rapport d'exercice 1983-1984,* 24 p., Abidjan.

COMPAGNIE FRANÇAISE D'ORGANISATION, 1972, *L'État ivoirien et le problème des sociétés d'État* (L. Laugier), Paris, 28 p. + annexes.

CONSEIL NATIONAL, 1980, « Texte des déclarations du président Houphouët-Boigny et du ministre d'État M. Ekra », *Fraternité-Hebdo,* n° 1105, 20 juin, pp. 5-11.

ÉCOLE DE COMMERCE ET DE GESTION, 1978, *Programme PAC de formation des commerçants,* 6 p., Abidjan.

ECONOMIST INTELLIGENCE UNIT (EU), *Serie,* London.

FMI, 1984, *Bulletin du FMI*, 3 décembre, pp. 357-361.

HOUPHOUËT-BOIGNY (F.), 1979, « Message à la Nation prononcé le 6 décembre 1979 à Katiola », Chambre d'agriculture de Côte-d'Ivoire, ronéot., 27 p. Texte reproduit également in *Fraternité-Matin* du 10 décembre, pp. 13-16.

— 1985, *Rapport de politique générale,* 8e congrès du PDCI-RDA, Abidjan, octobre, dactyl. 189 p.

PDCI-RDA, 1976, *VIe congrès (15/17 octobre 1975),* éd. Fraternité-Hebdo, Treichville.

— 1984, *26-4/1-5-1983 : face aux manœuvres de déstabilisation, soutien populaire au président du PDCI-RDA,* Fraternité-hebdo éditions, série Documents du parti, 55 p., Treichville.

— 1985, *Rapport de politique générale du président du parti,* 8e congrès du PDCI-RDA, ronéo. 189 p.

RCI, Contrôle d'État, 1977, *Répertoire des établissements et des sociétés à participation financière publique,* juin, 2 tomes, dactyl., pag. mult.

RCI, CS, Chambre des comptes, 1986, *Droit budgétaire et comptabilité publique appliqués aux établissements publics nationaux,* Abidjan, ronéot., 45 p.

RCI, MDEF, 1981, *Note sur le régime financier et comptable des établissements publics,* 13 mai, dactyl., 13 p.

RCI, MEF, série, *Budgets des établissements publics nationaux,* 1981-1989.

RCI, MEF, Banque des données financières, série, *Centrale de bilans,* 1973-1985.

RCI, MEF, Direction de la planification et de la prévision, série, *Les comptes de la nation,* 1980-1982.

RCI, MEF, Direction de la prévision, série, *Bulletins 1979-1986.*

RCI, MEF, Direction des budgets et des comptes, série, *Rapport économique et financier,* 1980-1989.

RCI, MEF, Direction des budgets et des comptes, série, *Projet de loi de finances (BGF et BSIE),* 1980-1989.

RCI, MEF, 1977, *Fiches de situation financière des entreprises publiques* (34 p. + 13 p. + 7 p. + 31 p.).

RCI, MEF, Direction générale des finances, 1980a, *Instruction sur la comptabilité des dépenses publiques,* Abidjan, Imprimerie nationale, 63 p + annexes.

RCI, MEF, 1980b, *Procédures de passation des circuits d'approbation du réglement des marchés et conventions passés sur les budgets de l'État, les budgets annexes, les budgets des établissements publics et des collectivités locales,* Abidjan, 53 p. + annexes.

RCI, MEF, Direction de la statistique, 1984a, *Mémento chiffré de la Côte-d'Ivoire, 1982-1983,* 64 p.

— 1984b, *Bulletin mensuel de statistique, (janvier),* 105 p.

RCI, MEF, Banque des données financières, 1985a, *Listing informatique des sociétés à participation publique,* 1979 et 1984.

RCI, MEF, DCSPP, 1985b, *Évolution de la politique ivoirienne en matière de contrôle du secteur parapublic au cours de la période 1980-1985, ainsi que les perspectives pour les prochaines années,* 62 p.

RCI, MEF, Direction de la prévision, 1986a, *Études et conjonctures,* n° 17.

— 1986b, *Études et conjonctures,* n° 18, 74 p.

RCI, MEF, Direction de la planification et de la prévision, 1987, *Les comptes des administrations, 1982,* Abidjan.

RCI, MEF et SEDES, 1984a, *Circuits d'achat des entreprises publiques,* fascicule 1, 71 p.

— 1984b, *Circuits d'achat des entreprises publiques,* rapport définitif, (M.-F. Lardeau et M.-A. Marc).

RCI, MERSE, 1980, *Rapport de présentation des décisions issues de la réforme des Sode par M. le Ministre M. Ekra,* Abidjan, dactyl., 12 p.

RF, Inspection générale des Finances, 1982, *Rapport de mission en Côte-d'Ivoire de novembre 1982 (Projet de rapport),* Paris, décembre, pag. multiple.

RF, MINICOOP, 1982, Bilan de l'emploi en Côte-d'Ivoire, *Études et documents* n° 47, mai, 298 p.

— 1984a, *Évaluation ex-post du complexe de Borotou Koro (Sodesucre), conclusion* (R. Deniel et J.-H. Moulignat), Paris, 5 p., multig.

— et CCCE, 1984b, *La riziculture ivoirienne : diagnostic et conditions préalables d'une relance* (R.D. Hirsch, J.-L. Inial et Y. Ficatier) ronéot., 86 p. + annexes.

— et SEDES, 1984c, *Évolution et répartition des revenus en Côte-d'Ivoire* (G. Duruflé et J.-L. Martin), Paris, 167 p.

— 1986a, *Industrialisation des pays d'Afrique sub-saharienne ; le cas de la Côte-d'Ivoire,* Paris, 118 p. + annexes.

— 1986b, *Déséquilibres structurels et programmes d'ajustement en Côte-d'Ivoire* (Duruflé G., coordinateur), Paris, pagination multiple, multig.

SEDES, 1963, *Perspectives décennales de développement économique et social* (rapport J.L. Fyot), 5 vol., Paris.

SOTRA, 1983-1986, *Contrat de programme 1984-1986,* 17 p. + annexes ; suivi du *Contrat 1983-1986,* 32 p. ; *Études comparatives des résultats de l'exercice 1984-1985,* 24 p. + annexes.

US-AID, 1986a, *Coopération des secteurs public et privé pour la distribution des services urbains en Côte-d'Ivoire,* Abidjan, janvier, dactyl. 20 p.

— 198b, *Privatization in the Ivory Coast, a status report,* Abidjan, dactyl, 9 p.

— 1988, *Conférence régionale sur la privatisation des services urbains,* 31-5 au 3-6, s. l. (Afrique de l'Ouest), dactyl. pag. multip.

Liste des sigles d'organismes cités dans l'étude

AIR IVOIRE	Société nationale de transports aériens en Côte-d'Ivoire
ARSO	Autorité pour l'Aménagement de la région du Sud-Ouest
ANAM	Agence Nationale des Aérodromes et de la Météorologie
ASM	Académie des Sciences de la Mer
AVB	Autorité pour l'Aménagement de la Vallée du Bandama
BCET	Bureau Central d'Études Techniques
BDI	Bureau de Développement Industriel
BETPA	Bureau d'Études techniques des Productions Agricoles
BIAO	Banque Internationale pour l'Afrique de l'Ouest
BICICI	Banque Internationale pour le Commerce et l'Industrie en Côte-d'Ivoire
BIDI	Banque Ivoirienne de Développement Industriel
BIN	Bureau Ivoirien de Normalisation
BIPT	Banque Ivoirienne pour le Développement des Postes et Télécommunications
BNDA	Banque Nationale pour le Développement Agricole
BNEC	Banque Nationale d'Épargne et de Crédit
BNETD	Bureau National d'Études Techniques et de Développement
BVA	Bourse des Valeurs d'Abidjan
CAA	Caisse Autonome d'Amortissement
CAPEN	Centre d'Assistance et de Promotion de l'Entreprise Nationale

CCI	Crédit de la Côte-d'Ivoire
CCIA	Centre de Commerce International d'Abidjan
CEIB	Centre d'Exploitation Industrielle du Bétail
CGPPPGC	Caisse Générale de Péréquation des Prix des Produits de Grande Consommation
CGRAE	Caisse Générale de Retraite des Agents de l'État
CHU-CO	Centre Hospitalo-Universitaire de Cocody
CHU-TRE	Centre Hospitalo-Universitaire de Treichville
CHU-YOP	Centre Hospitalo-Universitaire de Yopougon
CICE	Centre Ivoirien du Commerce Extérieur
CIDT	Compagnie Ivoirienne de Développement des Fibres Textiles
CIDV	Compagnie Ivoirienne pour le Développement des Cultures vivrières
CIRT	Centre Ivoirien de Recherches Technologiques
CNBF	Centre National des Bureaux de Frêt
CNE	Caisse Nationale d'Épargne
CNOU	Centre National des Œuvres Universitaires
CNPS	Caisse Nationale de Prévoyance Sociale
CSSPPA	Caisse de Stabilisation et de Soutien des Prix des Produits Agricoles
DCGTX	Direction et Contrôle des Grands Travaux
EIB	École Ivoirienne de Bijouterie
ENS	École Nationale Supérieure
ENSA	École Nationale Supérieure d'Agronomie
ENSEA	École Nationale de Statistique et d'Économie Appliquée
ENSPT	École Nationale Supérieure des Postes et Télécommunications
ENSTP	École Nationale Supérieure des Travaux Publics
FER-P.	Fonds d'Entretien et de Renouvellement du Palmier à huile
FGCEI	Fonds de Garantie de Crédit aux Entreprises Ivoiriennes
FNA	Fonds National d'Assainissement

FNH	Fonds National d'Hydraulique
FNI	Fonds National d'Investissement
FOREXI	Société pour la réalisation de Forage d'exploitation en Côte-d'Ivoire
FPM	Fonds de Prévoyance Militaire
FSH	Fonds de Soutien à l'Habitat
IAB	Institut Agricole de Bouaké
ICA	Institut de Cardiologie d'Abidjan
IDESSA	Institut Des Savanes
IDREM	Institut de Documentation et de Recherche Maritime
IGCI	Institut de Géographie de Côte-d'Ivoire
INFTP	Institut National de Formation Technique et Professionnelle
INJS	Institut National de la Jeunesse et des Sports
INPP	Institut National de Perfectionnement Permanent
INSET	Institut National Supérieur de l'Enseignement Technique
INSP	Institut National de Santé Publique
INTELCI	Télécommunications Internationales de Côte-d'Ivoire
IPCI	Institut Pasteur de Côte-d'Ivoire
IPNETP	Institut Pédagogique National de l'Enseignement Technique Professionnel
IRF	Institut Raoul Follereau
ITIPAT	Institut pour l'Industrialisation des Produits Agricoles Tropicaux
IVOIROUTILS	Société Ivoirienne de Fabrication d'Outils
LBTP	Laboratoire du Bâtiment et des Travaux Publics
LONACI	Loterie Nationale de Côte-d'Ivoire
MOTORAGRI	Société pour la Motorisation de l'Agriculture
OCM	Office Central de Mécanographie
OCPA	Office de Commercialisation des Produits Agricoles
OCPV	Office d'Aide à la Commercialisation des Produits Vivriers
OIC	Office Ivoirien des Chargeurs

OISSU	Office Ivoirien des Sports Scolaires et Universitaires
OMOCI	Office de la Main-d'Œuvre de Côte-d'Ivoire
ONAC	Office National des Anciens Combattants
ONFP	Office National de Formation Professionnelle
ONP	Office National des Postes
ONPR	Office National de Promotion Rurale
ONS	Office National des Sports
ONT	Office National des Télécommunications
ONT	Office National du Tourisme
OPEI	Office national de Promotion de l'Entreprise Ivoirienne
OPT	Office des Postes et Télécommunications
OSER	Office de Sécurité Routière
OSHE	Office de Soutien de l'Habitat Économique
OSP	Office des Semences et des Plants
OTU	Office des Transports Urbains
PAA	Port Autonome d'Abidjan
PAC	Programme d'Action Commerciale
PALMINDUSTRIE	Société de Transformation Industrielle du Palmier à huile
PASP	Port Autonome de San Pedro
PETROCI	Société pour le Développement Pétrolier en Côte-d'Ivoire
PSP	Pharmacie de la Santé Publique
RAN	Régie Abidjan-Niger
SAMU	Service d'Aide Médicale d'Urgence
SATMACI	Société d'Assistance Technique pour la Modernisation de l'Agriculture en Côte-d'Ivoire
SETU	Société d'Équipement des Terrains Urbains
SICOFREL	Société Ivoirienne de Commercialisation des Fruits et Légumes
SIETHO	Société Ivoirienne d'Expansion Touristique et Hôtellière
SITAB	Société Ivoirienne des Tabacs
SITRAM	Société Ivoirienne de Transports Maritimes
SOCATCI	Société des Caoutchoucs de Côte-d'Ivoire

SODEFEL	Société de Développement des Fruits et Légumes
SODEFOR	Société de Développement des Plantations Forestières
SODEMI	Société pour le Développement Minier de la Côte-d'Ivoire
SODEPALM	Société pour le Développement et l'Exploitation du Palmier à Huile
SODEPRA	Société pour le Développement de la Production Animale
SODERIZ	Société pour le Développement de la Riziculture
SOGEFIHA	Société de Gestion Financière de l'Habitat
SODESUCRE	Société pour le Développement des Plantations de Canne à sucre, l'Industrialisation et la Commercialisation du Sucre
SODHEVEA	Société pour le Développement de l'Hévéaculture
SONACO	Société Nationale de Conditionnement
SONAFI	Société Nationale de Financement
SONAGECI	Société Nationale de Génie Civil de Côte-d'Ivoire
SOTRA	Société des Transports Abidjanais
UNCI	Université Nationale de Côte-d'Ivoire

Liste des tableaux et graphiques

(le premier chiffre de la numérotation
correspond au chapitre concerné)

Tableaux

Graphiques

TABLE DES MATIÈRES

ÉDITIONS KARTHALA

(extrait du catalogue)

Collection *Méridiens*

Bernard LEHEMBRE, *L'Ile Maurice.*
Christian RUDEL, *Mexique, des Mayas au pétrole.*
Christian RUDEL, *La République dominicaine.*
J. BURNET et J. GUILVOUT, *La Thaïlande.*
Philippe DAVID, *La Côte-d'Ivoire.*
Marie-Paule DE PINA, *Les îles du Cap-Vert.*
Attilio GAUDIO, *Le Mali.*
Philippe L'HOIRY, *Le Malaŵi.*
Catherine BELVAUDE, *La Mauritanie.*
Alain et Denis RUELLAN, *Le Brésil.*
André LAUDOUZE, *Djibouti.*
Pierre VERIN, *Madagascar.*
Antonio RALUY, *La Nouvelle-Calédonie.*
P. MOUREN-LASCAUX, *La Guyane.*
Christian RUDEL, *Le Paraguay.*
Catherine BELVAUDE, *L'Algérie* (déc. 90).

Collection *Les Afriques*

Bernard LANNE, *Tchad-Libye : la querelle des frontières.*
J.S. WHITAKER, *Les États-Unis et l'Afrique : les intérêts en jeu.*
Jean-Marc ÉLA, *L'Afrique des villages.*
Collectif, *Demain la Namibie.*
Amadou DIALLO, *La mort de Diallo Telli, premier secrétaire général de l'OUA.*
Jacques GIRI, *au XXIe siècle. Essai d'étude prospective sur les sociétés sahéliennes.*
Jacques GIRI, *L'Afrique en panne. Ving-cinq ans de « développement ».*
Jacques GIRI, *Le Sahel demain. Catastrophe ou renaissance ?*

Michel N'GANGBET, *Peut-on encore sauver le Tchad ?*

Marcel AMONDJI, *Félix Houphouët et la Côte-d'Ivoire.* L'envers d'une légende.

Jean-François BAYART, *La politique africaine de François Mitterrand.*

François GAULME, *Le Gabon et son ombre.*

Mobiba MAGASSOUBA, *L'islam au Sénégal. Demain les mollahs ?*

Comi M. TOULABOR, *Le Togo sous Eyadéma.*

Tidiane DIAKITÉ, *L'Afrique malade d'elle-même.*

René OTAYEK, *La politique africaine de la Libye.*

Fayçal YACHIR, *Enjeux miniers en Afrique.*

François CONSTANTIN, *L'islam en Afrique orientale.*

Pascal LABAZÉE, *Entreprises et entrepreneurs au Burkina Faso.*

Claude FREUD, *Quelle coopération ? Un bilan de l'aide au développement.*

Gilles DURUFLÉ, *L'ajustement structurel en Afrique (Sénégal, Côte-d'Ivoire, Madagascar).*

François BURGAT, *L'islamisme au Maghreb (La voix du Sud).*

Christian COULON, *Les musulmans et le pouvoir en Afrique noire.*

Abdoulaye WADE, *Un destin pour l'Afrique.*

Olivier VALLÉE, *Le prix de l'argent CFA. Heurs et malheurs de la zone franc.*

C. GEFFRAY, *La Cause des armes au Mozambique. Anthropologie d'une guerre civile.*

S. ELLIS, *Un complot colonial à Madagascar. L'affaire Rainandriamampandry.*

Pierre CLAUSTRE, *L'affaire Claustre. Autopsie d'une prise d'otage.*

Ahmed ROUADJIA, *Les frères et la mosquée. Enquête sur le mouvement islamiste en Algérie.*

Stephen ELLIS, *Un complot colonial à Madagascar. L'affaire Rainandriamampandry.*

Jean-Claude WILLAME, *Patrice Lumumba Premier ministre. La crise congolaise revisitée.*

Jean COPANS, *La longue marche de la modernité africaine.*

Momar Coumba DIOL et Mamadou DIOUF, *Le Sénégal sous Abdou Diouf. État et société.*

Jean-Marc ELA, *Quand l'État pénètre en brousse. Les ripostes paysannes à la crise.*

Collection *Gens du Sud*

Y. KONATÉ, *Alpha Blondy, Reggae et société en Afrique.*
Ch. RUDEL, *Les Amériques indiennes.*
P. NGUEMA-OBAM, *Aspects de la religion fang.*
A. BONASSIEUX, *L'autre Abidjan.*
S. PRÉVITALI, *Le Cameroun par les ponts et par les routes.*
M.L. BONNARDOT et G. DANROC, *Chute de la maison Duvalier.*
M. A. LECERF, *Comprendre le Liban.*
V. LIÈVRE, *Danses du Maghreb.*
J. ADELAÏDE-MERLANDE, *Delgrès,* La Guadeloupe en 1802.
J. CAPELLE, *L'éducation en Afrique noire.*
B. SANANKOUA, *Un empire peul au XIXe siècle. Le Maasina.*
A. GAUDIO et P. VAN ROEKEGHEM, *Étonnante Côte-d'Ivoire.*
M. DECAL et P. MERCIER, *Étudiants ACP dans la Communauté européenne.*
E. MESTIRI, *Guide du Maghreb à Paris et en France.*
P. LAPORTE, *La Guyane des écoles.*
J. TRONCHON, *L'insurrection malgache de 1947.*
C. BOUGEROL, *La médecine populaire à la Guadeloupe.*
Ch. MONTBRUN, *Les Petites Antilles avant Christophe Colomb.*
R. BASTIEN, *Le paysan haïtien et sa famille.*
A. TOURÉ, *Les petits métiers à Abidjan.*
Ch. KABEYA, *Syndicalisme et démocratie en Afrique noire.*
K. MARIKO, *Les Touaregs.*
P. PLUCHON, *Vaudou, sorciers et empoisonneurs en Haïti.*
E. RUDE-ANTOINE, *Le mariage maghrébin en France.*
Christian-Tobie KUOH, *Mon témoignage. Le Cameroun de l'Indépendance (1958-1970).*
Georges B.-MAUVOIS, *Louis des Étages (1873-1925). L'itinéraire d'un homme politique martiniquais.*
Alain ANSELIN, *L'émigration antillaise en France. Ou la troisième île.*
Adoum MBAÏOSSO, *L'éducation au Tchad. Bilan, problèmes et perspectives.*

Achevé d'imprimer par Corlet, Imprimeur, S.A.
14110 Condé-sur-Noireau (France)
N° d'Imprimeur : 17646 - Dépôt légal : octobre 1990

Imprimé en C.E.E.